Configuration et dépannage de PC

de PC

Préparation à la Certification A+

Guide de formation avec exercices pratiques

Configuration et dépannage de PC

Préparation à la Certification A+

Guide de formation avec exercices pratiques

Sophie Lange

2e édition 2005
2e tirage 2007

EYROLLES

ÉDITIONS EYROLLES
61, bd Saint-Germain
75240 Paris Cedex 05
www.editions-eyrolles.com

TSOFT
10, rue du Colisée
75008 Paris
www.tsoft.fr

Avant-propos

Cet ouvrage intéresse d'abord un public professionnel. Les débutants dans le domaine de la maintenance apprécieront particulièrement l'aspect apprentissage du métier qu'ils trouveront dans cet ouvrage. Et ceux que l'on nomme les "correspondants micro" qui, dans les entreprises, s'occupent du dépannage de premier niveau, de la maintenance et de la mise à niveau des parcs informatiques, y trouveront les connaissances nécessaires à leur métier.

Un public plus large pourra se montrer très avide d'une connaissance du matériel informatique. Les PC sont maintenant entrés dans les foyers et il n'est pas rare qu'un particulier se trouve devant un véritable casse-tête lorsque le PC ne répond plus à ses ordres ou alors quand il désire installer des composants plus récents. Ce public sera ravi de trouver ici un véritable guide pratique du micro-ordinateur.

Cet ouvrage, volontairement pédagogique, sera utile aux formateurs qui y trouveront un guide de formation pratique et très détaillé. Les cours hardware connaissent un succès grandissant dans les centres de formation.

De plus, les professionnels de l'informatique trouveront dans cet ouvrage un support de préparation à deux certifications bien reconnues dans les métiers du support et de la maintenance, organisées par *Comptia* (Computing International Association) : *A+ matériel* et *A+ système d'exploitation*. Pour vous aider à réussir cette certification, nous offrons à nos lecteurs des documents complémentaires en téléchargement depuis le site http://www.tsoft.fr. Accédez à la page de présentation de cet ouvrage (référence TS0066), vous y trouverez des conseils et des éléments plus pointus et spécifiquement consacrés au programme de la certification A+ qui ne sont pas tous abordés dans cet ouvrage.

Point fort de ce guide, de nombreux exercices pratiques vous aideront à mettre en application les connaissances que vous acquérrez. Nous vous conseillons d'avoir sous la main le matériel et logiciel qui vous permettront de réaliser ces exercices. Plus vous aurez de matériel à votre disposition, mieux cela vaudra pour votre apprentissage.

A l'issue de la lecture de cet ouvrage, vous saurez démonter entièrement votre PC, changer des éléments internes et les remonter. Vous saurez aussi installer le système d'exploitation et des applications aussi bien sur un poste seul que dans un environnement réseau.

Table des matières

Préambule

A propos de ce guide

Quel que soit son domaine d'activité, l'entreprise ne peut plus se passer de l'outil informatique. Que l'on fasse partie d'une grande entreprise, que l'on exerce une profession libérale ou même un métier technique, l'informatique occupe une place déterminante.

La difficulté majeure réside surtout dans la diversité du matériel, des systèmes d'exploitation et des applications que l'on pourra rencontrer. Certains équipements pourront paraître d'un autre âge alors que d'autres reflèteront ce qui se fait de mieux en la matière. Il nous est donc apparu utile de proposer un ouvrage qui rassemble les connaissances techniques permettant d'installer, de faire fonctionner et d'optimiser des systèmes de générations différentes.

Écrit dans un langage simple, clair et largement imagé, ce guide est avant tout pratique, testez tout ce que vous pourrez. Toute la partie pratique de cet ouvrage a été testée sur des plates-formes réelles, et nous vous garantissons que tout « cela » fonctionne.

Ce guide de formation vous sera d'un grand secours pour vous préparer à dépanner, configurer et faire évoluer vos PC. Il est conçu pour servir de support d'autoformation ou, dans le cadre d'une formation en salle, pour permettre au formateur de cadencer ses présentations et de suivre la compréhension des stagiaires à travers les ateliers et les quiz présents en fin de chaque chapitre.

Les stagiaires l'apprécieront pendant la formation car ils pourront suivre les explications du formateur au fur et à mesure de ses exposés. Après le cours, cet ouvrage leur permettra également de refaire les exercices pratiques et ainsi de mieux maîtriser le sujet.

Progression pédagogique

- *Maintenance et sécurité*
- *Le micro-ordinateur*
- *Les éléments de base*
- *Les unités de stockage*
- *Les périphériques d'entrées/sorties*
- *Les imprimantes et les modems*
- *Les réseaux et l'Internet*
- *Le système d'exploitation*

- *Windows 98*
- *Optimiser MS-DOS et Windows 98*
- *Windows Me*
- *Windows 2000 Professionnel*
- *Windows XP Professionnel et Edition Familiale*
- *Mise en réseau et Internet sous Windows XP*

Ce guide de formation comporte quatorze chapitres constituant autant d'étapes de formation. Mais au-delà de la formation, vous pourrez toujours en avoir usage pour retrouver des informations utiles et des procédures opératoires dans le cadre de votre utilisation professionnelle ou personnelle de l'ordinateur.

Si vous utilisez ce guide dans le cadre d'une autoformation, nous vous conseillons de le suivre du début à la fin.

Si ce guide est utilisé dans le cadre d'une formation avec animateur, il peut convenir à deux types de stages :

- Un stage d'une durée de cinq jours qui s'adresse à des utilisateurs expérimentés désirant perfectionner leurs connaissances. Il s'agira d'un cours accéléré (deux jours hardware + trois jours systèmes d'exploitation).
- Un stage complet de dix jours au total, avec cinq jours pour la partie hardware et cinq jours pour la partie système d'exploitation. Ce type de cours s'adresse à toute personne ayant un minimum de connaissances en micro-informatique. Il est nécessairement plus long que le premier car les participants ne seront pas nécessairement des "habitués du bricolage".

Le formateur choisira le nombre de chapitres et le rythme de cours en fonction :

- Du niveau initial des stagiaires,
- Du nombre de jours dont il dispose,
- Du contenu du plan de cours.

Maintenance et sécurité

Dans ce premier chapitre, nous abordons tous les sujets liés à la maintenance. Le matériel à utiliser pour entretenir et manipuler les différentes pièces, les mesures de sécurité à prendre avant de travailler et les problèmes liés à l'électricité. Prenez le temps de l'étudier, vous y trouverez des conseils pratiques et quelques règles à respecter.

Le micro-ordinateur

Ce chapitre décrit les éléments principaux d'un PC et son principe de fonctionnement et vous aidera à appréhender une certaine logique. Il aborde les différentes phases du processus de démarrage et vous ferez notamment connaissance avec les erreurs du POST.

Les éléments de base

Ici, nous décrivons et expliquons le rôle de chaque élément de base qui compose le système. L'alimentation électrique, le processeur, le bus, la mémoire, les ressources du système. Vous apprendrez à maîtriser chaque élément qui compose le système.

Les unités de stockage

Incontournables dans le monde de l'informatique, nous nous penchons ici sur les disques durs, lecteurs en tout genre, graveurs et également unités de sauvegarde. Dans la mesure du possible, munissez-vous de matériaux variés.

Les périphériques d'entrées/sorties

Dans ce chapitre, nous vous présentons tous les composants du PC permettant de communiquer ou de recevoir des informations. Les ports de communication, les périphériques, les cartes d'extension. Nous consacrons également une place aux périphériques multimédias.

Les imprimantes et les modems

Bien qu'ils fassent partie des périphériques entrées/sorties, nous avons choisi de leur consacrer un chapitre particulier. Les imprimantes constituent souvent la source de quelques soucis quotidiens. Les modems, quant à eux, sont devenus les incontournables moyens de communiquer à travers le monde. Dans ce module, nous vous présentons les modems d'une façon succincte et en terme de type de matériaux que vous pourrez rencontrer.

Les réseaux et l'Internet

Dernier chapitre de la partie hardware, il aborde le réseau d'un point de vue matériel uniquement. La partie configuration des protocoles et autres paramètres est traitée plus loin. Ici, nous vous présentons les différentes topologies, les composants réseau et le câblage.

Comment parler micro sans parler d'Internet ? Si vous disposez d'une plate-forme adéquate, lisez aussi ce chapitre. Il vous permettra de vous connecter et d'aller à la pêche aux informations si par hasard vous en manquiez dans un domaine précis. Dans ce domaine, plus qu'ailleurs, les technologies évoluent. Nous feront donc un large tour d'horizon sur toutes les possibilités en la matière.

Le système d'exploitation

Après avoir ouvert votre PC à plusieurs reprises et modifié la configuration matérielle, la suite logique est de parler du système d'exploitation. Ce module retrace l'historique des principaux systèmes d'exploitation rencontrés sur le marché. Nous conservons volontairement une partie MS-DOS qui vous aidera à comprendre la suite.

Windows 98

Ce chapitre suit logiquement le précédent. Vous apprendrez à installer Windows 98. Nous vous présentons cette version dans le détail. Après avoir installé le système d'exploitation, nous abordons ici le fonctionnement de Windows comme le processus d'amorçage, le Plug and Play, la base de registre...

Optimiser MS-DOS et Windows 98

Ce chapitre traite de toutes sortes de méthodes pour améliorer les performances du matériel. Les applications DOS sous Windows sont abordées avec précision. Lisez attentivement, testez et mémorisez bien ce chapitre, il est important.

Windows Me

Successeur de Windows 98, son architecture en est relativement proche. Nous vous présentons principalement les changements et les évolutions de cette version. Restée peu de temps dans le grand public, on la trouve de moins en moins fréquemment.

Windows 2000 Professionnel

Cette version est surtout réservée à l'usage en entreprise, c'est un système d'exploitation idéal pour les environnements réseaux. Elle remplace maintenant Windows NT4 et se décline en plusieurs versions. Nous avons choisi de nous consacrer à Windows 2000 Professionnel.

Windows XP Professionnel et Edition Familiale

Le dernier né des systèmes d'exploitation de Microsoft. Son architecture est très proche de celle de Windows 2000. Une version professionnelle est destinée à l'entreprise, une autre version familiale pour un environnement domestique. Dans cet ouvrage, nous vous présenterons tout d'abord la différence qu'il existe entre les deux versions, puis le tronc commun.

La mise en réseau et l'Internet sous Windows XP

Ce dernier chapitre est particulièrement destiné à la mise en réseau et à l'Internet. Nous aurons l'occasion de vous faire découvrir les dernières technologies de l'Internet et des outils intégrés à Windows XP.

- *Historique de la micro-informatique*
- *Les outils de maintenance*
- *Sécurité électrique et problèmes internationaux*
- *Les consommables*
- *Nettoyage et entretien*

1

Préliminaires maintenance et sécurité

Objectifs

Dans ce premier chapitre, nous allons faire un large tour d'horizon de l'univers de la maintenance. Celui-ci implique des connaissances, un savoir-faire et surtout le respect d'un certain nombre de normes de sécurité et de réglementations.

Cet aspect ne doit pas être négligé, il faut savoir en outre que dans certains domaines, comme l'électricité, il n'existe aucune norme internationale. Il vous faudra donc vous conformer aux lois du pays dans lequel vous intervenez.

Contenu

Un bref historique de la micro-informatique.

Les outils de la maintenance.

La sécurité électrique.

Les problèmes internationaux.

Les fusibles.

Les décharges électrostatiques.

L'élimination des consommables.

Les tubes cathodiques.

Le laser et les sources lumineuses.

Nettoyage et entretien.

Histoire de la micro informatique

> • *Historique – de 1973 à nos jours*

Faire un historique de l'informatique n'est pas chose aisée. La rapidité des changements et leur diversité peuvent parfois paraître déroutantes. Nous vous proposons de parcourir les étapes majeures de trente ans d'évolution, pour situer les apparitions des technologies qui ont jalonné l'histoire de la micro informatique. Nous nous limitons ici au matériel et au système d'exploitation dans l'esprit du support technique de base.

Quelques dates clés

1973	André Truong invente le premier micro-ordinateur : le Micral.
1974	Création du système d'exploitation CP/M par Gary Kidall. Motorola commercialise son premier processeur 8 bits, le 6800.
1975	Annonce de l'Altaïr, le premier micro-ordinateur. Création de Microsoft par Bill Gates et Paul Allen. Le premier traitement de texte WYSIWYG (What You See Is What You Get) est mis au point.
1976	Steve Jobs et Steve Wozniak finissent leur ordinateur qu'ils baptisent Apple Computer. Ils fondent la société Apple le 1er Avril 1976.
1977	1977 Sortie du TRS80 de Tandy. Présentation du PET par Commodore. Apple Computer présente son ordinateur Apple. Il est équipé d'un processeur 6502, de 16 Ko de Rom, 4 Ko de RAM, de 8 slots d'extension et d'une carte graphique couleur. Avec le 8086, Intel présente son premier microprocesseur 16 bits. L'année suivante, une forme légèrement simplifiée de ce circuit apparaît : c'est le 8088, qui sera le cœur de l'IBM PC annoncé en 1981.
1978	Création du processeur Z80 chez Zilog. Première tenue du SICOB, Salon généraliste français de l'informatique, des réseaux et des télécommunications en France. Création de Transpac, permettant aux entreprises de transférer des données via des lignes téléphoniques.
1979	Sortie de l'ordinateur français Victor Lambda. Présentation par Tandy du TRS 80 modèle II.
1981	Naissance du PC (16 Ko de RAM) avec le processeur 8086 Intel. Le système d'exploitation MS-DOS développé par Microsoft.

1982	Présentation du PC-2 (64 Ko de RAM) et disquette de 320 Ko. Apparition des premiers moniteurs RVB. Mise au point du 80286.
1983	Le PC prend le nom de PC-XT. Il est muni de plusieurs slots d'extension et il est possible d'installer jusqu'à 640 Ko de RAM sur la carte mère. Le disque dur fait son apparition.
1984	Apparition des premiers clones de PC-XT. Apple et Hewlett-Packard lancent leurs premières imprimantes à laser personnelles, respectivement baptisée Laser Writer et Laserjet.
1985	Apparition du processeur 80386 cadencé à 16 Mhz. Début du multitâche.
1986	L'interface SCSI (Small Computer System Interface) voit officiellement le jour.
1987	L'US National Science Foundation démarra NSFnet, qui devait devenir une partie de l'Internet actuel. IBM crée le PS/2 équipé d'un processeur Intel et doté d'un nouveau bus, baptisé MCA, qui n'accepte pas les cartes d'extensions déjà existantes. La compatibilité logicielle est conservée. Le nouveau mode graphique VGA apparaît ainsi que la disquette 3,5 pouces. Macintosh II, Apple adopte le look des PC. Il emprunte aussi à ce dernier le principe des cartes d'extension. A cette ouverture s'ajoute une puissance très importante, cette machine étant construite autour d'un processeur 68020 à 16 MHz, de Motorola.
1988	Compaq, Hewlett-Packard et Microsoft développent Eisa, un bus plus rapide que MCA mais compatible avec le bus Isa qui équipe jusque là les PC. OS/2 Lan Manager contre Netware : Microsoft commercialise son premier gestionnaire de réseau local, OS/2 Lan Manager.
1989	Mise au point du 486 cadencé de 25 à 33 Mhz. Microsoft présente Word 1.0 pour Windows, le premier traitement de texte exploitant l'interface graphique. Hewlett-Packard commercialise NewWave, annoncé deux ans plus tôt. Cette extension de Windows 2.0 préfigure certaines fonctions de Windows 95 notamment les liens OLE.
1990	Windows 3.0 repose toujours sur MS-DOS, mais il s'en affranchit partiellement, ce qui lui permet d'offrir aux programmes suffisamment de mémoire. Avec cette interface graphique, le Macintosh a désormais un concurrent très sérieux, auquel il a de toute évidence servi de modèle. Sharp lance le PC 8041, premier ordinateur portatif doté d'un écran à cristaux liquides en couleurs. La société US Robotics met sur le marché le premier modem à la norme V 32 bis. Le débit est de 14400 bits/s.
1991	Le premier site Web du Cern (Centre Européen de Recherche Nucléaire) voit le jour en 1991. Il concrétise les travaux que Berners-Lee, chercheur au CERN, mène depuis deux ans sur un mécanisme qui faciliterait le partage d'informations sur Internet. C'est ainsi que naît le World Wide Web.
1992	Lotus et Microsoft, suivis par le tandem Borland-Wordperfect lancent leurs premières suites bureautiques. Alors que le marché du multimédia décolle enfin, le constructeur japonais NEC présente le premier lecteur de CD-Rom double vitesse. Creative Labs lance la Sound Blaster 16 ASP. Cette carte fait bénéficier les PC

d'un son stéréo de qualité laser grâce à la numérisation sur 16 bits.
IBM annonce le mode graphique XGA, dont la définition est de 1024 x
768 points.

1993   Intel lance le Pentium qui s'imposera l'année suivante. A mesure que les
versions successives du Pentium voient le jour (Pro, MMX, Pentium II).
le bus d'extension PCI réussira là où MCA et Eisa ont échoué. Il finira
par remplacer le bus ISA, beaucoup plus lent. PCI sera même adopté par
Apple et des constructeurs de gros serveurs.
Microsoft présente Windows NT qui ne partage avec Windows 3.1 que
l'interface graphique.

1994   Apple sort une gamme d'ordinateurs baptisée Power Macintosh. Les
nouveaux modèles fonctionnent en effet avec des processeurs de type
PowerPC, qui ont été conçus en collaboration avec IBM et Motorola.
En lançant le Zip, son lecteur de disquettes 100 Mo, Iomega espère
remplacer la disquette 3,5 pouces.
La France découvre le World Wide Web. On voit apparaître les premiers
modems à la norme V34 (28,8 Kbits par seconde).

1995   Lancement de Windows 95, qui révolutionnera l'interface graphique et la
prise en charge du multitâche.
Les principaux industriels intéressés se sont mis d'accord sur les
spécifications du DVD. Sur ce disque numérique, on pourra enregistrer,
selon les versions, de 4,7 à 18 Go, soit de 7 à 27 fois plus que sur un CD-
Rom. Les premiers lecteurs seront en vente dès l'année suivante.

1996   Pour la première fois depuis 1985, Intel modifie l'architecture de sa
famille de processeurs, pour y introduire un ensemble d'instructions
baptisées MMX et destinées à accélérer les applications multimédias
La société US-Robotics lance le Pilot, un ordinateur à écran tactile de 160
grammes dont la taille est celle d'un calepin.
Windows NT4, version mature de Windows NT, est disponible sur les
principaux processeurs du marché Intel, Power PC et MIPS.

1997   Gros progrès dans le domaine de la reconnaissance vocale. IBM lance
ViaVoice, le premier logiciel de dictée n'imposant pas à l'utilisateur de
marquer une pause entre deux mots.
Windows 98 sortie en version béta.
Apple : sortie du premier PowerMacintosh G3 (fonctionnant avec un
PowerPC 750 de Motorola).
Des clusters (grappes) d'ordinateurs sous Linux sont utilisés pour les
effets spéciaux des films Titanic ou Le Pic de Dante.

1998   Disparition du socket 7 et du Pentium MMX. L'apparition du Slot 1 ne
parviendra pas à réduire à néant les concurrents, comme le K6 d'AMD.
Malgré tout le Pentium II poursuit sa course dans les configurations de
moyenne et haut de gamme.
Montée en puissance des cartes graphiques 2D/3D, Matrox, ATI,
N'Vidia, STB, S3. Intel fait son entrée sur le créneau en concevant une
puce graphique pour les cartes d'entrée de gamme et les cartes mère
« tout en un ». Le marché des cartes accélératrices est toujours dominé
par 3Dfx et sa puce Voodoo II.
Apple sort l'iMac, Internet accessible après 3 minutes d'installation :
l'iMac relance Apple.
Sortie de Windows 98 intégrant Internet Explorer 4.0.

1999   Sortie du Pentium III d'Intel pour concurrencer LE K6-2 d'AMD
intégrant les puces 3D NOW !. Une nouvelle version du Celeron sort sur
un support de type socket, et non plus sur le Slot 1. Le socket 370 n'est

pas compatible avec les processeurs pour socket 7.

Linux, système d'exploitation en logiciel libre, est présent sur 35 % des serveurs d'entreprise et commence à faire concurrence sur les serveurs PC à Windows NT.

2000/2001 Mise sur le marché, principalement pour les PC en entreprise, de Windows 2000 Workstation et Server initialement nommé Windows NT 5.0. Ce système d'exploitation de Microsoft, entièrement à 32 bits, est fondé sur le noyau de Windows NT.

Sortie en septembre 2000, Windows Millenium Edition dit aussi « Windows Me », est l'évolution des versions 95 et 98. Windows Me, très orienté multimédia, est positionné plutôt comme le Windows pour les PC chez les particuliers.

Pour Apple : PowerMac G4, Mac OS X, iBook.

2002 Mise sur le marché de Windows XP, une version pour les particuliers, « Windows XP Edition Familiale », qui vise à se substituer à Windows Me et une version pour les entreprises « Windows XP Professionnel », qui remplace Windows 2000 Workstation. La nouvelle version pour les serveurs sera pour 2003, Windows Server 2003.

2003 L'évolution continue. Les processeurs atteignent maintenant une fréquence de 3,2 Ghz. Un nouveau concept grand public est mis au point sous la forme d'un boîtier compact de salon. Ce nouveau concept créé autour d'un système propriétaire vise à facilité l'intégration de l'outil informatique dans l'univers domestique. Microsoft met au point un système d'exploitation spécifique appelé « Windows Media Center Edition ». Tout le système et les périphériques multimédias se pilotent à partir d'une télécommande.

2004 Après un an de vie pour Windows 2003 Server, de nouvelles mises à jours sont annoncés. En attendant un nouveau système d'exploitation 64 bits, cette version sera corrigée et améliorée. Cette année marque le point de départ de ce nouveau type de système d'exploitation avec l'arrivée du PowerMac G5 de Macintosh.

L'autre grande nouveauté de cette année est la mise en place d'une nouvelle norme réseau, le CPL (Courant Porteur en Ligne). Ce principe étudié depuis quelques années va permettre de faire circuler des données informatiques sur le réseau électrique. Une nouvelle norme baptisée HomePlug AV permettra d'atteindre une vitesse de transmission de 100 Mb/s contre 14 Mb/s pour l'ancienne norme HomePlug.

A l'horizon 2005

L'année 2005 est sans aucun doute l'année du 64 bits. AMD a pris une confortable avance sur Intel au niveau de ces nouveaux processeurs. De son côté, Microsoft livre au premier trimestre la version test de Windows XP 64 et annonce pour le courant de l'année une mise à jour de ses deux dernières versions de Windows vers le 64 bits.

Pour conclure, Intel annonce la fin du Bios et proposera un nouveau concept baptisé EFI (Extensible Firmware Interface). Celui-ci spécifie une interface entre la phase de pré-démarrage de l'ordinateur et le chargement des nouveaux systèmes d'exploitation 64 bits. Le démarrage de la machine est pratiquement instantané.

Phoenix, qui occupe une place dominante dans la conception de Bios, propose son évolution appelée CSS (Core System Software) qui permettra de diagnostiquer et de réparer des systèmes endommagés et de se connecter à l'Internet.

Ces deux technologies utilisent une partie protégé du disque dur nommé HPA (Host-Protected Area).

Les outils de maintenance

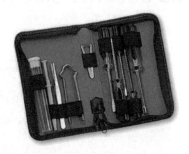

Il faut un minimum d'outils pour dépanner un PC et surtout une bonne organisation. Suivant la marque du PC, la visserie et l'assemblage intérieur peuvent varier sensiblement. Voici une liste des principaux outils dont vous aurez besoin. Il existe dans le commerce des kits complets sous forme de trousse très pratique.

Des tournevis

La plupart du temps, un ou plusieurs tournevis cruciforme suffisent, mais dans certains cas vous aurez besoin d'un tournevis Torx (en étoile). Possédez-en de plusieurs tailles. Attention, sur de nombreux modèles Compaq, vous trouverez des vis étoilées.

Des pinces, des outils d'extraction de puces, des torches…

Ce petit matériel vous sera précieux pour récupérer de petits éléments tombés au fond du boîtier. Prévoyez un récipient pour ranger la visserie ainsi qu'une lampe pour éclairer les parties sombres du PC. Des outils spécifiques servant à extraire les puces vous éviteront d'endommager des composants très sensibles.

Du matériel de nettoyage

Pour nettoyer un PC, n'utilisez que du matériel approprié et manipulez les pièces avec beaucoup de précaution. Ayez en permanence avec vous une bonbonne d'air comprimé et une brosse en soie naturelle. La poussière est parfois à l'origine de pannes intermittentes et un nettoyage suffit à régler le problème.

Bracelet ou tapis antistatique, sachets…

De l'électricité statique est présente sur de nombreuses pièces même quand le PC est éteint. Afin d'éviter d'endommager gravement ces pièces, il est nécessaire de se décharger de l'électricité statique présente dans notre corps. Il existe des outillages qui vous permettront de travailler en toute sécurité : des bracelets ou des tapis antistatiques, des pochettes plastiques pour conserver des pièces détachées. Utilisez-les systématiquement, vous éviterez des déconvenues.

La sécurité électrique

- *Les règles de sécurité*
- *Le circuit électrique domestique et industriel*

Quelques précautions

Les tensions utilisées pour des circuits domestiques varient de 110 à 240 V, ce qui représente un danger de mort en cas d'accident. Certains équipements comme les moniteurs accumulent des tensions bien supérieures (atteignant 30 000 V).

Pour votre sécurité, il apparaît incontournable de respecter certaines règles en vigueur à propos de la sécurité électrique. Dont voici les principales :

- N'intervenez pas sur un équipement si vous n'êtes pas sûr des conséquences que cela pourrait avoir et évitez de travailler seul.
- Retirez tous les bijoux que vous portez, que ce soit aux bras, aux mains ou autour du cou. Beaucoup d'entre eux sont conducteurs et un contact avec un composant sensible peut endommager celui-ci.
- Mettez hors tension tous les composants externes avant de les démonter et débranchez les prises qui les relient au secteur.
- Ne tentez jamais d'ouvrir et de manipuler un moniteur ou une alimentation si vous n'avez pas la qualification requise. En effet ces éléments gardent une forte tension dans des condensateurs même s'ils ont été débranchés depuis longtemps.
- N'oubliez pas de remplacer les fusibles qui auraient pu fondre suite à un incident électrique et de respecter la capacité requise.

Le circuit électrique

Il existe en réalité deux systèmes électriques distincts. L'un est appelé le monophasé, c'est celui utilisé dans le circuit électrique domestique, et le triphasé qui est utilisé dans le domaine industriel (gros moteurs, appareils nécessitant une haute puissance).

Le monophasé

Ce système comporte deux circuits et un seul fil est sous tension.

Le circuit de puissance fournit les lignes d'alimentation et de retour par lesquelles le courant passe. La ligne sous tension reçoit entre 110 et 240 V de tension suivant les pays et la ligne neutre doit toujours être proche de 0.

Le circuit de terre, que l'on appelle aussi la masse, est souvent relié à la terre du bâtiment ou au blindage métallique du câble d'alimentation. Pratiquement tous les équipements doivent être reliés aux deux circuits.

Le triphasé

Le principe est le même que le monophasé, mais ces systèmes comportent trois circuits sous tension (de couleur rouge, jaune et bleu). Ceux-ci peuvent recevoir une tension qui peut atteindre 600 V.

Il comporte également une ligne neutre et un circuit de terre.

L'entretien du matériel triphasé nécessite une compétence particulière.

Les problèmes électriques

Pointes ou crêtes de tension

L'alimentation électrique quitte la centrale électrique de manière très linéaire mais est très vite perturbée par l'utilisation des appareils électriques. Une pointe de tension représente une élévation très brève (au plus quelques millisecondes).

Elles sont souvent de faible amplitude et de trop courte durée pour provoquer un problème sérieux sur un PC.

Les chutes de tension

Une chute de tension est souvent provoquée lorsque l'on allume un appareil nécessitant une arrivée de courant très forte, ce qui est le cas des équipements utilisant des moteurs puissants. Cette forte puissance provoque une chute de tension disponible.

Elles sont en général très courtes, cependant si la durée dépasse 20 millisecondes, cela peut perturber le fonctionnement du PC.

Les pertes de tension

Ce sont des chutes de tension durant plus d'une seconde et elles sont provoquées par une défaillance ou une surcharge du circuit de distribution.

La coupure de courant

Elle provoque la suppression complète de l'alimentation électrique et provient souvent d'une coupure du réseau de distribution, du débranchement du disjoncteur ou de la fusion d'un fusible.

Protections électriques

Il existe des dispositifs permettant de protéger un équipement informatique contre les effets aléatoires de ces incidents : des adaptateurs comprenant un circuit protecteur. Le courant maximum supporté par un filtre varie de 3 à 13 ampères suivant les modèles. Ils sont appelés des filtres passifs dans la mesure où ils peuvent assumer les problèmes de hausse de tension mais ne peuvent fournir de courant supplémentaire. Ils ne sont donc d'aucun effet lorsque la variation du courant chute.

Les alimentations continues (UPS)

- *Les UPS en ligne*
- *Les UPS hors ligne*
- *L'utilisation d'une UPS*

Description

Les UPS, que l'on nomme également onduleurs, sont utilisées pour pallier aux problèmes de défaillance électrique. Il existe deux types d'UPS, en ligne et hors ligne. En règle générale, elles comprennent les éléments suivants :

- Un banc de batterie.
- Un circuit de charge des batteries.
- Un convertisseur CC/CA générant un courant de 240 VCA à partir des batteries.
- Un circuit para-surtenseur.
- Un circuit de contrôle permettant à l'UPS hors ligne de se substituer à l'alimentation.

L'UPS en ligne

Solution idéale pour obtenir du courant en permanence. Le courant arrive via un inverseur en provenance des batteries. Pendant ce temps, l'UPS reçoit du courant en provenance du secteur qui est utilisé pour recharger les batteries. Il n'y a aucune interruption lorsque l'UPS commute sur les batteries au moment où l'incident se produit.

L'UPS hors ligne

La différence se situe dans le fait que l'inverseur n'est actionné que lorsqu'un incident est détecté. Les batteries sont constamment chargées. L'inconvénient est qu'il existe un délai de quelques millisecondes entre la détection de la défaillance et la commutation de l'UPS. En principe, cela ne doit pas endommager les composants du PC.

Caractéristiques techniques

La puissance maximale, calculée en VA, que l'UPS doit fournir sans surchauffer se calcule suivant la formule suivante :

$$\text{VA} = \text{puissance (en watt)} \times 1{,}6$$

Si une charge totalise 150 watts (représentant le total des équipements à protéger), la classe d'UPS doit être de 150 X 1,6, soit 240 VA.

Le temps de fonctionnement se calcule en fonction du nombre de batteries incluses dans l'UPS. On peut considérer qu'un fonctionnement minimal de cinq minutes pouvant aller jusqu'à trente minutes constitue une bonne moyenne.

Surveillance de l'UPS

Reliée à un système hôte (par le port série ou carte d'extension), une UPS peut alerter le système protégé en cas de problème. Un logiciel de pilotage fournira divers messages d'alerte.

Contournement manuel

Certaines UPS permettent de contourner le circuit externe, facilitant ainsi la maintenance ou le dépannage sans avoir à la déconnecter du système qu'elle surveille.

Les appareils de mesure

- *Les multimètres analogiques*
- *Les multimètres numériques*

La plupart du temps, on utilise un multimètre appelé aussi VOM (Volt / ohm / Milli ampèremètre) qui permet de mesurer les différents points évoqués plus haut. Ils peuvent être analogiques, les mesures sont alors lues à l'aide d'une jauge sur un cadran, ou encore numériques, c'est-à-dire équipés d'un affichage de type DEL ou LCD.

Principe d'utilisation

Pour utiliser un appareil de test, vous devez d'abord connecter les différents fils de couleur aux bornes appropriées et opérer certains réglages. Voici comment procéder :

- Connectez le fil noir à la borne nommée COM ou REF.
- Le fil rouge peut être connecté sur plusieurs bornes. Il existe souvent une borne pour mesurer la tension et la résistance, une autre borne pour le courant et quelquefois une troisième nommée 10A correspondant au courant élevé. Branchez le fil rouge sur la borne correspondant à la mesure que vous souhaitez effectuer.
- Allumez le multimètre.
- Placez les commutateurs dans les positions adéquates : volt CC, volt CA, résistance, courant CC. Certains commutateurs ont plusieurs paramètres par type de mesure (par exemple MV, V, 20 V, 200 V) correspondant à la valeur maximale devant être mesurée. En cas de doute, commencez par la plage la plus élevée, et diminuez progressivement pour obtenir une valeur plus précise.
- Vérifiez toujours le calibrage des appareils et respectez les conditions d'entretien.

Le calibrage des ohmmètres

Les mesures relevées par un ohmmètre ne seront exactes que si la tension appliquée est constante, ce qui n'est pas le cas avec la batterie de test. Si les ohmmètres numériques se règlent automatiquement, les modèles analogiques disposent d'une commande de réglage permettant d'ajuster le courant qui passe. Il suffit de mettre en contact les deux capteurs de l'appareil et de régler la commande sur 0 ohms.

La charge du circuit

Chaque fois qu'un appareil de mesure est connecté, il exerce un effet de charge négligeable, mais qui peut se révéler gênant dans des mesures de courant très faible. On mesure cette charge en ohm / volt. Un multimètre numérique exerce une charge moindre et leur résistance en entrée est de 10 MΩ /V ou plus. Le circuit auquel il est connecté ne remarquera pas sa présence. Dans le cas d'un multimètre analogique, la charge exercée sera comprise entre 4 kΩ / V et 30 kΩ / V.

Les fusibles

Un fusible est composé d'un fil fin protégé par un tube de céramique ou de verre et se termine par des embouts métalliques. Plus le fil est épais, et plus la quantité de courant qui passe est importante. Si une surcharge se produit, le fusible grille ou fond, protégeant ainsi l'équipement situé au bout de la chaîne. Un fusible inséré dans la fiche de l'équipement électrique est conçu pour supporter une capacité de courant adaptée à son utilisation. Il existe des fusibles de différentes puissances (en ampère).

En principe, un symbole identifiant le fusible doit être visible.

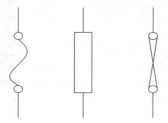

Les fusibles d'équipement

Il existe ce que l'on nomme des fusibles d'équipement internes. On les trouve sur des équipements comme les moniteurs, les alimentations… Il est très dangereux de remplacer ces fusibles sans un matériel et une qualification adaptés.

Il en existe deux types, les rapides (quick blow) et les temporisés. Il existe deux tailles de fusibles d'équipement, 20 mm et 2,5 pouces.

Test d'une prise murale

Dans de nombreux cas de pannes, il vous faudra tester que la prise murale fonctionne correctement. Le plus simple consiste à brancher un autre appareil et de tester si celui-ci fonctionne correctement. Méfiez-vous de cette méthode, elle n'est parfois pas suffisante. Il existe des outils (sous forme de tournevis ou de fiches équipées de diode) qui vous permettront de vérifier les points suivants :

• Y a-t-il de la tension qui passe ?

• Les fils de tension et terre sont-ils inversés ?

• La liaison à la terre est-elle correcte ?

Attention, vous ne pourrez pas vérifier si la terre et le neutre ont été inversés. De plus, si la prise ne fonctionne pas, il faudra vérifier le fusible qui l'alimente ou le branchement des fils.

Problèmes internationaux

- *Paramètres*
- *Codage des couleurs*

Paramètres à prendre en compte

Suivant le pays où vous intervenez, la réglementation en vigueur et l'alimentation électrique peuvent varier et certaines caractéristiques techniques doivent être connues.

- Les tensions changent d'un pays à l'autre. Par exemple, au Royaume-Uni ou en France, on utilise le courant alternatif avec une tension variant entre 220 et 240 V, alors qu'aux États-unis, on fonctionne sur une tension qui varie entre 110 et 120 V et enfin, certains pays utilisent le courant continu.
- Les prises et les fiches ne sont pas toujours semblables, leurs dimensions peuvent varier d'un pays à l'autre.
- La fréquence de l'alimentation en courant varie de 50 à 60 Hertz suivant les pays, ceci pouvant affecter le matériel fonctionnant sur un signal de synchronisation.

Codes de couleurs des câbles secteur

S'il n'existe pas de standard unique, la plupart des câbles secteurs sont fabriqués suivant le code de couleur suivant :

Fil	Europe	Etats-Unis
Tension	Brun	Noir
Neutre	Bleu	Blanc
Terre	Jaune et vert	Vert ou cuivre (fil nu)

Les décharges électrostatiques

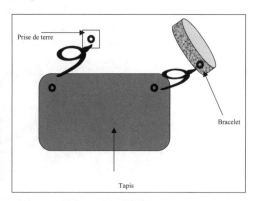

Prise de terre

Bracelet

Tapis

- *Conseils et précautions élémentaires*
- *Le kit antistatique*

Description

L'électricité statique est une charge résiduelle de tension électrique emmagasinée dans un corps isolé. Nous en transportons sur notre corps par l'intermédiaire de nos vêtements dont la composition présente des couches isolantes permettant l'accumulation de charge.

L'humidité et le climat déterminent les dommages causés par l'électricité statique. Plus il fait sec, plus le risque augmente.

L'électricité statique qui se décharge sur un composant électronique produit une étincelle pouvant l'endommager gravement. Les processeurs ainsi que les puces ROM et RAM, sont particulièrement sensibles à ce problème.

Les précautions élémentaires

Blindage antistatique

En ce qui concerne les composants, ceux-ci doivent toujours être stockés dans des emballages appropriés. Certains comportent un blindage antistatique. Une couche de matériau conducteur a été ajoutée, évitant ainsi que l'électricité statique se décharge vers l'intérieur du sachet. Ils sont de couleur grise et doivent être fermés pour plus d'efficacité.

Emballage dissipant

D'autres, appelés emballages dissipant, réduisent le risque sans l'éliminer complètement. Ils sont de couleurs rose ou bleu, ou encore composés d'un tissu conducteur en fibre de carbone.

Protection contre les décharges électrostatiques

Bien que le choc électrique ne soit pas mortel pour l'homme, il faut toujours penser à se protéger. Pour cela on utilisera des outils permettant de dissiper la décharge et de travailler en toute sécurité. Des kits complets sont disponibles dans le commerce et comprennent les outils suivants :

- Le bracelet antistatique qui sera relié à la terre par l'intermédiaire d'un cordon permettant le passage du courant. Les cordons sont équipés aux extrémités de pinces crocodiles ou de fiches de mise à la terre.

- Le tapis conducteur au carbone ou en plastique conducteur. Il sera placé sur la surface de travail et constituera une zone antistatique où l'on pourra déposer toutes les pièces sensibles. Ce tapis devra être relié à la terre par un cordon.
- Les fiches de mise à la terre où seul le fil de liaison à la terre est en contact. Il est relié au tapis par un cordon.

 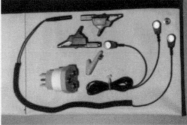

Autres méthodes de protections

Les entreprises spécialisées dans la réparation prennent des mesures supplémentaires plus fiables et plus complètes comprenant :

- Le traitement de sol antistatique ou utilisation de tapis spéciaux dissipant l'électricité statique avant son accumulation.
- Systèmes d'humidification pour stabiliser le niveau d'humidité dans l'air.

Attention : Ce type de protection n'est pas valable pour les équipements haute tension (télévision, moniteur, bloc d'alimentation, ….). Les zones de service hautes tensions sont équipés spécifiquement. Le personnel se trouve ainsi complètement isolé. Ces zones et le personnel qui y travaille doivent être accrédités pour ce type d'intervention.

Élimination des composants et des consommables

- *Réglementation*
- *La valorisation des déchets*
- *Les consommables*

Réglementation

Le nombre croissant d'équipements informatiques renouvelés au cours de ces dernières années a mis en évidence un vrai problème lié à leur élimination. Jusqu'en 2002, les acquéreurs étaient responsables de l'élimination de leur ancien matériel. Depuis, un projet de loi européen a fait son chemin et une directive a été adoptée par le parlement européen fin 2004. Celle-ci stipule que d'ici au 31 décembre 2005, les constructeurs devront mettre en œuvre la revalorisation des déchets informatique. Ce projet a pour but d'organiser la collecte d'au moins quatre kilogrammes de déchets par an et par personne. A parti du 1er janvier 2006, les distributeurs auront l'obligation de proposer une collecte gratuite d'anciens matériels pour tout nouvel équipement acheté.

Le matériel informatique répond à la réglementation concernant les D.E.E.E. (Déchets d'Equipements Electriques et Electroniques. Ces déchets sont divisés en trois groupes :

- Les banals
- Les spéciaux
- Les ultimes

En fait, 90 % du matériel informatique fait partie des banals et des spéciaux. Ils doivent suivre une chaîne précise de recyclage. Seules les ultimes peuvent être jetés dans les décharges. Il faut savoir que la plupart de ces équipements contiennent des produits nocifs pour l'environnement et la santé de l'homme.

La revalorisation des déchets

Dans les débats d'aujourd'hui, on ne parle plus de recyclage mais de revalorisation du matériel informatique. Ce processus offre une solution complète et efficace du traitement du matériel hors d'usage. La revalorisation s'opère en trois étapes :

- Démontage des différents composants
- Dépollution
- Recyclage

Ceci permet de récupérer de nombreux métaux précieux et est économiquement viable. De nombreuses entreprises spécialisées se créent et proposent des solutions complètes allant du transport jusqu'à la revalorisation.

N'oubliez pas qu'en tant que particulier, vous devez vous préoccuper de cette question au même titre qu'une entreprise. Certains départements proposent de prendre en charge la récupération de ces matériaux dans l'attente d'une loi complète et applicable à tous.

Enfin, de nombreux constructeurs utilisent des logos permettant d'identifier facilement les éléments faisant l'objet d'une réglementation, en voici quelques exemples.

Les consommables

Les piles et batteries

La composition de certaines d'entre elles met en présence des produits réactifs (plomb, dioxyde de manganèse, oxyde de potassium, zinc) et certains matériaux lourds. Le constructeur vous fournira toutes les spécifications relatives à vos obligations.

Cartouches d'encre

La constitution de l'encre des cartouches en fait des matériaux sensibles (en particulier le noir de carbone), même s'ils ne sont pas classés nocifs. Les cartouches peuvent être considérées comme un déchet classique mais doivent être placées dans un sachet hermétique.

Solvants chimiques et bidons

Attention à ces produits ! Vérifiez et respectez toujours les consignes du fabricant car certains produits sont dangereux. Vous ne devez jamais détériorer, brûler ou vider les récipients. Pour les éliminer, faites systématiquement appel à une entreprise de recyclage autorisée à les récupérer.

Les tubes cathodiques

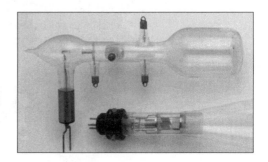

> • *Entretien et manipulation*
> *des tubes cathodiques*

Entretien et manipulation

On trouve des tubes cathodiques dans tout type d'appareil d'affichage (moniteur, télévision, oscilloscope, …) et la présence d'une très forte tension en font un danger d'électrocution pouvant entraîner la mort. Voici quelques règles à respecter, et n'oubliez pas que seul le personnel qualifié manipulera ces composants.

- Les tubes cathodiques produisent des rayons X. Contacter le constructeur avant de tester ou de mettre sous tension un tube cathodique.

- Un condensateur à l'intérieur accumule une charge résiduelle de haute tension. Pour éliminer toute tension, utilisez un capteur de haute tension (49 000V) pour mettre en court-circuit l'anode et le revêtement conducteur externe. Répétez cette procédure plusieurs fois pour être tout à fait sûr qu'il ne reste aucune charge.

- Ne soulevez jamais un tube cathodique par le cou. Prenez-le d'une main par le rebord et de l'autre par la section parabolique du cône.

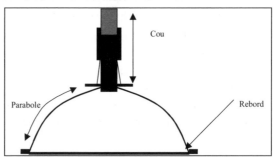

Attention : Les moniteurs sont des équipements qui sont sensibles aux problèmes électriques. Lorsqu'il tombe en panne ou qu'il fonctionne anormalement, éteignez-le et surtout débranchez-le. Si vous n'êtes pas spécialisé dans le dépannage de ce type d'appareil, il faudra faire appel à un professionnel. La nature particulière de l'outillage et les manipulations précises exigent le savoir-faire de techniciens spécialisés.

Laser et sources lumineuses

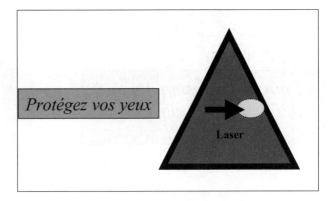

Quelques conseils

Faites attention à ces fortes sources lumineuses, elles peuvent entraîner des troubles graves de la vue d'une manière temporaire, mais aussi parfois de façon permanente et irrémédiable. Quelques mesures de sécurité sont à prendre.

- Assurez-vous de votre qualification à la manipuler.
- Conformez-vous aux instructions du fabricant.
- Ne regardez pas dans l'ouverture d'un système. Les réglages optiques se font à l'aide d'une caméra TV à infrarouge.
- Ne changez pas une pièce pour une autre en apparence similaire. Opérez un échange standard en prenant soin de contacter le fabricant.

Ces règles s'appliquent à divers équipements comme :

- Les imprimantes laser.
- Les scanners.
- Les photocopieurs.
- Les écrans et appareils de projection.
- Les systèmes utilisant des infrarouges puissants ou des liaisons optiques au laser.
- Les lecteurs, graveurs de CD-rom ou encore les lecteurs de code barre.

Nettoyage et entretien

- *Chiffon doux et sec non pelucheux*
- *Bonbonne d'air comprimé*
- *Un aspirateur pour PC*
- *Une brosse en soie naturelle*
- *Nettoyant écran*

Principes généraux

Un PC entretenu régulièrement avec du matériel approprié verra sa durée de vie prolongée et ses petits soucis diminuer. La poussière empêche notamment l'alimentation et le ventilateur d'assurer une température ambiante réduite.

N'utilisez aucun produit spécifiquement adapté contenant des matières dangereuses (dissolvants, solvants, benzène ou toute autre substance volatile). Les chiffrons devront eux aussi être adaptés au nettoyage de votre matériel. Le matériel domestique est souvent constitué de matières pelucheuses.

Des kits de nettoyage contenant tout le matériel adapté au nettoyage du PC sont disponibles dans le commerce. Ils sont pratiques, complets et sans danger.

Le châssis du PC

Les châssis, qu'ils soient en plastique ou en métal, attirent la poussière et se salissent. Pour les nettoyer, utilisez un chiffon doux sec ou légèrement humide. Évitez les vaporisateurs, surtout à proximité de la ventilation.

La souris

Si le pointeur de la souris ne se comporte pas normalement ou si le déplacement de la souris devient difficile, c'est qu'elle a besoin d'être nettoyée. Avant toute chose, éteignez votre PC et débranchez la souris. Libérez la boule de son emplacement et nettoyez-la avec un chiffon doux et un détergent doux et séchez-la. Pensez aussi à nettoyer son logement et les axes pivotants. Remontez la souris, branchez-la à nouveau.

Le moniteur

Maintenir votre écran propre diminuera la fatigue visuelle engendrée par une utilisation prolongée de votre PC. Éteignez et débranchez le cordon d'alimentation du moniteur avant de commencer. Utilisez un chiffon doux non pelucheux avec éventuellement un détergent spécifique. Attention, vérifiez toujours que vous utilisez un produit adapté. Séchez avec un chiffon sec et rebranchez.

Le clavier

Le plus efficace est de le retourner afin de laisser tomber les miettes et autres petits "objets" tombés dedans. Pour la poussière, utilisez un aspirateur pour PC, une bonbonne d'air ou une brosse en soie naturelle.

Dans l'unité centrale

Si la poussière a atteint l'intérieur, prenez les précautions de sécurité précédemment citées et retirez le capot de l'UC. Prenez beaucoup de précautions pour nettoyer les puces, elles sont fragiles. L'air comprimé est une bonne solution, bien que vous puissiez aussi utiliser l'aspirateur pour PC ou encore la brosse en soie naturelle.

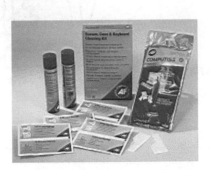 

Atelier

Exercice n° 1

Cet exercice consiste à préparer un espace de travail qui nous servira tout au long de notre progression.

- Déterminez une surface stable et plane qui sera votre atelier.
- Mettez en place votre kit antistatique.
- Posez ensuite le micro dessus et débranchez toutes les alimentations.
- Munissez-vous de sachets antistatiques, d'une trousse à outils et de récipients pour placer la visserie.

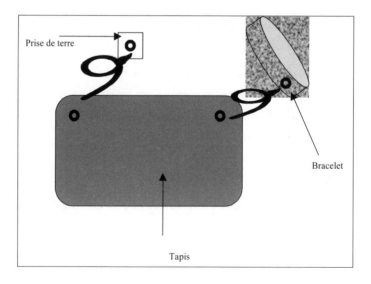

Quiz

- *Série de questions/réponses*

Question n° 1

En quelle année le PC de type AT a été mis au point ?

- ❏ 1978
- ❏ 1981
- ❏ 1983
- ❏ 1984

Question n° 2

Que devez-vous faire lorsque vous intervenez sur un circuit électrique ? Attention, plusieurs réponses possibles.

- ❏ Enlever tous vos bijoux
- ❏ Couper l'alimentation électrique générale
- ❏ Débrancher les alimentations des équipements
- ❏ Changer les fusibles existants contre des plus puissants
- ❏ S'assurer d'avoir la qualité requise

Question n° 3

En France, quel est le courant utilisé pour l'alimentation domestique ?

- ❏ 110/120 CC
- ❏ 110/120 CA
- ❏ 220/240 CC
- ❏ 220/240 CA

Question n° 4

Pour éviter les décharges électrostatiques, où doit-on brancher un bracelet antistatique ?

❑   A sa ceinture

❑   Vers une prise de mise à la terre

❑   Vers l'unité centrale

❑   Au sol

Question n° 5

Quel est l'élément responsable de l'accumulation d'une charge électrique importante dans un moniteur ?

❑   Un fusible

❑   Un condensateur

❑   Un rayon laser

❑   Une alimentation

Question n° 6

Une source lumineuse doit être réglée à l'aide d'une caméra infrarouge.

❑   Vrai

❑   Faux

Question n° 7

Quels sont les paramètres qui déterminent les caractéristiques d'une UPS ? Attention, plusieurs réponses possibles.

❑   La classe de puissance (VA)

❑   Le temps de fonctionnement

❑   Charge totale des composants connectés

❑   La présence d'un port série

❑   La présence d'un port parallèle

Question n° 8

Avec quel outil devez-vous nettoyer un clavier sali ?

❑   Une bombe à air comprimé

❑   Un chiffon et du détergent ménager

❑   Un chiffon et un nettoyant adapté

❑   Aucune de ces réponses

Question n° 9

Comment appelle t-on le processus consistant à démonter, dépolluer et recycler le vieux matériel informatique ?

❑   Le désassemblage

❑   La revalorisation

❑   Le marché de la pièce détachée

Question n° 10

Les composants informatiques font partie de quelle catégorie de déchets ?

❑   IEEE

❑   DDEE

❑   DDIE

❑   DEEE

2

Le micro-ordinateur

Objectifs

Nous aborderons la description des éléments qui constituent un PC. A l'issue de ce chapitre, le lecteur saura assembler les différents éléments et maîtrisera leur rôle respectif. Il connaîtra le processus de démarrage du PC et saura comprendre et interpréter les paramètres du CMOS.

Enfin, le lecteur apprendra à reconnaître les signes (bip ou message) annonçant que le PC ne fonctionne pas correctement et appliquer une stratégie de dépannage.

Contenu

Le matériel hors de l'UC.

Les périphériques.

L'assemblage des différents éléments.

Le démarrage du PC.

L'autotest.

La configuration CMOS.

Les bips d'erreur.

Les messages d'erreur.

Les composants dans l'UC.

Les étapes d'assemblage.

La stratégie de dépannage.

Ateliers et tests QCM.

Le matériel hors de l'unité centrale

- *Les éléments de base*
- *Principe de fonctionnement*
- *Traitement d'une tâche*

Les éléments de base

Nous le verrons au fur et à mesure de cet ouvrage, les équipements informatiques sont très diversifiés et ne cessent d'accroître. Dans le domaine des périphériques, une grande variété existe, et l'on trouvera des équipements radicalement différents en fonction de l'utilisation que l'on fait de son ordinateur.

Cependant, ne perdons pas de vue qu'un micro-ordinateur est composé de quatre éléments principaux :

- L'unité centrale, chargée du traitement et du stockage des données.
- L'écran, également appelé le moniteur.
- Le clavier et la souris qui permettent la saisie des données.

Principe du fonctionnement d'un micro-ordinateur

Le principe consiste en une suite d'ordres donnés et exécutés aboutissant à des résultats obtenus presque simultanément. En apparence, tout est simple, un clic ou une commande lancée au clavier vous renvoie une action ou une réponse sous forme de message. En réalité, cet ordre va suivre un chemin complexe et être traité, pour ensuite prendre le chemin inverse pour vous renvoyer la réponse à l'écran. Cette suite logique est décomposée en quatre étapes :

- Saisie des informations : entrée de données brutes.
- Traitement : manipulation des données brutes et extraction des informations utiles.
- Sortie : transformation des données sous divers formats (texte, image, son, mouvement…).
- Stockage : conservation des données pour un usage ultérieur.

L'information que nous entrons sous la forme de texte, d'image ou encore de son et de vidéo sera toujours traduite en langage binaire (une suite de 0 et de 1), seul langage que la machine peut comprendre.

Principe de traitement d'une tâche

Lorsque l'on utilise un menu déroulant dans une application, on peut citer l'action **Fichier** ➔ **Ouvrir** ➔ **Choix d'un document** ➔ **OK.** En réalité l'ordre est décomposé et répond au processus suivant :

- L'application transmet l'ordre au système d'exploitation par l'intermédiaire du driver (ici dans notre exemple il s'agira du driver de souris).

- Le système d'exploitation le traduit en données écrites en langage binaire et les transmet à la mémoire (suivant le cas, RAM ou ROM) et au Bios.

- Le microprocesseur prend en charge la lecture de ce qui figure dans la mémoire, exécute les opérations une à une, comme par exemple faire fonctionner les têtes de lecture d'un disque pour rechercher un fichier et le restituer ensuite sur le périphérique de sortie (ici, l'écran). Les données circulent sur les lignes que l'on appelle le bus et dont on reparlera ultérieurement.

- Finalement, l'information sera décodée et restituée sous sa forme d'origine.

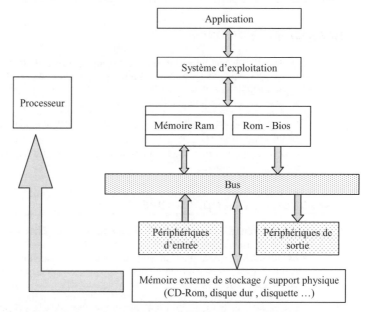

Ce principe de mise en couche des services permet de garantir l'utilisation de logiciels sur différents PC quels que soient son âge et ses composants.

Les périphériques

> • *Définition*
> • *Utilisation des*
>   *périphériques*

Définition

On appelle périphérique tout ce qui est connecté au PC et qui ne fait pas partie des éléments de base. Ils sont utilisés pour communiquer, matérialiser un résultat, entrer des données.

Certains sont externes, c'est-à-dire qu'ils sont connectés à l'unité centrale par l'intermédiaire d'un câble et nécessitent souvent d'être branchés sur le secteur pour fonctionner. D'autres au contraire sont appelés des périphériques internes car ils sont connectés sur la carte mère à l'intérieur de l'unité centrale. Ils sont prêts à fonctionner dès que l'on allume le PC.

Utilisation des périphériques

Nous verrons plus loin dans cet ouvrage qu'il existe des périphériques d'entrées et de sorties. Certains rempliront les deux rôles en fonction de leur utilisation. Le principe des périphériques est que l'on peut en ajouter autant que l'on a de possibilités de connexions à l'unité centrale, bien que les concepts SCSI ou USB permettent de contourner cette limite.

L'évolution de la micro-informatique montre que dans ce domaine, les possibilités tendent à se multiplier. On peut notamment utiliser un téléviseur ou une chaîne Hi-Fi comme un périphérique. On trouve également des périphériques d'une nouvelle génération, adaptables aux ordinateurs permettant d'utiliser un équipement indépendant de l'ordinateur et de l'intégrer au système (appareil photo numérique, PDA…) Cet aspect des périphériques est traité plus largement dans le module 5.

L'assemblage des différents éléments

Pour assembler un PC, vous n'aurez probablement pas besoin d'outils, à part éventuellement un tournevis. Vous pourrez trouver des connecteurs recevant différentes sortes de câbles :

- Des connecteurs d'alimentation classiques mâle et femelle avec prise de terre.
- Un connecteur 15 broches femelle sur trois rangées pour le moniteur.
- Des connecteurs 9 ou 25 broches mâles (COM1 – COM2).
- Un connecteur 25 broches femelle (LPT1).
- Des connecteurs mini DIN (ronds) femelle pour la souris et le clavier.
- Des connecteurs USB (plats) femelles pour les périphériques USB.
- Un connecteur 15 broches femelle sur deux rangées pour le joystick.
- Les fiches de type jack pour les hauts parleurs, casques et microphones.
- Des connecteurs Fire Wire mâle 4 ou 6 broches

Les étapes d'assemblage

Lorsque l'on achète un PC neuf, l'assemblage sera facile car guidé par une notice fournie par le constructeur. En fait, cette opération s'avère aisée car de nombreux codes et dessins éviteront certaines erreurs.

- Connecter l'écran sur la carte vidéo à l'aide d'une prise 15 broches et brancher la prise d'alimentation sur le secteur. On peut également utiliser un cordon de raccordement direct vers l'unité centrale.
- Connecter le clavier sur le connecteur mini DIN (souvent violet).
- La souris doit être connectée de la même façon que le clavier sur une sortie prévue à cet effet (en général un connecteur vert). Il faut noter que certaines souris se connectent sur un port série à l'aide d'un connecteur 9 broches sur des ordinateurs anciens. Les souris USB sont également courantes.
- Si vous disposez d'une imprimante, celle-ci sera raccordée à l'UC à l'aide d'un câble 25 broches sur la sortie parallèle ou d'un câble USB sur un connecteur USB selon le type d'imprimante. L'imprimante devra ensuite être raccordée au secteur.
- Connecter la prise jack des hauts parleurs sur la sortie.
- Brancher le câble d'alimentation de l'UC vers le secteur.
- Allumez le micro, il devra se mettre en route normalement. Si tel n'est pas le cas, vérifiez les connexions.
- Les connecteurs USB et Fire Wire restés libres serviront à connecter d'autres périphériques multimédias.

Le setup/le Bios

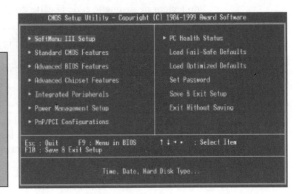

- *Les fonctions du Bios*
- *Les réglages standard*
- *Les réglages avancés*
- *Le soft menu*

Les fonctions du Bios

Le Bios est un ensemble d'instructions chargées en RAM à partir de puces ROM au démarrage du PC. Ces instructions permettent le chargement du système d'exploitation.

Tout PC est livré avec un programme de configuration des paramètres CMOS (Complementary Metal Oxide Semiconductor) intégré au Bios que l'on appelle le Setup. Il permet un réglage personnalisé en fonction de la machine. Lors de son installation d'origine, il utilise des paramètres par défaut. Avant d'agir sur quoi que ce soit, il est important de noter les valeurs par défaut des paramètres. L'accès au réglage se fait généralement par la touche <Suppr> ou <DEL> au démarrage (certains constructeurs utilisent d'autres touches comme « F2 », « F10 »…). Certains PC vous fourniront ce programme sur une disquette, il suffira alors de démarrer à partir de cette disquette et de suivre les instructions.

Il est important de noter qu'il existe toujours une méthode pour rétablir les paramètres par défaut du Setup si l'on a déréglé certains paramètres. Là encore, suivant le type de carte mère, vous aurez soit à déplacer un cavalier sur la carte mère, soit à opter pour une solution à travers le menu du Setup.

Le standard CMOS setup

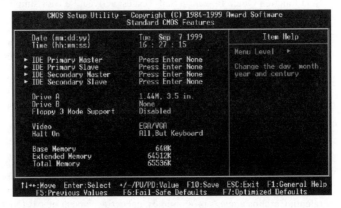

Il modifie les valeurs par défaut des paramètres date et heure système (que l'on appelle aussi horloge temps réel), du type d'unités installées sur les contrôleurs IDE, du lecteur de disquette et de la carte graphique. Lorsque l'on ajoute un disque ou un lecteur, c'est ici qu'il sera déclaré.

Au niveau des lecteurs IDE, presser sur la touche « Entrée » pour procéder à la détection des unités.

Les réglages avancés

Attention à tout ce qui peut se trouver dans les réglages avancés. En effet, ces paramètres agissent au plus profond de la configuration et toute modification inadéquate peut bloquer complètement votre PC.

L'advanced CMOS setup

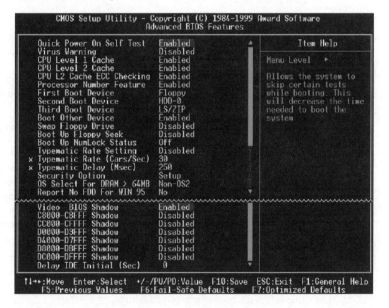

Quick Power On Self-Test

Si la fonction Quick Power on Self-Test est activée, Le Bios simplifiera la procédure de tests pour accélérer le Boot du système.

Virus Warning

Cet item peut être mis sur Enable (Activé) ou Disable (Désactivé). Quand cette fonction est activée, la moindre tentative d'accéder au secteur de Boot de votre partition, par un logiciel ou une application (ce que font les virus de Boot), vous est signalée par le Bios.

CPU Level 1 Cache

Cette option permet de désactiver le cache de niveau 1 du CPU (appelée aussi L1 cache pour Level 1 Cache). Quand cette option est sur Disable, le système sera très ralenti. Certains anciens programmes mal écrits peuvent ne pas fonctionner ou même "crasher" votre système si la vitesse est trop élevée. Dans ce cas, vous aurez peut-être à désactiver cette option.

CPU Level 2 Cache

Cette option sert à désactiver ou à activer la mémoire cache de niveau 2 (appelée aussi L2 cache pour Level 2 Cache). Quand cette mémoire est activée, les accès mémoire sont beaucoup plus rapides et le système plus performant.

CPU L2 Cache ECC Checking (Event control checking)

Cet item vous permet d'activer ou de désactiver la fonction ECC de la mémoire cache de niveau 2 du CPU.

Processor Number Feature

Cette caractéristique permet au programme de lire les données dans votre processeur. Elle marche seulement avec les processeurs Pentium III. Quand vous installez votre processeur dans votre carte mère, et allumez votre ordinateur, vous verrez le Processor Number Feature dans le Bios.

Vous aurez deux choix : Enable et Disable. Si vous choisissez Enable, le programme sera capable de lire le numéro d'identification de votre Processeur. Si vous choisissez Disable, le programme ne sera pas capable de lire le numéro d'identification de votre processeur. Si vous choisissez ni l'un ni l'autre, le Bios va automatiquement choisir Disable par défaut.

First Boot Device

Quand le système démarre, le Bios va essayer de charger le système d'exploitation à partir des périphériques sélectionnés dans cet item : floppy disk drive A, LS/ZIP devices, hard drive C, SCSI hard disk drive ou CD-Rom. Dix options sont disponibles : Floppy . LS/ZIP - HDD-0 - SCSI - CDROM - HDD-1 - HDD-2 - HDD-3 - LAN - UDMA66.

Second Boot Device

La description de cet item est la même que pour First Boot Device.

Third Boot Device

La description de cet item est la même que pour First Boot Device.

Boot Other Device

Deux choix possibles : Enabled ou Disabled. Ce paramètre autorise le Bios à essayer de booter à partir des trois périphériques choisis plus haut.

Swap Floppy Drive

Cet item peut être mis sur Enable ou Disable. Quand cette option est activée, vous n'avez plus besoin d'ouvrir votre boîtier pour intervertir les connecteurs de votre lecteur de disquettes. Le lecteur A devient le lecteur B et vice-versa.

Boot Up Floppy Seek

Quand votre ordinateur démarre, le Bios détecte si votre système possède un lecteur de disquettes ou non. Quand cette option est activée, le Bios détecte votre floppy et affiche un message d'erreur s'il n'en trouve pas. Si cet item est désactivé, le Bios ignorera ce test.

Boot Up NumLock Status

- On : Au démarrage, le pavé numérique est en mode numérique.
- Off : Au démarrage, le pavé numérique est en mode curseur fléché.

Typematic Rate Setting

Cet item vous permet d'ajuster le taux de répétition de la frappe clavier. Positionné sur Enable, vous pouvez paramétrer les deux contrôles clavier qui suivent (Typematic Rate et Typematic Rate Delay). Si cet item est sur Disabled, le Bios utilisera les valeurs par défaut.

Typematic Rate (Chars/Sec)

Si vous restez appuyé continuellement sur une touche du clavier, ce dernier répétera la frappe selon le taux que vous aurez choisi (Unité : caractères/seconde). Huit options sont disponibles : 6 - 8 - 10 - 12 - 15 - 20 - 24 - 30.

Typematic Rate Delay (Msec)

Si vous restez appuyé continuellement sur une touche du clavier, si le temps de délai que vous avez choisi ici est dépassé, le clavier répétera automatiquement la frappe à un certain taux (Unité : millisecondes).

Quatre options sont disponibles : 250 - 500 - 750 – 1000.

Security Option

Cette option peut être paramétrée sur System ou Setup. Après avoir créé un mot de passe dans PASSWORD SETTING, cette option interdira l'accès à votre système (System) ou toute modification du Setup (Bios Setup) par des utilisateurs non autorisés.

- SYSTEM : Si vous optez pour System, un mot de passe est requis à chaque démarrage de l'ordinateur. Si le mot de passe correct n'est pas donné, le système ne démarrera pas.
- SETUP : Si vous optez pour Setup, un mot de passe est seulement requis pour accéder au Setup du Bios. Si vous n'avez pas entré de mot de passe dans PASSWORD SETTING, cette option n'est pas disponible.

N'oubliez pas votre mot de passe. Si cela vous arrive, vous êtes dans l'obligation d'effectuer un Clear CMOS avant de pouvoir démarrer votre système. En faisant cela, vous perdriez toutes les informations du Bios Setup que vous aviez au préalable configurées.

OS Select For DRAM > 64MB

Quand la mémoire système est supérieure à 64Mb, la façon de communiquer entre la mémoire et le Bios diffère d'un système d'exploitation à un autre. Si vous utilisez

OS/2, sélectionnez OS2 ; si vous utilisez un autre système d'exploitation, choisissez
Non-OS2.

Report No FDD For WIN 95

Si vous utilisez Windows 95 sans un lecteur de disquette, veuillez choisir Yes. Dans le
cas contraire, laissez-le sur No.

Video Bios Shadow

Ce paramètre est utilisé pour définir si le Bios de la carte vidéo supporte le Shadow ou
pas. Vous devez positionner cette option à Enable, sinon les performances d'affichage
du système baisseront notablement.

Shadowing address ranges (plages d'adresses pour le Shadowing)

Cette option vous permet de décider si l'espace ROM Bios d'une carte d'interface
ayant une adresse spécifique utilisera cette fonction ou pas. Si vous ne possédez
aucune carte d'interface utilisant les plages d'adresses mémoire suivantes, veuillez ne
pas activer cette fonction.

Vous pouvez choisir parmi les six plages d'adresses suivantes :

C8000-CBFFF Shadow, CC000-CFFFF Shadow, D0000-D3FFF Shadow, D4000-
D7FFF Shadow, D8000-DBFFF Shadow, DC000-DFFFF Shadow.

Le menu Advanced Chipset Features

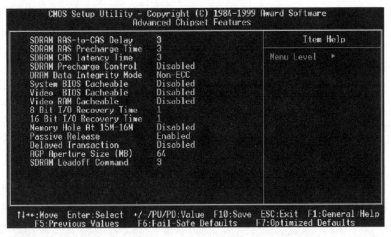

Le menu Advanced Chipset Features est utilisé pour modifier le contenu des buffers à
l'intérieur même du chipset de votre carte mère. Du fait que le paramétrage des buffers
est très intimement lié au Hardware, si le Setup est faux ou erroné, la carte mère peut
devenir instable, voire même se trouver dans l'incapacité de démarrer. Si vous n'êtes
pas familier avec le Hardware, préférez plutôt l'utilisation des valeurs par défaut
(utilisez l'option Load Optimized Defaults). Le seul moment où vous devez considérer
d'altérer les paramètres dans cette section est la découverte de pertes de données
pendant l'utilisation de votre système.

Les premiers paramètres du chipset concernent l'accès à la mémoire par la CPU. Le
timing par défaut a été soigneusement choisi et ne devrait être modifié qu'en cas de
perte de données. De tels scénarios peuvent arriver dans le cas où votre système

contiendrait des mémoires de vitesses différentes, nécessitant ainsi un plus grand temps de délai pour préserver l'intégrité de données contenues dans les puces les plus lentes.

SDRAM RAS-to-CAS Delay

Deux options : 2 ou 3. Cet item vous permet d'insérer un temps de délai entre les signaux d'adressage mémoire CAS et RAS, utilisés quand la DRAM est écrite, lue ou rafraîchie. Fast procure de meilleures performances tandis que Slow augmente la stabilité. Cet item ne s'applique que si vous utilisez de la mémoire synchrone (SDRAM).

SDRAM RAS Precharge Time

Deux options : 2 et 3. Le temps de précharge est le nombre de cycles nécessaires au RAS pour accumuler sa charge avant le rafraîchissement de la mémoire. Si un temps insuffisant est alloué, le rafraîchissement peut être incomplet et la mémoire peut alors échouer à retenir les données. Ce champs ne s'applique que si de la SDRAM est installée.

SDRAM CAS Latency Time

Deux options : 2 ou 3. Sélectionnez ici le temps de latence SDRAM CAS (Column Address Strobe) selon les spécifications de vos modules SDRAM.

SDRAM Precharge Control

Cette option détermine l'action à entreprendre quand survient un Page Missing (SDRAM seulement). Choisissez Disable pour que la SDRAM génère une précharge sur toutes les commandes, assurant ainsi des performances plus stables.

DRAM Data Integrity Mode

Deux options sont disponibles : Non-ECC ou ECC. Cette option est utilisée pour configurer le type de mémoire DRAM de votre système. ECC est Error Checking and Correction (vérification et correction d'erreurs), quand votre mémoire est de type ECC, sélectionnez l'option ECC.

System Bios Cacheable

Vous pouvez sélectionner Enable ou Disable. Le choix Enable autorise la mise en cache de la ROM du Bios aux adresses F0000h-FFFFFh, procurant ainsi de meilleures performances. Cependant, si un programme écrit dans cet espace mémoire, il en résultera une erreur système.

Video Bios Cacheable

Vous pouvez sélectionner Enable ou Disable. Le choix Enable autorise la mise en cache du Bios de votre carte graphique, procurant ainsi de meilleures performances. Cependant, si un programme écrit dans cet espace mémoire, il en résultera une erreur système.

Video RAM Cacheable

Vous pouvez choisir Enable ou Disable. Lorsque vous choisissez Enable, vous accélèrerez l'exécution de la RAM Vidéo grâce au cache de niveau 2. Vous devez vérifier dans la documentation de votre adaptateur VGA si des problèmes de compatibilité peuvent apparaître.

8 Bit I/O Recovery Time

Neuf options sont disponibles : NA - 8 - 1 - 2 - 3 - 4 - 5 - 6 - 7. Cette option précise la durée du délai inséré entre deux opérations 8 bits I/O consécutives. Pour une ancienne carte périphérique 8 bits, vous devrez parfois ajuster son temps de récupération pour qu'elle fonctionne correctement.

16 Bit I/O Recovery Time

Cinq options sont disponibles : NA - 4 - 1 - 2 - 3. Cette option précise la durée du délai inséré entre deux opérations 16 bit I/O consécutives. Pour une ancienne carte 16 bits, vous devrez parfois ajuster son temps de récupération pour qu'elle fonctionne correctement.

Memory Hole At 15M-16M :

Deux options : Enable ou Disable. Cette option est utilisée pour réserver le bloc mémoire 15M-16M pour la ROM des cartes ISA. Certains périphériques particuliers nécessitent un bloc mémoire spécial localisé entre 15M et 16M, et ce bloc a une taille de 1M. Nous vous recommandons de désactiver cette option.

Passive Release

Deux options sont disponibles : Enable et Disable. Utilisez cette option pour rendre active (Enable) ou inactive (Disable) la passive release pour les puces de type Intel PIIX4 (passage de Intel PCI vers ISA). Cette fonction est utilisée pour gérer la latence du ISA Bus Master. Si vous avez un problème de compatibilité avec une carte ISA, vous pouvez essayer d'activer ou de désactiver cette option pour un résultat optimum.

Delayed Transaction

Deux options sont disponibles : Enable et Disable. Régler cette option pour activer ou désactiver les transactions retardées pour les puces de type Intel PIIX4. Cette fonction est utilisée pour gérer la latence des cycles PCI vers ou depuis un bus ISA. Cette option doit être activée pour avoir la compatibilité PCI2.1. Si vous avez un problème de compatibilité avec une carte ISA, vous pouvez essayer d'activer ou de désactiver cette option pour un résultat optimum.

AGP Aperture Size (MB)

Sept options sont disponibles : 4 - 8 - 16 - 32 - 64 - 128 - 256. Cette option précise la quantité de mémoire système qui peut être utilisée par les périphériques AGP. L'aperture est une partie de la mémoire PCI dédiée au graphisme.

SDRAM Leadoff Command

Deux options : 3 et 4. Cet item vous laisse choisir la vitesse d'accès à la SDRAM. Vous pouvez le laisser sur la valeur par défaut (3). Si vous désirez changer cette valeur, vous devez d'abord consulter les données du SPD de votre module mémoire.

Fonction des autres paramètres du Bios

Ils contrôlent les périphériques intégrés à la carte mère, comme des ports séries et parallèles, les contrôleurs IDE ou EIDE, lecteurs de disquette et disques durs, contrôleurs vidéo, son ou encore réseau.

Suivant le constructeur de votre carte mère, ces paramètres pourront varier sensiblement. On modifiera ces paramètres dans des cas bien précis. Par exemple, il existe un deuxième contrôleur IDE sur la carte mère et rien n'est connecté dessus. Vous pourrez donc le désactiver afin que la détection de matériel ne le teste pas.

Paramétrage des ports séries, parallèles et USB s'ils sont intégrés à la carte mère. Nous aurons l'occasion d'en reparler plus largement dans un autre module.

De plus en plus de constructeurs proposent des gestionnaires d'économie d'énergie pouvant être paramétrés dans le Bios. Restez très prudent, il arrive parfois que le système ne fonctionne pas correctement suivant le système d'exploitation installé.

La plupart des Bios intègrent également les normes Plug And Play et permettent d'accéder aux paramètres de détection.

Le soft menu

Le microprocesseur peut être réglé grâce à un interrupteur programmable (**CPU SOFT MENU III**) qui remplace la configuration manuelle traditionnelle. Cette configuration permet à l'utilisateur de réaliser plus facilement les procédures d'installation. Vous pouvez installer le microprocesseur sans avoir à configurer de cavaliers (jumpers) ou d'interrupteurs (switches). Le microprocesseur doit être réglé suivant ses spécifications.

Dans la première option, vous pouvez presser « F1 » à tout moment pour afficher toutes les possibilités pour cette option.

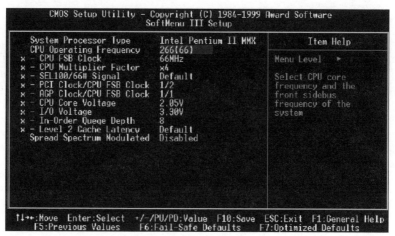

System Processor Type

Avant de régler la fréquence du processeur, il faut d'abord choisir son type. Dans notre exemple, la carte mère peut recevoir les processeurs suivants :

- Intel Pemtium III MMX.
- Intel Pemtium II MMX.
- Intel Celeron MMX.

CPU Operating Speed

Cette option permet de régler la vitesse du microprocesseur. Dans ce champ, la vitesse est exprimée de la manière suivante :

Vitesse du microprocesseur = Horloge externe * Facteur multiplicateur

Choisissez la vitesse de votre microprocesseur en fonction de son type et de sa vitesse.

Dans le module 3 consacré aux éléments de base, nous reprenons avec plus de détails les caractéristiques des processeurs.

L'autotest

> • *Contrôle des fonctions de base*
> • *Exécution du POST*
> • *Chargement du système d'exploitation*

Description

La mise en route d'un PC implique un double processus, la mise en route hardware et le chargement du système d'exploitation. Lorsque l'on allume le PC, l'alimentation électrique envoie une impulsion au processeur qui lance une commande d'instruction de mise en marche se trouvant dans le Bios.

Ensuite le Bios entre en action. Ce programme est intégré dans la ROM et contrôle les fonctions de base du PC. Il est conçu pour que le PC puisse fonctionner avec le système d'exploitation. Il est chargé de contrôler les fonctions entrées/sorties de l'ordinateur et de charger le système d'exploitation au moyen d'un sous-programme. Il se charge de l'entraînement du POST (Power On Self Test) qui va effectuer les vérifications suivantes :

- Comparaison des codes de ses puces par rapport aux codes des puces de la mémoire.
- Les emplacements de la mémoire.
- Les cartes d'extension.
- Les ports séries et parallèles.
- L'horloge.
- La carte vidéo.
- Le port clavier.
- Écriture de données vers la RAM puis relecture de ces données.
- Lecteur de disquette et disque dur et les compare à ce qui est écrit dans le CMOS.
- Recherche des fichiers système.
- Chargement du système d'exploitation.

Les bips et messages d'erreur

Les bips

Lorsque le PC démarre, il émet des signaux sonores que l'on appelle des bips. Ils sont utilisés pour avertir d'un problème matériel plus ou moins important détecté lors de l'autotest avant que la carte vidéo soit testée. L'ordinateur ne peut donc afficher aucune information à l'écran. Il utilise un code basé sur les bips. Ce code varie en fonction du type de Bios. Un bip court au démarrage indique que le POST a été réalisé avec succès.

Bios AMI

Nombre de bips	Signification
Pas de bip	Alimentation, carte mère ou haut-parleur
1	Connexion écran ou carte vidéo
2, 3 ou 4	La mémoire (puce ou barrette)
5, 7 ou 10	Carte mère (souvent CPU)
6	Puce de contrôle du clavier
8	Carte vidéo
9	Bios
11	Mémoire cache de la carte mère

Bios IBM

Nombre de bips	Signification
Pas de bip	Alimentation, carte mère ou haut-parleur
Bip constant ou court et répétitif	Alimentation
1 long et 1 court	Carte mère
1 long et 2 courts	Carte vidéo ou problème de câble
1 long et 3 courts	Carte EGA ou câbles

Bios PHOENIX

3 séries de bips	Signification
1-1-3	CMOS illisible
1-1-4	Bios
1-2-1	Une puce de la carte mère
1-2-2	Problème de carte mère
1-2-3 1-3-1 1-3-3	Carte mère ou mémoire
1-3-4 1-4-1	Carte mère
1-4-2	Une mémoire ne fonctionne pas
2- ?- ?	Chaque série commençant par 2 annonce un problème de mémoire
3-1-1 3-1-2 3-1-3 3-1-4	Une puce de la carte mère
3-2-4	Le clavier ou la puce qui le contrôle
3-3-4 3-4-1 3-4-2 3-4-3	Ne trouve pas la carte vidéo
4-2-1	Puce défectueuse sur la carte mère
4-2-2 4-2-3	Clavier ou carte mère
4-3-1 4-3-2	Carte mère
4-3-3	Une puce d'horloge
4-3-4	Pile, alimentation ou carte mère
4-4-1	Port série
4-4-2	Port parallèle
4-4-3	Coprocesseur

On trouve sur le marché certaines cartes d'interfaces appelées cartes logiques qui permettent de traduire les bips et d'afficher des messages plus complets et plus faciles à interpréter.

Les messages

Ils apparaissent avant le chargement du système d'exploitation et proviennent toujours du Bios. Ils traduisent un problème matériel et peuvent varier suivant le type de Bios. Les messages d'erreur peuvent s'afficher à partir du moment ou les tests vidéo ont été réalisés correctement. Voici les plus couramment rencontrés.

Message	Signification
64K	Élément de mémoire

BAD DMA	Carte mère
Interpréteur de commande mauvais ou	COMMAND.COM non trouvé
CMOS, configuration	Modifier la configuration du PC (IRQ, CMOS, COM, …)
Drive failure	Disque dur
Memory and failure	Puce mémoire et souvent carte mère
Disque non system ou erreur disque	La disquette n'est pas une disquette système
Erreur de parité	La mémoire (type de barrettes)
Tableau de partition	Disque dur
Secteur non trouvé	Surface du disque dur
Timer	Horloge, souvent carte mère

Attention, là encore le contenu du message peut varier sensiblement. Avant d'interpréter un message trop rapidement, veillez à toujours reprendre point par point la stratégie de dépannage que nous vous proposons un peu plus loin. Il arrive très souvent qu'un problème anodin entraîne des messages d'erreurs qui laissent croire qu'un composant est endommagé.

Enfin, sur des PC très anciens, vous pourriez rencontrer des codes erreur à la place des messages. Si cela est le cas, il vous sera pratiquement impossible de trouver des pièces de rechange pour réparer ce type d'ordinateurs. Pour information, voici quelques codes erreurs qui pourraient apparaître.

Code	Cause
02x	Batterie
1xx	Carte mère
2xx	Mémoire (puce ou barrettes)
3xx	Clavier
4xx	Écran monochrome (XT)
5xx	Écran couleur (XT)
6xx	Lecteur de disquette
7xx	Coprocesseur mathématique
9xx	Port parallèle
10xx	Deux ports parallèles
11xx	Port série
12xx	Deux ports séries
13xx	Carte joystick
17xx	Disque dur ou contrôleur

Les composants dans l'unité centrale

- *Les éléments*
- *Schéma d'ensemble*
- *Démontage et remontage d'un PC*
- *La stratégie de dépannage*

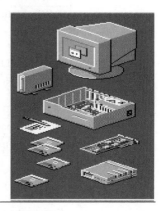

Les éléments

Voici une liste non exhaustive des éléments que vous pourrez trouver à l'intérieur d'une unité centrale. Il est bien entendu qu'il pourra exister des différences suivant l'âge du PC, sa configuration et son utilisation. Dans les chapitres suivants nous détaillerons chacun de ces éléments.

- La carte mère.
- L'alimentation.
- L'horloge.
- La mémoire (ROM et RAM).
- Le lecteur de disquette.
- Le disque dur.
- La carte graphique.
- Le lecteur de CD-Rom.
- Les cartes d'extension.
- Les ports de communication.

L'organisation de ces éléments varie sensiblement en fonctions du type de configuration. Les boîtiers en forme de tour dont nous reparlerons dans le module suivant offrent plus de place alors que ceux appelés Desktop sont plus limités. Certaines carte mères intègrent les ports de communication, le composant graphique et le composant son alors que d'autres nécessitent l'ajout de cartes d'extension.

Schéma d'ensemble

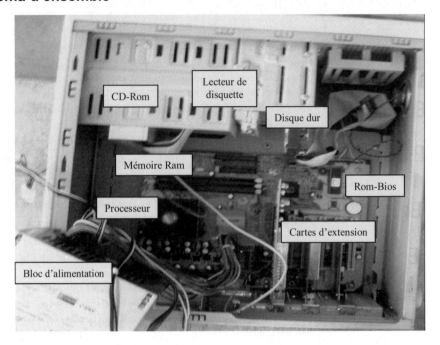

Les précautions d'usage

Avant de faire quoi que ce soit, respectez quelques règles qui vous éviteront bien des désagréments ultérieurement et surtout vous permettront de travailler en toute sécurité. Nous vous présentons ici une liste de précautions à prendre :

- Faites une sauvegarde complète du système et du disque dur.
- Préparez toutes les documentations dont vous disposez.
- Préparez au moins une disquette de Boot et des outils logiciels (drivers, logiciel de diagnostic, système d'exploitation…).
- Mettez en place une zone de travail claire, équipez-vous des outils antistatiques précédemment cités et pensez à respecter les règles de sécurité.

Démontage du PC

Prenons un exemple d'intervention nécessitant le démontage du PC. Vous devez changer une carte mère pour la remplacer par une autre carte plus récente. Voici la marche à suivre :

- Mettre hors tension le PC et débrancher tous les câbles électriques.
- Déconnecter les périphériques (clavier, écran, souris, imprimante…) et les mettre de côté.
- Enlever les vis du capot et les placer dans un pot puis retirer le capot.
- Avant de retirer les composants du système, faire une liste de ce qui est connecté et noter aussi l'emplacement des cartes d'extension.
- Retirer ensuite toutes les cartes et les ranger séparément dans des sachets antistatiques.

- Débrancher ensuite le disque dur de l'alimentation et du contrôleur de disque, ensuite le dévisser
- Faire de même pour le lecteur de disquette ainsi que le lecteur de CD-Rom.
- Ranger ensuite tous les lecteurs dans des sachets antistatiques.
- Débrancher ensuite les fils qui relient les LED de la carte mère à l'alimentation. Un petit conseil, mettre des étiquettes sur chaque fil, ils peuvent être nombreux et votre prochaine carte mère ne les utilisera peut-être pas tous.
- Retirer les barrettes de mémoire de la carte mère et les ranger dans des sachets antistatiques.
- Débrancher ensuite le connecteur entre la carte mère et le bloc d'alimentation.
- Il ne vous reste plus qu'à retirer les vis ou les fixations qui maintiennent la carte mère sur le boîtier.
- Enfin faire glisser la carte mère hors du boîtier. Cette opération doit être réalisée sans forcer et peut varier en fonction de la taille des cartes mères et des boîtiers.
- Protéger ses composants avec des mousses et la ranger soigneusement.

Méthode d'assemblage

- Régler les commutateurs dip et les cavaliers (en règle générale ces réglages sont fournis avec la documentation de la carte mère) si besoin.
- Placer la carte mère dans le boîtier et la fixer (au moyen de quatre vis ou pattes de fixation minimum).
- Enficher soigneusement le processeur dans le connecteur ainsi que le ventilateur.
- Placer les barrettes de mémoire sur la carte mère.
- Fixer le lecteur de disquette et le disque dur dans les rails.
- Connecter les câbles logiques qui les relient à la carte mère (si les contrôleurs sont intégrés à la carte) sinon à la carte contrôleur et à l'alimentation. Le fil rouge du câble doit être placé du côté du "1" inscrit près du connecteur du disque dur.
- Connecter les fils de contrôle des LED et les fils de l'alimentation à la carte mère.
- Placer la carte vidéo si besoin.
- Brancher l'alimentation à la carte mère.
- Faire un test pour vérifier que les éléments de base sont correctement installés.
- Placer ensuite les périphériques contrôlés par une carte spécifique (exemple : disque dur SCSI, modem, CD-Rom). Toutes les cartes périphériques sont connectées à la carte mère par l'intermédiaire des slots d'extension et sont reliées par câble aux périphériques qu'elles contrôlent (exemple : carte son reliée au CD-Rom en interne).
- Mettre ensuite en place les cartes additionnelles (réseau, son…).
- Connecter vos périphériques externes.
- Allumer l'ordinateur et initialiser l'ordinateur à l'aide de la disquette de démarrage fournie avec la carte mère et activez le Setup pour vérifier ou modifier la configuration du système.
- Après avoir redémarré votre système normalement, vous devrez peut-être modifier votre configuration logicielle, chose dont nous reparlerons plus loin dans cet ouvrage.

La stratégie de dépannage

Avant de vous lancer dans un démontage de la machine ou une réinstallation de votre système, il est nécessaire de définir ce que l'on pourrait appeler un diagnostic. En effet, le PC est constitué de nombreuses pièces et fonctionne un peu comme une "usine à gaz", c'est pourquoi il est parfois difficile de savoir quelle direction il faut suivre lorsqu'une panne se produit. Voici quelques conseils pratiques qui vous aideront dans votre démarche.

Avant de rechercher une cause grave à un problème de démarrage du PC, effectuez les manipulations suivantes :

- Vérifier toutes les connexions et qu'aucune touche du clavier n'est enfoncée.

- Vérifier qu'une disquette n'est pas restée dans le lecteur, sauf s'il s'agit d'une disquette système.

- Mettre hors tension le PC et attendre 30 secondes avant de redémarrer. Un démarrage à chaud peut envoyer des chocs électriques qui risquent d'endommager des pièces internes sensibles.

- Ecouter les bips de démarrage et noter les messages et codes qui apparaissent à l'écran souvent après avoir ajouté une pièce. Vérifier alors son branchement interne.

- La pile est souvent à l'origine de messages annonçant des erreurs graves. On s'en rend compte car les problèmes sont aléatoires et redémarrer le PC suffit parfois. Il faudra cependant changer la pile avant que les problèmes ne s'aggravent.

- S'il vous semble qu'un message annonçant un problème de disque est plausible (pas de nouveaux composants installés, ni de nouveaux logiciels, une pile récente), il faut alors avoir recours à un logiciel de diagnostic. En règle générale, un diagnostic de niveau 1 vous aidera à déterminer la panne, alors qu'un diagnostic de niveau 2 peut en réparer certaines.

- Lorsque la pièce défectueuse a été repérée, il est souvent plus facile et moins coûteux de la changer plutôt que de la faire réparer. Une méthode infaillible consiste à tester la pièce sur un autre PC.

Les ordinateurs portables

- *Les composants*
- *L'affichage*
- *La batterie*
- *Les stations d'accueil*

Les composants

Les ordinateurs portables sont très répandus sur le marché de l'informatique. Ce sont des équipements qui voyagent beaucoup et qui sont souvent manipulés sans égards ni précautions. A l'inverse d'un ordinateur classique, on peut difficilement le mettre à niveau et les pièces de rechange sont rarement interchangeables d'une marque à l'autre.

Cependant, le portable fonctionne exactement comme un ordinateur de bureau et contient sensiblement les mêmes éléments, mais ceux-ci sont de petite taille et souvent directement intégrés à la carte mère (son, vidéo, ports de communication, modem, réseau).

Leur particularité est d'être autonome et de fonctionner à partir d'une batterie. Ils pèsent entre deux et quatre kilos et coûtent plus cher que les ordinateurs classiques.

Les lecteurs

Tous les portables ne comportent pas le même nombre de lecteurs. Certains vous offriront un lecteur de disquette et un lecteur de CD-Rom alors que d'autres proposeront des lecteurs interchangeables ou encore des lecteurs externes optionnels.

Les cartes d'interface

Les ordinateurs portables ne disposent pas de suffisamment de place pour insérer des cartes d'extension. La plupart des portables sont équipés de connecteurs PCMCIA pour permettre l'insertion de cartes additionnelles. Une norme existe, nous en reparlerons plus tard dans le module consacré aux cartes d'extension.

L'affichage

Les portables utilisent des écrans plats pour réduire l'encombrement et le poids. Il existe deux technologies pour la réalisation d'un écran plat :

La matrice active TFT (Thin Film Transistor)

C'est la technique la plus performante mais aussi la plus coûteuse. Avec la matrice active TFT, l'écran bénéficie d'une clarté excellente avec un rapport de contraste compris entre 150:1 et 200:1, d'une vitesse de régénération rapide et un grand angle de visualisation.

La matrice passive couleur à double balayage

C'est une solution plus économique pour les écrans couleurs. Cette technique offre une résolution similaire aux écrans TFT, mais avec un rapport de contraste plus réduit, de 30:1 à 40:1 et un angle de visualisation bien plus étroit. Les affichages à double balayage comportent des ensembles de transistors le long des deux bords de l'écran et les pixels sont contrôlés sur la base d'une ligne par colonne. Cette technique affecte la clarté de l'image et apporte un certain flou avec les images animées ou le défilement de texte.

La batterie

La qualité de la batterie est un facteur important, notamment dans le prix du portable. Le principe d'utilisation de la batterie est qu'elle fournit l'alimentation nécessaire au fonctionnement du PC. En règle générale, le portable est fourni avec une batterie neuve ainsi que le kit de chargement.

Il existe plusieurs méthodes pour recharger une batterie, le choix de l'une d'entre elles dépendra du temps que l'on souhaite prendre pour le chargement.

- Brancher l'ordinateur au secteur par une prise murale sans l'allumer. Cette méthode rapide permet un rechargement complet en deux ou trois heures.
- Brancher l'ordinateur au secteur par une prise murale et travailler en même temps. Cette méthode plus longue nécessitera entre douze et quarante huit heures de chargement. Elle permet toutefois de disposer de l'ordinateur pendant le chargement.
- Utiliser un chargeur de batterie et insérer la batterie à l'intérieur.

Quelle que soit la méthode choisie, plus la batterie est ancienne et plus elle a tendance à perdre de la puissance. Si l'on a l'impression que la batterie perd de l'autonomie, il faudra certainement en racheter une autre.

Nickel Cadmium (Ni-Cad)

Elles offrent des performances raisonnables mais sont assez lourdes et se déchargent relativement rapidement. Selon l'usage que l'on en fait, elles peuvent être rechargées entre 500 et 3000 fois. Elles équipent les appareils anciens.

Hydrure de Métal-Nickel (NIMH)

Elles remplacent actuellement les batteries en Nickel Cadmium, ne se déchargent pas et doublent leur capacité pour un volume identique.

Lithium-Ion (LI-ION)

Elles utilisent la technologie la plus récente et apportent une capacité encore plus importante. Elles ne contiennent aucun métal toxique.

Les stations d'accueil

Bien connus aujourd'hui, ces équipements permettent d'insérer l'ordinateur portable sur un support offrant des connecteurs supplémentaires tels que port souris, clavier, moniteur… suivant le même principe que les réplicateurs de ports.

Leur particularité est qu'il est possible d'y intégrer des cartes d'extension. Une fois le portable logé dans la station d'accueil, on pourra utiliser toutes les fonctionnalités supplémentaires qu'elle offre.

Un gros connecteur présent à l'arrière du portable permet de l'enficher dans la station d'accueil. Le portable peut fonctionner sur batterie ou sur secteur.

Atelier

- Exercice à réaliser en deux temps

- Durée prévue :

  Exercice 1 : 10 mn

  Exercice 2 : 10 mn

  Exercice 3 : 45 mn

Exercice n° 1

Schéma à compléter

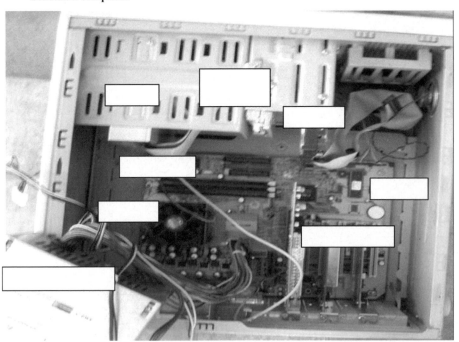

Exercice n° 2

Au cours des prochaines étapes, nous construirons un PC morceau après morceau.

- Démontez le capot de votre unité centrale et repérez les éléments de base. Notez ensuite la composition de votre système.
- Démontez l'ensemble du système et placez chaque élément dans un emballage antistatique.

Exercice N° 3

Au démarrage de la machine, activez le programme de Setup et relevez toutes les informations concernant la configuration de votre système.

- Processeur
- Mémoire RAM
- Unités de disques
- Lecteur de disquette
- Ports de communication
- Gestion du "Softpower"
- Gestion de la sécurité

Quiz

> • *Série de questions/réponses*

Question n° 1

Que signifie l'abréviation POST ?

- ❏ Power On Self Test
- ❏ Power Off Self Test

Question n° 2

Lorsque l'autotest est terminé, un bip court indique que :

- ❏ Le système d'exploitation est chargé
- ❏ Il y a un problème sur la mémoire RAM
- ❏ L'autotest a été réalisé avec succès
- ❏ Un périphérique système est inconnu

Question n° 3

A la mise en route du PC, un message d'erreur indique "Keyboard Error", que doit-on faire ? Attention, plusieurs réponses possibles.

- ❏ Mettre hors tension le PC
- ❏ Vérifier la connexion du clavier
- ❏ Vérifier les câbles d'alimentation
- ❏ Relancer l'ordinateur à l'aide de Ctrl + Alt + Suppr
- ❏ Rallumer le PC une fois les vérifications effectuées

Question n° 4

Tous les ordinateurs possèdent les mêmes cartes d'extension ?

- ❏ Vrai
- ❏ Faux

Question n° 5

Lorsqu'une unité centrale n'est pas correctement ventilée, que peut-il se passer ?
Plusieurs réponses possibles.

❑　Le PC peut prendre feu
❑　Il ne se passe rien
❑　Les programmes ne fonctionneront pas correctement
❑　Certaines erreurs matérielles peuvent être décelées par le POST

Question n° 6

Chaque fournisseur de Bios possède son programme de configuration CMOS.

❑　Vrai
❑　Faux

Question n° 7

Le Bios et l'autotest permettent de configurer les périphériques d'entrées/sorties de
manière permanente.

❑　Vrai
❑　Faux

Question n° 8

Quel est le rôle du Bios ? Attention, plusieurs réponses possibles.

❑　Assurer la compatibilité IBM du PC
❑　Charger les pilotes de périphérique
❑　Contrôler les fonctions de base du PC
❑　Contrôler les fonctions entrées/sorties du PC
❑　Assurer les échanges de données entre la mémoire et les éléments installés
❑　Faire tourner l'horloge
❑　Charger le système d'exploitation
❑　Lancer le test POST

Question n° 9

Le setup est un programme qui permet de :

❑　Installer les pilotes de périphérique
❑　Régler les paramètres du PC au démarrage
❑　Charger le système d'exploitation

Question n° 10

Les messages d'erreur sont issus du système d'exploitation et apparaissent lorsque celui-ci n'est pas correctement installé.

❑ Vrai

❑ Faux

Question 11

Parmi la liste suivante, quel sigle fait référence à une batterie d'ordinateur portable ?

❑ Ni-Port

❑ Ni-Cad

❑ La-Li

- *Description*
- *Rôle*
- *Caractéristiques techniques*

3

Les éléments de base

Objectifs

Dans le chapitre précédent, nous avons étudié la méthode d'assemblage des différents éléments se trouvant dans l'UC. Dans celui-ci, nous allons étudier dans le détail les différents éléments de base du système.

Contenu

Le boîtier et le bloc d'alimentation.

La carte mère.

Le processeur.

Le bus.

La mémoire.

Les ressources système.

Le boîtier et l'alimentation électrique

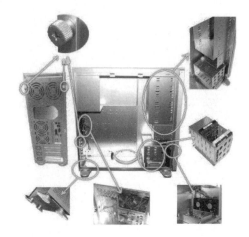

- *Les boîtiers*
- *Le bloc d'alimentation*
- *Les connecteurs*
- *Dépannage*

Le boîtier

Le boîtier est un des éléments à prendre au sérieux. Il en existe de plusieurs types et de plusieurs tailles. De premier abord, on pourrait penser qu'il est préférable d'avoir un petit boîtier pour le gain de place. Cependant, le refroidissement de la machine et la possibilité d'insérer des éléments supplémentaires dépendent essentiellement du boîtier.

Très souvent, on achète un boîtier avec le bloc d'alimentation en même temps, bien qu'il soit possible de se procurer un boîtier seul. Si vous devez manipuler d'anciens ordinateurs de type AT, vous devrez tenir compte de la façon dont le bouton poussoir du boîtier est raccordé au bloc d'alimentation.

Il existe essentiellement deux sortes de boîtiers, les AT, et les ATX. Suivant le type de carte mère dont vous disposez, vous devez choisir le boîtier adapté ainsi que le bloc d'alimentations.

Certains boîtiers offrent des fonctions supplémentaires comme des prises USB et IEEE1394 en façade ou des écrans fluorescents permettant l'affichage d'informations. Dans ce cas, certains connecteurs supplémentaires devront être reliés à la carte mère.

Les tours

Ces boîtiers sont conçus pour être posés verticalement et sont les plus répandus sur le marché. Elles permettent d'ajouter des périphériques internes et des cartes d'extension plus facilement que sur un boîtier desktop.

Il existe trois formats, mini, midi et full. Plus le boîtier est grand et plus on pourra insérer d'éléments. Souvent les « full tower » sont utilisés pour les serveurs, les « midi tower » pour les stations de travail professionnelles et les « mini tower » pour les postes bureautiques. Dans le monde du grand public, les plus répandus sont les « midi tower ».

Les desktop

On les nomme également les boîtiers de bureau et sont conçus pour être placés à plat sur le bureau. Ils offrent un encombrement réduit mais peu de possibilités d'insertion de périphériques supplémentaires et de cartes d'extension.

En principe, on les utilise dans un environnement professionnel pour équiper les stations de travail bureautiques. L'orientation des emplacements pour connecteur est différente de celle d'un boîtier de type tour. Les cartes mères adaptées à un boîtier desktop sont donc organisées différemment d'une carte mère conçue pour un boîtier de type tour.

Il en est de même pour le bloc d'alimentation, souvent la taille des blocs utilisés est différente par rapport à un bloc d'alimentation utilisé pour un boîtier tour.

L'alimentation électrique

Elle transforme le courant alternatif en courant continu de 3,3, 5 ou 12 V selon les besoins de votre ordinateur et ce de manière précise. Les tensions de 12 V sont utilisées pour les disques durs, les lecteurs de disquette ou tout autre périphérique motorisé, les tensions 5 V et 3,3 V pour la carte système et l'ensemble des cartes d'extension.

Elle est équipée d'un ventilateur interne pour assurer son refroidissement. La puissance varie en fonction des besoins du micro-ordinateur et de leurs équipements.

Pour un poste bureautique classique, une puissance de 250 Watts est suffisante, alors qu'un PC multimédia doit disposer d'une puissance d'au moins 400 Watts.

Les connecteurs de la carte mère

Carte mère type AT

Il y a deux connecteurs pour alimentation sur la carte mère, un détrompeur évite de connecter les câbles du bloc d'alimentation dans le mauvais sens. Ils permettront à la carte mère et aux cartes d'extension de recevoir du courant. Attention à ne pas les intervertir sur les connecteurs de la carte mère (appelés en général P8 et P9). Il faut que la série de fils noirs se trouve au centre lorsque les deux connecteurs sont fixés.

Carte mère type ATX

Elles utilisent un seul connecteur d'alimentation délivrant des tensions de 3,3, 5 et 12 V. Un détrompeur évite les erreurs de connexion.

Les fils électriques

Sur les PC de type AT, on trouvera certains fils électriques qui doivent être reliés aux interrupteurs de mise en marche du boîtier et aux LED permettant aux voyants lumineux de fonctionner.

Sur les PC de type ATX, le bouton poussoir et les fils électriques sont directement intégrés au boîtier. Il suffira dans ce cas de connecter les fils provenant du boîtier aux LED de la carte mère.

Deux prises externes

L'alimentation comporte un connecteur de branchement du moniteur (prise femelle) et la prise d'alimentation générale (prise mâle). Certains blocs d'alimentation bon marché ne disposent pas du connecteur pour le moniteur. Dans ce cas, vous devrez alimenter votre moniteur sur une prise de courant.

Les connecteurs de périphériques

Ils sont reliés aux disques durs, lecteurs de disquette, lecteur de CD-Rom… Il existe deux formats pour ces connecteurs. En général les grands connecteurs sont reliés aux disques durs et lecteurs de CD-Rom, alors que les petits connecteurs sont utilisés sur les lecteurs de disquette 3,5 pouces.

Contrôler une alimentation

Attention, vous ne devez jamais démonter un bloc d'alimentation pour PC, ils ne sont pas conçus pour être réparés. Contentez-vous de procéder aux tests suivants si vous rencontrez un problème d'alimentation. S'ils ne sont pas concluants, remplacez-le par un autre.

- Si le PC s'arrête et se trouve complètement hors tension, vérifier en premier lieu si le fusible de la fiche électrique n'est pas fondu.

- Notez bien que certaines alimentations sont équipées d'un système de disjoncteur automatique qui les protège des courts-circuits. Dès que la cause du court-circuit sera résolue, l'alimentation se remettra en marche.

- Si le PC ne se met pas sous tension mais que le ventilateur intégré au bloc d'alimentation tourne, c'est que le bloc fonctionne. Tester alors la sortie courant continu avec un multimètre réglé sur le mode volt CC connecté à un connecteur d'alimentation. Les mesures relevées pourront varier de + ou − 5 à 10 % par rapport aux valeurs de base.

- L'alimentation peut cesser de fonctionner si un périphérique provoque une défaillance ou encore une surcharge. Le seul moyen de vérifier est de déconnecter tous les périphériques de l'alimentation et de les rebrancher un par un jusqu'à celui qui est responsable du problème.

- Si les périphériques USB ne sont plus reconnus lorsque vous les connectez alors que votre système fonctionne normalement, il est probable que votre alimentation électrique ne soit pas assez puissante pour alimenter les périphériques. Il vous faudra alors changer l'alimentation pour en mettre une plus puissante.

La carte mère

* *Les chipsets*
* *Les connecteurs et différents éléments*
* *Les tailles et types de cartes mères*
* *Surveillance du système*

La carte mère, que l'on nomme également carte système, représente le socle de l'ordinateur. En effet, bon nombre d'éléments qui vont être intégrés dessus devront être choisis en fonction de la carte mère. L'ensemble carte mère, processeur et mémoire constituent la base du système.

Un certain nombre de caractéristiques techniques définissent la carte mère. Nous allons les passer en revue et vous proposons également quelques informations sur la surveillance du système.

Les chipset et les connecteurs du processeur

Le chipset

Le chipset présent sur la carte mère, permettant d'assurer le fonctionnement du bus système, est un élément important de la carte mère. De plus, le choix du processeur dépendra également de celui-ci. Il contrôle également les ports E/S, le bus d'extension et l'accès à la mémoire. De la qualité du chipset dépendra souvent les performances des échanges de données. Au niveau de la carte mère, il peut être mis en place au moyen d'une ou de plusieurs puces. En principe, des informations doivent être inscrites dessus. Actuellement, différents chipsets intègrent les cartes mères, les technologies évoluent vite et les nouveautés sont constantes. Nous citerons ici les plus répandus sur le marché :

* I815E d'Intel
* I820 d'Intel
* I865 PE d'Intel
* I915P d'Intel
* I925X et I925XE d'Intel
* 440 BX et LXd'Intel
* 462 d'AMD
* 750, 754 et 760 d'AMD
* 939 d'AMD
* Appolo KT 133 de Via

- 894X et 686X de Via
- 82815 de GMCH

Notez enfin qu'en terme de chipset, l'évolution est constante. Un nouveau concept commence à voir le jour, qui consiste à changer le chipset d'une carte mère afin d'en améliorer les performances.

Le connecteur du processeur

L'évolution des processeurs a entraîné la modification du format du connecteur intégré à la carte mère. Même si différents formats se sont succédés, on peut considérer qu'à l'heure actuelle certains prédominent :

- Socket 7
- Socket 370
- Socket 462
- Socket 478
- Socket 479
- Socket 754
- Socket 603 et 604
- Socket 939
- Slot 1
- Slot A

Les différents connecteurs de cartes d'extension

ISA

On retrouve ce type de slots parmi les 386 et 486. Un très grand nombre de cartes d'extension pourront y être ajoutées (équipent les "dinosaures" du PC). Certaines cartes mères de génération intermédiaire proposent au moins un connecteur ISA pour assurer la compatibilité avec les cartes d'extension existantes.

VLB

On dit aussi bus local. Son principe permet au système de réaliser une partie du travail sans faire appel au microprocesseur avec la prise en charge directe des données sur le bus du PC. Ce système ne fonctionnera que si l'on connecte des cartes d'extension de type VLB (sur un slot spécifique de la carte mère). Ce type de slot est généralement associé aux ordinateurs 486 et est actuellement désuet. On ne trouve d'ailleurs plus depuis longtemps de cartes VLB dans le commerce.

PCI

Il équipe les micro-ordinateurs récents équipés de processeurs Intel ou équivalents. Il fonctionne suivant le même principe que VLB, mais est plus avancé techniquement et plus rapide. Les slots PCI sont actuellement les plus utilisés et présents sur toutes les cartes mères.

Note : Dans un souci de compatibilité avec les cartes d'extension, de nombreuses cartes mères contiennent au moins deux sortes de slots. Par exemple ISA et PCI, ou PCI et VLB ou encore plus rarement, ISA et VLB. On peut considérer que les cartes mères d'aujourd'hui comportent entre trois et cinq slots PCI et entre un et deux slots ISA. Ces cartes mères sont maintenant équipées d'un slot AGP dont nous reparlerons dans le chapitre consacré aux cartes d'extension.

Les différentes tailles de cartes mères

On trouve sur le marché plusieurs tailles de cartes et la disposition des composants variera d'autant. L'important est de noter qu'en règle générale, plus les cartes sont petites plus elles sont récentes. Le progrès technique permet d'aller vers une miniaturisation des composants. Nous vous proposons ici de passer en revue les plus couramment rencontrées.

Cartes baby AT et AT

Elles se déclinent en deux tailles : le format long dont la largeur est de 12 pouces et le format baby dont la largeur a été réduite à 8,5 pouces. Leur longueur peut également varier de 10 à 13 pouces. Elles équipent en général des PC anciens dont les boîtiers restent grands (desktop ou mini tour). Ce type de carte ne pourra pas être placé dans un boîtier plus petit. La maintenance et l'ajout de cartes d'extension longues sur ce type de carte se révèleront vite difficiles. Des problèmes de chevauchement et de disposition surviennent régulièrement.

Cartes ATX et mini ATX

Développé par Intel pour devenir un nouveau type de carte mère. Sa conception part d'une carte baby AT disposée et organisée d'une tout autre manière. Les cartes d'extension longues peuvent être insérées sans problème et des fonctions entrées/sorties plus nombreuses peuvent y être ajoutées. Les connecteurs pour ports E/S sont intégrés à la carte ainsi qu'un port souris PS/2. Une notion de "softpower" a été mise en place, permettant l'extinction du PC au moyen d'un logiciel ou sous le contrôle de la carte mère (sorte de mise en veille interne). Elles prennent en charge une alimentation de 3,3 V. Un boîtier de type ATX s'adapte à ce type de carte mère. Ces cartes sont les plus répandues à l'heure actuelle.

Cartes LPX, mini LPX et NLX

Les cartes LPX et mini LPX s'utilisent dans des boîtiers "slimline" ou compacts. Ce qui est nouveau et qui les différencie des cartes ATX, c'est le rajout d'une carte perpendiculaire à la carte mère qui recevra les connecteurs d'extension. Les cartes d'extension se retrouveront donc parallèles à la carte mère, permettant ainsi l'utilisation de boîtiers dont la hauteur a été sensiblement réduite. Pratique lorsque l'on recherche un gain de place, mais elles sont souvent limitées en possibilités d'extension et difficilement évolutives.

La version NLX diffère des deux autres par un moindre encombrement de la carte mère, la possibilité de la retirer par glissement de son boîtier et la prise en charge de barrettes de mémoire DIMM ainsi que des technologies récentes (cartes graphiques AGP, processeur Pentium II et III et leurs concurrents). Elle permet l'utilisation de boîtiers desktop ou mini tour.

Surveillance du système

De nombreuses cartes mères sont équipées d'outils permettant de surveiller le système et de mettre en place une configuration précise. Plusieurs possibilités s'offrent à vous pour régler ces paramètres. La plupart du temps, vous trouverez dans le Setup des solutions logiciel qui vous aideront à surveiller le système.

Par exemple, certaines cartes mères vous permettent de déclencher une alerte sonore lorsque le système ou le processeur atteint une certaine température. D'autre part, elles disposent également de connecteurs FAN pour ajouter des ventilateurs à l'intérieur de l'unité centrale.

La ventilation

Plus le système est performant et plus le matériel est puissant. Afin d'assurer un fonctionnement maximal, il est important de ventiler correctement l'unité centrale. En effet, plus la machine chauffe et moins elle est efficace. De nombreuses cartes mères intègrent un système de refroidissement. Lorsqu'un processeur est intégré à la carte mère, celui-ci devra être refroidi par un ventilateur.

La gestion du soft power

C'est souvent par l'intermédiaire du Bios que l'on peut mettre en place un système de gestion d'économie d'énergie qui permet à l'ordinateur de se mettre en mode sommeil après une période d'inactivité. Il en résulte une moindre consommation de courant et par conséquent une température plus stable.

La pile

Elle se situé sur la carte mère et a une durée de vie d'environ trois ans. Ce flot constant d'électricité permet à l'ordinateur de mémoriser les paramètres du SETUP. Si le micro-ordinateur perd la mémoire de temps en temps (il vous demande la date et l'heure au démarrage), changez la pile. Sur les ordinateurs récents, elle se présente sous la forme d'une pile AA placée dans un logement sur la carte mère. D'autres utilisent des petites batteries en forme de cube qui sont aussi fixées sur le bloc d'alimentation. D'autres encore sont fixées sur la carte mère entre deux plaquettes.

Repérage des éléments

- Le chipset
- Le microprocesseur (CPU).
- Les connecteurs pour la mémoire (SIMM, DIMM ou DDR).
- La ROM/Bios.
- Les contrôleurs d'unité de disque et de lecteur de disquette.
- Les ports de communication.
- Les slots pour les cartes d'extension.
- Le connecteur d'alimentation.
- Les ports clavier et souris.
- Les LED et les interrupteurs, les commutateurs DIP et les cavaliers.

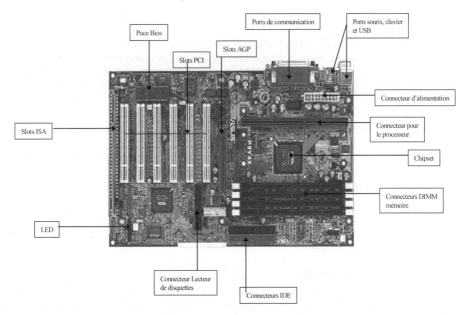

Le processeur

- *Caractéristiques techniques*
- *Modes opératoires*

Le processeur constitue le cerveau de l'ordinateur. Il régule le flux d'informations en provenance et à destination des différentes pièces du PC par l'intermédiaire du bus. C'est ce qui détermine la puissance de l'ordinateur (486, Pentium, Pentium II…). Le processeur est cadencé par son horloge interne qui définit la vitesse. Il est connecté directement sur la carte mère sur un socket ou un slot. Il faudra adapter un ventilateur sur le processeur pour éviter la surchauffe.

Le processeur est constitué de deux éléments distincts dans lesquels les fonctions sont réparties :

- L'ALU (Arithmetic and Logical Unit) réalise les calculs sur les nombres entiers et est particulièrement utilisé par les logiciels comme Word et Windows.
- La FPU (Floating Point Unit) qui prend en charge les calculs et les fonctions mathématiques complexes et les nombres réels. La FPU est très sollicitée par les jeux ou les applications à calculs volumineux.

Sur les PC de type 386 et plus anciens, on peut ajouter un coprocesseur mathématique afin de permettre à l'ordinateur de calculer plus vite. Ce coprocesseur est intégré dans le processeur à partir des modèles 486 DX et supérieurs.

Caractéristiques techniques des processeurs

Vitesse d'horloge du système

L'horloge du système, que l'on appelle aussi l'horloge processeur, prend en charge le contrôle de la synchronisation des opérations effectuées par le PC. Les processeurs les plus anciens utilisaient des horloges dont la fréquence était de 4,77 Mhz, ce qui représente 4,77 millions d'impulsions d'horloge par seconde. Les plus récents ont une fréquence d'horloge système de plus de 3 Ghz.

Mémoire cache

Le processeur lit dans la mémoire du système les ordres donnés par les programmes, les exécute et renvoie ensuite le résultat en mémoire vive. Cette RAM classique que l'on appelle la DRAM (dynamic RAM) offre un temps d'accès de 50 à 70 nanosecondes, ce qui est relativement long par rapport au potentiel du processeur.

L'installation d'une mémoire cache, que l'on appelle SRAM (static RAM) et d'un contrôleur de mémoire cache entre le processeur et la DRAM permet de contourner ce problème. Le principe de fonctionnement de cette mémoire consiste à supposer de quelles informations le processeur va avoir besoin et de les charger dans la mémoire cache depuis la mémoire du PC. Au moment où le processeur demande ces informations, le contrôleur de mémoire cache les lui transmet instantanément. Si ces informations ne sont pas présentes dans la mémoire cache, le processeur ira les chercher dans la mémoire classique du système. Le taux de réussite de cette technique est d'environ 99 % et permet d'accéder aux informations six fois plus rapidement.

La taille de cette mémoire peut varier de sensiblement suivant les processeurs, les plus élaborés contiennent jusqu'à 512 Ko de mémoire cache. Elle est couramment appelée cache de niveau 1.

Les processeurs sont souvent équipées d'une mémoire cache de niveau 2 (cache externe), dont la taille est peut atteindre 2 Mo. Cette mémoire cache se situe dans est située au niveau du boîtier contenant le processeur (dans la puce). Le cache de second niveau vient s'intercaler entre le processeur avec son cache interne et la mémoire vive. Il est plus rapide d'accès que cette dernière mais moins rapide que le cache de premier niveau.

Enfin, les cartes mères d'aujourd'hui comportent une mémoire cache de niveau 3 qui fonctionne suivant le même principe.

Le point sensible de la mémoire cache reste la taille importante de ses puces et son coût élevé par rapport à la mémoire classique.

Le bus d'adresses

Afin d'accéder à la mémoire et aux autres composants du système, le processeur envoie des informations de localisation, que l'on appelle des lignes d'adresses, qui sont dirigées vers les composants. Plus un système dispose de lignes d'adresses, plus le processeur peut accéder à un grand espace mémoire.

Le bus de données

L'unité arithmétique de logique (ALU) a pour tâche d'effectuer toutes les opérations de traitement de données. Des zones de stockage temporaires internes appelées registres servent à mémoriser les données avant et après leur traitement. De la taille des informations stockées dans les registres vont dépendre grandement les performances du système. Un processeur 80286 peut traiter des données de 16 bits, un 80386 DX, un 486 ou un Pentium standard des données de 32 bits, enfin un Pentium ou un AMD supérieurs peuvent traiter des données de 64 bits.

La taille de registre

Afin d'aider l'ALU à traiter les données, des zones de stockage temporaire internes que l'on appelle des registres mémorisent les données avant et après leur traitement. La taille des registres est un facteur déterminant des performances globales de l'unité centrale et détermine la compatibilité logicielle (16, 32 ou 64 bits).

Le multitraitement

Le multitraitement est une technique qui fait appel à des systèmes multiprocesseurs. Cette technique augmente sensiblement les performances du système mais nécessite une compatibilité logicielle et matérielle.

- Prise en charge par la carte mère de la gestion multiprocesseur. Elle doit disposer de connecteurs supplémentaires et d'un jeu de puces pour gérer la configuration.
- Prise en charge par les processeurs du multitraitement. Ils doivent être capable de fonctionner à plusieurs sur un même système.
- Prise en charge des processeurs par le système d'exploitation. Le système d'exploitation gère le multitraitement.
- Prise en charge des applications qui doivent être stables et écrites de façon à ne pas encombrer le processeur.

Suivant le système d'exploitation, les applications et les processeurs, le multitraitement peut être symétrique ou asymétrique. Si les tâches systèmes et les tâches applications sont capables de tourner sur n'importe quel processeur, le multitraitement est symétrique. Dans le cas d'un multitraitement asymétrique, les tâches systèmes sont assignées à un processeur et les tâches applications à un autre.

Mode opératoire du processeur

Le processeur effectue les tâches suivant différents modes opératoires et accède à la mémoire de façon différente suivant le mode.

Mode réel

En mode réel, toute la mémoire disponible est vue par le système comme une seule série linéaire d'emplacements de stockage. Dans ce cas, la mémoire ne peut pas être divisée en sections et allouée à des programmes spécifiques, le processeur ne peut pas effectuer de traitement multitâche. Dos et les applications s'exécutant en mode Dos fonctionnent en mode réel.

Mode protégé

Les systèmes d'exploitations d'aujourd'hui fonctionnent en mode protégé. Ce mode opératoire a été mis au point sur les processeurs 80286 pour être totalement opérationnel à partir des 80386. Il offre la possibilité d'allouer des quantités de mémoires spécifiques à différents programmes ou à des tâches système. Chaque espace mémoire est accessible à la tâche et est protégée des autres. L'avantage principal est que le système d'exploitation peut gérer toutes les tâches à la fois. De plus ce mode supporte la mémoire virtuelle et offre un accès plus rapide à la mémoire.

Évolution des processeurs Intel

Une page d'histoire

Les processeurs 8086 et 8088

Ces processeurs marquent le début d'une évolution quasi incessante. Lancé en 1981, le modèle 8088 dont la fréquence est de 4,77 Mhz fonctionne sur 16 bits en interne avec un bus de données de 8 bits. Cette version économique a vite été abandonnée pour laisser la place au modèle 8086 qui fonctionne en 16 bits et dispose d'un bus d'adresses de 20 bits. Sa fréquence interne est de 8 Mhz, tout comme celle de son bus (cadence externe). Ce processeur est capable d'adresser un maximum de 1 Mo de mémoire. Les versions « turbo » permettent d'augmenter la fréquence interne à 9,54 Mhz. Un coprocesseur mathématique de type 8087 a été conçu afin d'augmenter la vitesse de calcul.

Le processeur 80286

Le PC prend maintenant le nom de PC-XT. Son processeur 80286 lui permet de travailler en mode réel et en mode protégé. Son bus de données est large de 24 bits alors que son bus externe reste à 16 bits. Son horloge interne et la fréquence de son bus sont de 8 à 20 Mhz. Il peut gérer une quantité de mémoire adressable de 16 Mo maximum.

Le principe de son double fonctionnement est qu'en mode réel, il se comporte comme un 8086 (avec les mêmes caractéristiques et les mêmes limites), alors qu'en mode protégé, on est capable d'utiliser pleinement ses possibilités, y compris la gestion de mémoire virtuelle, permettant ainsi d'adresser jusqu'à 16 Mo de mémoire. La gestion du multitâche fait son entrée dans les PC. Un coprocesseur de type 80287 pourra être adapté de manière à optimiser les vitesses de calcul.

Le processeur 80386

Ce processeur a été conçu en deux versions. L'une appelée 386 DX et l'autre 386 SX. La première possède un bus d'adresses et un bus de données de 32 bits, ce qui lui permet d'adresser une quantité de mémoire de 4 Go. La version économique 386 SX, quant à elle, possède un bus de données de 16 bits et un bus d'adresses de 24 bits (tout comme un processeur 80286). Ce processeur peut être utilisé sur une carte mère 80286) et ne pourra gérer qu'un maximum de 16 Mo de mémoire.

Les fréquences interne et externe du 386 DX sont de 16, 20, 25, 33, 40 Mhz, alors que celle du 8386 SX sera limitée à 20 ou 25 Mhz aussi bien en interne qu'en externe. Tous deux fonctionnent suivant trois modes : le mode réel, le mode protégé et le mode étendu. Ce qui leur permet de gérer le multitâche et la mémoire virtuelle.

Un coprocesseur mathématique (80387) pourra être adapté sur la carte mère, améliorant sensiblement les performances des applications faisant appel à de nombreux calculs.

Le processeur 80486

Tout comme son prédécesseur, ce modèle se décline en plusieurs variantes, dont voici les caractéristiques :

	486SX	486DX	486DX2	486DX4
Bus de données	32 bits	32 bits	32 bits	32 bits
Bus d'adresses	32 bits	32 bits	32 bits	32 bits
Mémoire gérée	4 Go	4 Go	4 Go	4 Go
Fréquence interne	25/33/40	20/33/40/50	50/66/80	75/100/120
Fréquence du bus	25/33/40	20/33/40	25/33/40	25/33/40
Coprocesseur	80487SX	Intégré	Intégré	Intégré
Mémoire cache interne	8 Kb	8 Kb	8 Kb	8 ou 16 Kb

Le processeur 486DX est deux à trois fois plus performant qu'un 386DX qui fonctionnerait avec la même fréquence d'horloge. Le modèle 486SX est identique, mise à part l'absence d'un coprocesseur intégré. Cette faiblesse pourra néanmoins être corrigée par l'ajout d'un coprocesseur 80487. Un processeur 486DX2 est identique à un 486DX, mais sa fréquence d'horloge processeur a été doublée. Par exemple, un 486DX2 qui possède une fréquence d'horloge de 33 Mhz fonctionnera en interne à 66 Mhz, le rendant plus rapide qu'un 486DX 50 Mhz. La variante 486DX4 offre quant à elle un tripleur de fréquence. Celle-ci pourra être de 75 ou 100 Mhz.

L'overdrive

Ce type de coprocesseur est particulier. Il a pour rôle de « booster » un processeur classique. Il désactive le travail du processeur de base et prend en charge toutes les tâches.
Il pourra être placé sur un socle prévu à cet effet, ou en remplacement de l'ancien ou encore dans certains cas placé par-dessus celui-ci.
Il existe un overdrive 486 DX2 destiné à supplanter les 486 SX, un overdrive Pentium décliné en trois versions adaptées aux processeurs 486, P60/66 et P75/90/100.

La gamme des processeurs Pentium

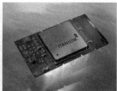

- *Du Pentium au Xeon*
- *Les concurrents*
- *AMD*
- *Cyrix*

Généralités

Le processeur Pentium possède deux mémoires caches séparées, une pour les commandes et une pour les données. Son bus d'adresses est de 32 bits ou 64 bits et son bus de données est passé à 64 bits. Son horloge peut tourner jusqu'à 2 Ghz, la fréquence du bus interne varie de 33 à 266 Mhz suivant les modèles.

Son architecture super scalaire utilise deux pipelines d'instructions U et V. Le premier peut exécuter toutes les instructions du Pentium et le second exécute sur demande un nombre limité de commandes. Ceci permet le traitement de plusieurs tâches : le Pentium subdivise les programmes en portions et les répartit entre les pipelines.

La gamme Pentium

Le Pentium

Plusieurs processeurs Pentium se sont succédés. Le premier d'entre eux, baptisé P66, est basé sur la même technologie que le 486. Il a été réduit à 60 Mhz, principalement à cause de problèmes de surchauffe, et possède un bus d'adresses de 32 bits alors que son bus de données passe à 64 bits, accélérant ainsi les transferts entre la RAM et le processeur. Sa particularité réside dans le fait qu'il est le premier processeur conçu pour fonctionner avec le bus PCI dont nous reparlerons plus tard. Quelques imperfections au niveau des calculs à haute précision ont été remarquées (c'est ce que l'on appelle couramment un bug).

La seconde génération a donné naissance aux P75, P90 et P100 qui tournaient 1,5 fois plus vite que leur prédécesseur sans causer de problèmes de surchauffe.

Les P120, P133, P150, P166 et P200 constituent la troisième génération de Pentium. L'horloge interne tourne à une vitesse deux fois à deux fois et demi plus rapide que celle du P60.

La fréquence du bus interne peut varier de 50 à 66 Mhz.

Le Pentium Pro

Il possède une architecture interne RISC (Reduced Instructions Set Computer) plus rapide que le procédé CISC (Complete Instructions Set Computer). Il intègre un convertisseur CISC/RISC et une architecture superscalaire à trois pipelines. Son bus d'adresses large de 32 bits peut adresser 4 Go de mémoire. Il est en réalité composé de deux puces. La première contient une mémoire cache de niveau 1 de 16 Ko et la seconde une mémoire cache de niveau 2 de 256 Ko à 1 Mo. Ses performances en termes de vitesse de traitement sont doublées par rapport à celle du P100.

Une nouvelle technologie basée sur l'exécution dynamique des instructions et sur la prédiction des branchements permet au Pentium Pro de traiter des instructions sans attendre que la précédente soit terminée.

Optimisé pour les programmes 32 bits, on trouve des variantes allant de 150 à 200 Mhz alors que la fréquence du bus interne reste entre 50 et 66 Mhz.

Le Pentium MMX (multimedia extension)

Ce nouveau modèle intègre de nouvelles instructions spécifiques au multimédia, augmentant ainsi le traitement des données audio, vidéo et graphiques dans un programme adapté à la technologie MMX où le traitement des données est réalisé par plusieurs unités (technique SIMD – Single Instruction Multiple Data).

Le processeur ne contient plus qu'une seule puce dont on a doublé les caches de données et de code (16 Ko chacune) alors que le cache de niveau 2 est de 512 Ko. Il est décliné entre P133 et P233 et la fréquence du bus interne est encore de 50 à 66 Mhz.

Le Pentium II

Successeur naturel de ses prédécesseurs, il est en fait constitué d'un Pentium Pro dans lequel on a intégré la technologie MMX. Sa mémoire cache de niveau 1 passe à 32 Ko et sa mémoire cache de niveau 2 à 512 Ko.

Composé de plusieurs puces, celles-ci sont intégrées dans un module unique (SEC), permettant ainsi son adaptation sur un connecteur 242 broches que l'on nomme le slot 1.

Des versions allant de 233 à 400 Mhz sont disponibles. Sur les modèles les plus puissants, la fréquence du bus interne varie de 66 à 100 Mhz.

Le Pentium III

Sa conception part d'un Pentium II auquel on a ajouté soixante-dix instructions KNI permettant notamment une meilleure gestion du 3D, l'extension SIMD permet une meilleure prise en charge de DirectX et les développeurs disposent d'un outil qui exécute ces tâches bien plus rapidement.

Sa fréquence atteint des sommets, entre 450 Mhz et 1,3 Ghz et la fréquence du bus interne peut atteindre 100 à 166 Mhz. Côté mémoire cache, il dispose d'un cache de niveau 1 de 32 Kb et d'un cache de niveau 2 de 512 Kb.

Il se présente sous la forme d'un module SEC 2 qui améliore la ventilation du processeur et par conséquent lui permet d'éviter la surchauffe.

Le Pentium 4

Le Pentium 4 Northwood est le fleuron de la gamme grand public du constructeur Intel. Grâce à leur nouvelle microarchitecture Intel® NetBurst®, les Pentium 4 sont conçus sur la base d'avancées technologiques pour exploiter au mieux l'Internet d'aujourd'hui et de demain. Un nouveau jeu d'instructions SSE2 avec 144 nouvelles instructions équipe ce processeur. Gravé en 0.13 micron et doté de 512Ko de mémoire cache, le P4 Northwood révèle tout le potentiel de l'architecture Pentium 4.

Le processeur Pentium 4 s'adapte sur une carte mère possédant un Socket 478.

Le Céleron

Produit par Intel, cette version économique du Pentium équipe en général les ordinateurs peu chers. Critiqués au départ notamment pour des problèmes de surchauffe, les versions se sont succédées et ces processeurs satisfont un grand nombre de systèmes. Voici quelques exemples :

- Céleron : sa fréquence se situe entre 266 et 300 Mhz avec un bus interne de 66 Mhz. Une mémoire de niveau 1 de 32 Ko est présente.
- Céleron A : cadencé entre 300 et 500 Mhz avec la même fréquence de bus interne et la même mémoire cache de niveau 1. Une mémoire cache de niveau 2 d'une taille de 256 Ko a été ajoutée.

Le Xeon

Ce nouveau Pentium est destiné aux serveurs de fichiers et d'application en entreprise. Il se décline sur des fréquences allant de 1,4 Ghz à 3 Ghz. Son innovation se trouve dans sa micro-architecture Intel® NetBurst® qui assure adaptabilité, performances, rentabilité et fiabilité. Il est doté d'une mémoire cache de niveau 3 intégrée pouvant atteindre une capacité de 4 Mo et prend en charge la mémoire Ram de type DDR. Ces performances en terme de puissance de traitement et la réduction sensible des goulets d'étranglement le rendent particulièrement stable et fiable. Ce processeur s'adapte sur les sockets 603 et 604.

Les processeurs AMD

Cet autre concepteur de processeur est le concurrent direct d'Intel. Dans ce domaine, certains diront qu'ils sont d'égale valeur alors que d'autres pensent le contraire.

Les K6

AMD a conçu le processeur K6, totalement compatible MMX qui existe dans différentes versions :

- K6 de fréquence varie entre 166 et 300 Mhz avec une fréquence de bus interne de 66 à 100 Mhz. La mémoire cache reste un point fort, avec 64 Kb pour la mémoire cache de niveau 1 et de 256 Kb à 1 Mb pour la mémoire cache de niveau 2.
- K6-2 et K6-3 qui permettra d'atteindre des fréquences allant de 266 à 533 Mhz, les autres caractéristiques restant inchangées. Gestion du 3Dnow fournissant des graphiques plus rapides.

L'Athlon

L'autre grande évolution chez AMD est le processeur Athlon qui vient directement concurrencer le Pentium III. Ce processeur permet d'obtenir des fréquences de bus interne allant jusqu'à 266 Mhz.

Le Duron

Le processeur AMD Duron est une version économique de l'Athlon.

Les processeurs 64 bits

Cette nouvelle génération de processeurs représente l'une des innovations les plus importantes de ces dernières années. Ils prennent en charge la mémoire DDR et contournent la limite des 4 Go de Ram. Ils sont d'ores et déjà proposés sur le marché et prouveront leur réelles capacités quand les systèmes d'exploitation évolueront. Les deux principaux constructeurs de processeurs se livrent une bataille farouche. Voici les dernières innovations.

Intel

Plusieurs modèles sont disponibles :

- L'Itanium qui utilise un ensemble d'instructions spéciales appelées « EPIC » ou « IA-64 computing » permettant de gagner en vitesse comparé aux processeurs x86. Suivant le modèle, il atteint une fréquence allant de 800 Mhz à 1,6 Ghz avec un bus interne variant de 266 Mhz à 400 Mhz.

- Le Xéon MP, beaucoup plus puissant, il atteint une fréquence de 3,6 Ghz et double la fréquence du bus qui passe à 800 Mhz

- Le Pentium 4 Extrême Edition, proposé avec une fréquence d'horloge de 3,73 Ghz et doté d'un bus de 1066 Mhz.

AMD

Plusieurs versions du processeur Athlon sont proposées sur le marché :

- AMD Athlon 64 et 64 FX
- AMD Barton
- AMD Opteron

Suivant les versions, ils possèdent une fréquence allant de 1.4 Ghz à 4 Ghz. Ils disposent tous d'une mémoire cache de niveau 1 pouvant atteindre 128 Ko et une cache de niveau 2 d'une capacité de 1 Mo. La fréquence du bus interne peut atteindre théoriquement 2000 Mhz.

La réelle avancée technique réside dans leur capacité de prendre en charge des applications 32 bits et 64 bits. Ceci lui assure une future compatibilité avec les systèmes d'exploitation et applications 64 Bits.

Les processeurs CYRIX

Avec AMD, Cyrix a longtemps tenté de concurrencer les processeurs Intel. Certains modèles comme le 6x86 MX ont bien fonctionné alors que d'autres comme le Cyrix III ont connu un succès très relatif. Bien que ces processeurs soient désormais dépassés, nous vous proposons ici leurs principales caractéristiques techniques.

Le 6x86 MX

Comme les processeurs K6 d'AMD, le 6X86 possède un bus de 64 bits ainsi que la technologie superscalaire L'innovation se trouve dans les fréquences de bus utilisées (tel le 75 et le 83 MHz) permettant d'accroître la vitesse d'échange entre la mémoire et le processeur. Les bus PCI qui sont alors cadencés à la moitié de la fréquence du bus passent de 33 Mhz à 41,5 Mhz.

Ces processeurs sont cadencés de 133 à 188 Mhz.

Le Cyrix M2

En avril 98, Cyrix sort un nouveau processeur : le Cyrix MII. Ce processeur présente une architecture similaire à son prédécesseur avec quelques modifications. Tout d'abord, ce processeur est désormais gravé en 0,25 microns et possède donc les instructions MMX lancées par Intel. Il prend également en charge la gestion du 3D Now!. Il intègre un cache de niveau 1 de 128 Ko. Le bus interne atteint une fréquence de 133 Mhz et est cadencé à 533 Mhz.

Ce processeur comporte 6,5 millions de transistors et s'appuie sur le Socket 370. Cependant le Cyrix M2 n'a pas plus convaincu que le modèle précédent car la FPU est toujours très largement en deçà des Pentium II et des K6-2. Pénalisé lourdement par des performances médiocres, le Cyrix l'est aussi avec des problèmes de compatibilité avec certains logiciels.

Le bus

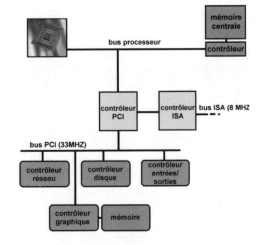

Le bus est chargé de faire circuler les données et les commandes entre les dispositifs situés sur la carte mère. Son importance est grande car c'est de lui dont dépendra la vitesse d'exécution de l'ordre donné au périphérique. En effet, nous avons vu que la fréquence des processeurs n'a cessé d'évoluer. Par contre, les fréquences des bus progressent beaucoup moins vite. En d'autres termes, le processeur travaille bien plus vite que le système et la restitution des résultats est souvent longue.

Le bus interne

Il relie la carte mère, le processeur et le contrôleur d'entrées/sorties. Il est aussi appelé bus processeur ou bus système. Il contient des lignes d'adresses et des lignes de données. Le chapitre sur les cartes mères et les processeurs reprennent largement ces notions et les caractéristiques techniques de ce bus. Rappelons pour mémoire que suivant les processeurs et les chipsets des cartes mères, la fréquence courante de ce bus varie entre 100 et 266 Mhz. Seuls les architectures 64 bits permettront d'atteindre des fréquence bien plus élevées.

Le bus d'extension

Il est géré par le contrôleur d'entrées/sorties et permet à la mémoire et au processeur de communiquer avec les périphériques. Il achemine du courant (5 et 12 V) pour alimenter les périphériques connectés dessus.

Ses deux caractéristiques fondamentales sont la largeur des lignes de données qui détermine le nombre d'octets de données transférés en une seule fois (entre 1 et 8 Ko) et la vitesse du bus qui cadence les échanges.

Les fréquences de ce bus ont peu évolué et varient entre 25 à 66 Mhz pour les cartes mères les plus anciennes et de 100 à 512 Mhz pour les plus récentes.

Une large gamme de bus d'extension existe dans le monde du PC.

Les différents types de bus d'extension

* *Les bus classiques*
* *Les bus locaux*
* *Le bus AGP*
* *Le bus SCSI*
* *Le bus USB*
* *Le bus IEEE 1394*

Les bus classiques

Le bus PC-XT

C'est l'un des premiers bus équipant les PC munis de processeurs 8086 et 8088. Il travaille sur 8 bits de données et vingt lignes d'adresses. Son connecteur est constitué d'un bloc de 62 broches.

Le bus ISA

A partir du processeur 80286, un nouveau bus apparaît. Il travaille sur 16 bits de données et vingt-quatre lignes d'adresses. Son connecteur est constitué de deux blocs (un de 62 broches et un de 36 broches). Cette structure permet une compatibilité avec les cartes 8 bits (seul le premier bloc sera connecté).

Le bus MCA

Ce type de bus a été conçu par IBM lors de la sortie du PS/2. Il travaille sur 16 ou 32 bits mais son connecteur, constitué de broches plus petites que les autres, le rend incompatible avec tout autre type de carte.

Le bus EISA

C'est aussi un bus qui fonctionne sur 32 bits de données et possède trente-deux lignes d'adresses. L'intérêt de ce bus est qu'il est compatible avec le bus ISA, autorisant ainsi l'utilisation de cartes ISA. Les connecteurs EISA sont plus profonds, une carte ISA n'accède pas à la seconde rangée de connecteurs (celle du fond).

Le bus PCMCIA

Ce format de bus est spécifique aux ordinateurs portables et accepte des cartes d'extension de la taille d'une carte de crédit avec la possibilité d'insérer ou de retirer une carte d'extension à chaud. Plusieurs types de cartes sont vendus (I, II ou III) dont la différence se situe dans l'épaisseur de la carte et qui se connectent à l'aide d'un câble 68 broches. La majorité des ordinateurs portables possèdent des connecteurs universels permettant d'utiliser les différents types.

* Type I : conçu au départ pour les cartes mémoire d'une épaisseur maximale de 3,3 mm.
* Type II : adapté à d'autres types de cartes d'extension comme les cartes réseau ou encore les cartes modem, leur épaisseur maximum étant de 5 mm.
* Type III : supporte plus spécifiquement les disques durs et les unités utilisant des connecteurs plus grands.

Attention à ce type de cartes, il en existe dont la tension est de 5 ou 3,3 V. Un détrompeur permet d'éviter un usage incorrect.

Les bus locaux

Ces bus ont une technologie différente des autres bus. Son principe consiste à relier directement les cartes d'extension à un mini processeur, déchargeant ainsi une partie du travail du système de bus présent. Ce type de bus s'utilise en association avec un autre bus (ISA, EISA ou MCA).

Le bus VLB

Définit un standard de branchement des connecteurs d'extension travaillant sur 32 bits de données directement sur le bus processeur, grâce à des contrôleurs aux normes VESA. Son connecteur est constitué de trois séries de broches. La principale limite à cette solution est le nombre de connecteurs utilisables. En effet, seulement trois connecteurs VLB peuvent cohabiter sur le même bus processeur. De plus, il impose le fonctionnement des cartes à la vitesse du processeur (maximum 33 Mhz). Maintenant complètement abandonné, on trouve ce type de connecteur sur d'anciens PC.

Le bus PCI

C'est l'autre bus local développé par Intel. Il travaille à 64 bits et son connecteur est constitué d'une série de broches unique. Il distingue le bus d'extension et le bus processeur, ce dernier étant géré par un composant spécifique. Ceci ne limite plus le nombre de connecteurs local bus. Le processeur reste indépendant des cartes d'extension et le bus PCI peut donc avoir une fréquence unique (33 ou 66 Mhz) quel que soit le processeur utilisé. C'est le plus répandu sur le marché car il est particulièrement adapté au système Plug and Play.

Le bus AGP (Accelerated Graphic port)

Le dernier-né de la gamme des bus locaux, celui-ci est particulièrement apprécié des cartes graphiques et surtout des logiciels utilisant largement les effets 3D.

Il présente l'avantage de fonctionner à la même fréquence que le bus interne de la carte mère et prend en charge l'accès DMA.

Le bus AGP est décliné en plusieurs normes :

- AGP 2X : 66,66 MHz x 1 avec un débit de 266.67 Mo/s
- AGP 2X : 66,66 MHz x 2 avec un débit de 533.33 Mo/s
- AGP 4X : 66,66 MHz x 4 avec un débit de 1,06 Go/s
- AGP 8X : 66,66 MHz x 8 avec un débit de 2,11 Go/s

Attention, suivant la norme, le bus AGP ne travaille pas sur une tension unique. Voici un petit récapitulatif et les connecteurs correspondants sur la carte mère :

AGP 1.0 – tension 3,3 V – mode 1x, 2x

AGP 2.0 – tention 1,5 V – mode 1x, 2x, 4x

AGP 3.0 – tension 1,5 V – mode 4x, 8x

AGP 2.0 universal – tension 1,5 V, 3,3 V – mode 1x, 2x, 4x

Le bus SCSI

C'est une interface permettant de connecter plusieurs périphériques, notamment des disques durs, des lecteurs de CD-Rom, des graveurs de CD-Rom, des imprimantes, des scanners... Utilisé et présent sur les Macintosh depuis longtemps, il nécessite en règle générale l'ajout d'une carte d'extension (PCI ou ISA) pour fonctionner sur les PC.

Sa particularité est que cette interface fournit un bus d'extension complet. Ceci permettant ainsi aux périphériques qui y sont connectés de communiquer entre eux sans l'intervention du processeur et indépendamment les uns des autres.

Les différentes normes SCSI

La norme SCSI évolue au cours du temps. Elle définit les caractéristiques du Bus, voici l'essentiel.

Norme	Largeur de bus	Fréquence	Taux de transfert
SCSI-1	8 bits	5Mhz	5mo/s
SCSI-2 ou Fast SCSI	8 bits	10Mhz	10mo/s
Ultra SCSI	8 bits	20Mhz	20mo/s
Wide SCSI	16 bits	10Mhz	20mo/s
Ultra Wide SCSI	16 bits	20Mhz	40mo/s
Ultra 2 SCSI LVD	8 bits	40Mhz	40mo/s
Ultra 2 Wide SCSI LVD	16 bits	40Mhz	80mo/s

Configuration d'un bus SCSI

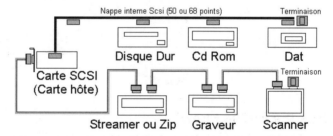

L'installation d'un système SCSI se réalise de la manière suivante :

- Installer d'abord l'adaptateur du système central qui peut être une carte d'extension, à moins que le composant soit présent sur la carte mère.

- Connecter ensuite les périphériques SCSI en chaîne.

- Installer des bouchons de terminaison de chaque côté de la chaîne pour un système SCSI 1 ou activer les terminaisons automatiques sur les systèmes SCSI2 et SCSI 3.

- Configurer ensuite les identifications de chaque unité présente. En effet, chaque élément doit posséder un numéro unique (entre 0 et 7 pour le SCSI1 et entre 0 et 15 pour les SCSI2). Cette opération se fait souvent par des cavaliers sur les disques durs ou encore des commutateurs, alors que certaines cartes sont paramétrables via leur logiciel d'installation. L'adaptateur central utilise souvent le 7 (ou le 15 pour le SCSI 2) alors que les disques durs prennent plutôt le 0.

- Installer ensuite le pilote de chaque unité présente, sauf les disques durs qui pourront fonctionner avec les paramètres du Bios. L'interface ASPI est la plus courante et fonctionne sous DOS au moyen d'un pilote en mode réel chargé dans le CONFIG.SYS ainsi que sous Windows 95/98 avec des pilotes internes en mode protégé.

Une norme Plug and Play pour système SCSI (appelée aussi SCAM) permet au système d'attribuer automatiquement les identifications aux éléments présents.

Le bus USB

Intégré à la carte mère, il fournit un connecteur permettant de placer jusqu'à 127 périphériques. Il permet notamment de les connecter ou de les déconnecter à chaud.

Sa performance réside surtout dans la vitesse de transfert des données appréciée des périphériques comme les appareils photo numériques, les caméscopes… De plus ce bus supporte la technologie Plug and Play.

Deux versions USB existent :

- USB permettant un taux de transfert de 1,5 Mo par seconde.
- USB 2 qui permet d'augmenter ce taux à 60 Mo par seconde.

A l'origine, ce bus ne présentait qu'un seul connecteur. On peut trouver deux, voire quatre connecteurs sur les cartes mères d'aujourd'hui.

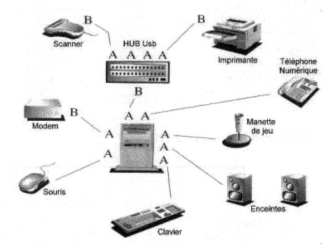

Le Bus IEEE 1394 Firewire

La norme IEEE1394 mise au point par un consortium d'ingénieurs définit un nouveau type de bus spécifiquement adapté aux périphériques multimédias et supporte la connexion et la déconnexion à chaud. On le connaît également sous le nom *Firewire*. Il a tout d'abord été adopté par Apple mais relativement délaissé par le monde du PC qui lui préfère le bus USB jusqu'en 1999.

Bien que peu de cartes mères proposent un bus Firewire intégré, il est tout à fait possible d'installer une carte d'extension PCI qui vous fournira les connecteurs. Tout comme l'USB, le Firewire fournit l'alimentation électrique pour les périphériques connectés. Ceux-ci peuvent être internes ou externes.

Ce bus est capable de transmettre des données à des fréquences allant de 100 Mb/s à 3200 Mb/s et combine deux modes de transfert :

- Le transfert asynchrone qui envoi des paquets de données avec un accusé de réception pour transmettre le paquet suivant. En cas de non réception, le paquet est réexpédié, ce qui produit un débit variable.
- Le transfert isochrone qui envoi des paquets de données de taille fixe avec un intervalle de temps fixe sans accusé de réception.

La norme évolue au cours du temps, voici un récapitulatif :

	IEEE 1394	IEEE 1394	IEEE1394	IEEE1394 B
Taux de transfert	100 Mb/s	200 Mb/s	400 Mb/s	800 Mb/s
Débit maximum	12,5 Mo/s	25 Mo/s	50 Mo/s	100 Mo/s
Nombre maximum de périphérique	63	63	63	63

La particularité de ce bus est qu'il est capable de prendre en charge des périphériques supportant des taux de transfert différents sans être obligé de s'adapter au plus lent. La seconde nouveauté réside dans le fait que deux périphériques Firewire peuvent communiquer entre eux sans que l'hôte ne soit allumé (Le PC). Ainsi, il est possible de lire une séquence filmée à partir d'une caméra numérique sur un écran plat sans avoir à allumer l'ordinateur. Enfin sa prise en charge du Plug and Play et la reconnaissance automatique des périphériques connectés évitent le paramétrages d'ID de périphériques et l'utilisation de bouchons de terminaison.

Les connecteurs et les câbles

Sur une carte d'extension Firewire, vous trouverez en principe entre deux et six connecteurs. Ils peuvent comporter quatre ou six contacts. Les connecteurs quatre contacts sont réservés aux périphériques fournissant leur propre alimentation électrique alors que les connecteurs six contacts permettent à l'unité centrale de fournir l'alimentation électrique.

Les câbles Firewire sont standardisés et leur longueur maximale est de 4,50 mètres et de 100 mètres pour la norme Gigawire. Les connecteurs seront également constitués de quatre ou six contacts.

La mémoire

- *La mémoire Ram*
- *La mémoire Rom*
- *Les barrettes de mémoire*
- *Caractéristiques techniques*

Il existe différents types de mémoires dans un système PC. Chacune d'elles est utilisée pour un travail bien déterminé et à des moments précis. Voici un état des lieux de la mémoire. L'aspect configuration de celles-ci sera abordé plus loin dans cet ouvrage dans la partie software.

La mémoire RAM (Random Access Memory)

C'est celle que l'on appelle la mémoire vive. C'est à cet endroit que se chargent les applications et les données qui y sont associées. C'est une mémoire volatile qui ne conserve rien une fois le PC éteint. Deux types de RAM ont été développés.

La SRAM

La statique RAM, plus rapide mais aussi la plus encombrante. On en trouve en général dans les mémoires cache que nous avons traitées plus haut.

La DRAM

Même si techniquement elle est moins sophistiquée et que son utilisation oblige le système à la "rafraîchir" régulièrement, elle reste la plus utilisée. Son prix attractif et la taille réduite de ses puces en font le standard du marché. Là encore, un certain nombre de variétés vous seront proposées dont voici un récapitulatif :

- DRAM Standard
- DRAM FPM   Accès plus rapide
- DRAM EDO   Amélioration des délais de lecture de 30 %

La SDRAM

La RAM synchrone est conçue pour fonctionner à la vitesse d'horloge de la carte mère et atteint une vitesse nettement supérieure à la mémoire DRAM, 133 Mhz sur une largeur de bus de 8 octets, soit 1 Go/sec au total.

La DDRAM

La DDR-SDRAM (Double Data Rate SDRAM) est une mémoire basée sur la technologie SDRAM, permettant de doubler le taux de transfert de la SDRAM à fréquence égale.

La VRAM

Mémoire utilisée pour les cartes vidéo. Contrairement à la RAM traditionnelle, elle comporte deux ports de données, un pour la lecture et un pour l'écriture. Le système peut ainsi lire et écrire simultanément, ce qui améliore la mise à jour de l'écran et accélère les performances vidéo.

La WRAM

C'est une mémoire à double port 25% plus rapide que la VRAM à un coût réduit. Le fabricant de carte graphique Matrox a contribué à la popularité de cette mémoire introduite dans la série Millenium.

La SGRAM

Synchronous Graphic RAM, augmente le débit de données et traite également plus vite les données en fonctionnant de pair avec les éléments responsable pour l'accélération dans les cartes vidéo. Elle fonctionne avec un port unique à la différence de la VRAM ou la WRAM.

La RDRAM

Rambus DRAM possède une vitesse d'horloge pouvant atteindre 800 Mhz, un bus de 2 octets permettant une vitesse maximale de 1,6 Go/s. Les performances sont donc plus intéressantes que la SDRAM.

La CMOS RAM

C'est une mémoire de petite capacité placée sur la carte mère permettant de mémoriser les paramètres du setup et de l'horloge temps réel. Cette mémoire est protégée par une pile.

La RAM Flash

Elle se comporte un peu comme le Bios, en conservant les données qu'on lui programme. En général elle contient les informations du Bios. Cette mémoire évite le changement des puces Bios car elle peut être mise à jour par les constructeurs au moyen d'une disquette.

La ROM (Read Only Memory)

C'est une mémoire spécifique dans laquelle on a écrit des informations matérielles que l'on ne pourra que lire. Tous les PC contiennent des puces ROM-Bios dans lesquelles on trouve le programme Bios permettant la mise en route du PC. Lors du processus de démarrage, le Bios se charge en RAM par l'intermédiaire de la CMOS RAM. On trouve actuellement deux types de puces ROM sur le marché.

Les EPROM

Elles sont économiques mais la mise à jour nécessite un échange de puces, apparaissant comme compliqué ou du moins pas très pratique. Ces puces équipent les PC les plus anciens.

Les ROM Flash ou EEPROM

Elles peuvent être effacées et remplacées sur place par l'intermédiaire d'une disquette de mise à jour ou encore à partir d'un site Internet, ce qui facilite grandement sa mise à niveau. Elles équipent les PC récents.

Le shadows RAM ou écriture miroir

C'est une technique permettant d'écrire dans un espace de la RAM le contenu des puces ROM. L'accès aux données de la ROM se fera par l'intermédiaire de sa copie en RAM, ce qui a pour effet une lecture des informations deux à trois fois plus rapide.

Les barrettes de mémoire

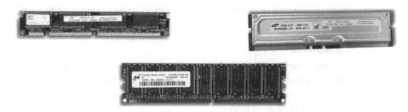

La mémoire RAM du système est présentée sous forme de barrettes de mémoire. Là encore le marché offre plusieurs choix. Un détrompeur présent sur la barrette empêche d'utiliser une barrette sur un connecteur inapproprié. Leur capacité va de 4 à 512 Mo.

Les SIMM

Single In-Line Memory Modules. Elles sont en général fournies en deux formats, 30 ou 72 broches. Pour le format 30 broches, une carte mère 32 bits de type 486 fournit normalement huit connecteurs pour barrettes SIMM, limitant la capacité maximale à 32 Mo. Ce format ne s'utilise plus du tout. Le format 72 broches étend cette limite à 64 Mo de RAM. On trouve encore des connecteurs SIMM sur les cartes mères, mais ce format tend à disparaître.

Les DIMM

Dual In-line Memory Modules. Utilisés avec les Pentiums, on les trouve également suivant deux formats, 144 et 168 broches et disponibles sous forme de barrettes fonctionnant à une tension de 3,3 ou 5 V. Un module DIMM équivaut à deux modules SIMM. Un Pentium fournissant une voie de données à 64 bits pourra utiliser ces deux formats de barrettes.

Les DDR

Elles se présentent sous la forme d'une barrette DIMM, mais comporte 184 broches. La DDR permet de doubler la fréquence des lectures/écritures

Caractéristiques techniques

La parité

La mémoire peut exister avec ou sans parité :

Type standard	Sans parité (8 bits nonparity RAM)
Type EDO	Sans parité (32 ou 64 bits nonparity RAM)
Autres	A parité (36 bits parity RAM)

Connecteurs par rangées

La mémoire installée doit tenir sur une rangée. En effet, le processeur recherche les données par rangée dont la taille varie entre 16, 32 ou 64 octets. Pour déterminer le nombre de barrettes nécessaires pour composer une rangée entière, diviser la largeur de la rangée que recherche le processeur par la largeur de la mémoire sur les barrettes.

Note : Certaines cartes mères peuvent gérer indifféremment des SIMMS standard et EDO, mais aucune ne gère en même temps des SIMMS avec et sans parité. Quand on ajoute de la mémoire SIMM à un PC, il faut que les barrettes soient installées par paires de même taille.

Vitesse de la mémoire

Les performances de la mémoire se mesurent en nanosecondes nécessaires pour accéder aux données qu'elle contient. Le temps d'accès courant se situe entre 50 et 80 nanosecondes. Avant d'insérer des barrettes de mémoire sur la carte mère, il faut vérifier que celle-ci peut supporter la vitesse des barrettes et vice-versa. Ce paramètre se vérifie et se configure dans le setup.

ECC

La mémoire ECC (Error Checking and Correcting) détecte et corrige les erreurs de données tout en permettant au système de continuer à fonctionner normalement. Elle est souvent utilisée sur les serveurs de haute performance.

Les ressources du système

> - *IRQ (interrruption)*
> - *Canaux DMA (Direct Acces Memory)*
> - *l'adresse mémoire (RAM)*
> - *l'adresse E/S (port E/S de base)*

Les ressources allouées aux périphériques connectés sur la carte mère permettent la communication entre le processeur, la mémoire et les périphériques eux-mêmes. Afin d'éviter tout conflit, chaque périphérique doit utiliser les ressources qui lui sont propres. Quatre différentes ressources devront être paramétrées, bien que suivant le type de matériel installé, certaines ne soient pas exigées.

L'IRQ

C'est une ligne de requête d'interruption permettant au processeur de communiquer avec un composant sans avoir à faire le tour du système pour vérifier lequel a besoin de lui. Au signal d'une interruption, le processeur va identifier le composant concerné. Chaque ressource doit recevoir un numéro d'IRQ qui lui sera définitivement attribué. Les PC d'aujourd'hui comportent seize IRQ au total (numérotés de 0 à 15), mais un certain nombre sont utilisés par défaut. Voici un récapitulatif d'une configuration standard.

N° IRQ	Utilisation sur le PC
0	Horloge système
1	Clavier
2	Deuxième contrôleur IRQ en cascade à partir de l'IRQ 9
3	Port COM (2,4,6,8)
4	Port COM (1,3,5,7)
5	LPT 2
6	Lecteur de disquette
7	LPT 1
8	Horloge temps réel
9	Logiciel redirigé vers IRQ 2, VGA, carte réseau
10	Libre ou commune PCI
11	Libre, utilisé par défaut par les systèmes SCSI Adaptatec ou certains systèmes PCI ou plus rarement certaines souris bus
12	Libre ou souris PS/2
13	Coprocesseur mathématique

14	Disque dur IDE primaire PCI ou ISA
15	Libre ou second disque dur

La limitation du nombre d'IRQ peut poser certains problèmes sur une configuration comportant de nombreux périphériques. Certains IRQ pourront être partagés (comme les IRQ des ports COM1 et COM 2). L'IRQ 10, quant à lui, est généralement attribué au bus PCI, et peut être utilisé par plusieurs périphériques connectés sur ce bus.

Les systèmes SCSI et USB permettent de définir une configuration largement plus étendue que les possibilités d'IRQ.

L'accès DMA

Les canaux DMA sont utilisés par des composants internes (souvent les disques durs, les lecteurs de bandes, les cartes réseau) pour communiquer directement avec la mémoire sans passer par le processeur. Il en résulte une accélération notable des échanges de données.

Il existe huit canaux DMA (numérotés de 0 à 7). En général, le canal DMA 2 est utilisé par le contrôleur de disquettes et le canal DMA 4 par les circuits du contrôleur DMA, les autres étant libres par défaut. Chaque fois qu'un périphérique supporte la technique DMA, le programme d'installation définit ce paramètre.

Les adresses E/S

Ces adresses représentent une zone de mémoire appelée UMA (dont la taille est de 64 Ko maximum) utilisée par un périphérique d'entrée/sortie pour exécuter leurs tâches d'E/S. Elles sont situées entre les adresses 0000 et FFFF.

En règle générale, on peut utiliser deux adresses mémoire pour configurer un port E/S. Par exemple, LPT1 peut utiliser l'adresse 378 ou 37F, ce qui permet de connecter deux imprimantes sur le même port sans créer de conflit. Ce paramètre se définit dans la configuration CMOS.

L'adresse E/S fait partie des ressources que de nombreux périphériques ne paramètrent pas. Voici un récapitulatif des configurations standard des adresses E/S.

Adresse E/S	Utilisation
000-01F	Contrôleur DMA
020-03F	Contrôleur d'interruption
040-05F	Clavier
070-07F	NMI, horloge temps réel
080-09F	Registre de page DMA
0A0-0BF	Deuxième contrôleur d'interruption
0C0-0DF	Deuxième contrôleur DMA
1F0-0FF	Coprocesseur mathématique
1F0-1F8	Disque dur AT
200-207	Joystick
210-217	Unité d'extension XT
258-25F	Intel "above board"
278-27F	LPT2

2E8-2EF	COM 4
2F8-2FF	COM 2
300-31F	Non utilisé
378-37F	LPT 1
380-38F	Synchronisation bidirectionnelle n°2
3A0-3AF	Synchronisation bidirectionnelle n°1
3B0-3BF	Carte monochrome et LPT 3
3C0-3CF	EGA
3D0-3DF	CGA, EGA et VGA
3E8-3EF	COM 3
3F0-3F7	Contrôleur de lecteur de disquette
3F8-3FF	COM 1

L'adresse mémoire

Ce paramètre est nécessaire pour les cartes d'extension utilisant une zone de mémoire partagée servant au transfert de données. Elle peut être aussi nécessaire pour le Bios ROM de la carte. Cette adresse se situe dans la zone de mémoire supérieure (entre 640 et 1024 Ko) dont la taille globale est de 384 Ko.

Si le gestionnaire EMM386.EXE (dont nous reparlerons plus loin) est chargé dans le fichier config.sys, il faudra exclure la zone utilisée par la carte afin d'éviter les conflits avec les gestionnaires et les programmes résidents en mémoire chargés à l'aide des lignes Devicehigh dans le config.sys et Loadhigh dans l'autoexec.bat.

Dans cet exemple, on suppose qu'une carte utilise une adresse précise. L'exclusion de la zone utilisée par la carte peut se faire de deux façons :

- Dans le config.sys avec la commande device=emm386.exe noems /x=C000-C7FF.
- Dans le system.ini de Windows dans la section [386enh] avec la ligne EMMEXCLUDE=C000-C7FF.

Détermination des ressources à utiliser

Logiquement, les programmes d'installation fournis avec les cartes d'extension déterminent et paramètrent ces ressources. Mais certains ne tiennent pas compte des valeurs des autres périphériques présents sur le système, et des conflits peuvent survenir. Pour remédier à ce problème, les systèmes d'exploitation d'aujourd'hui mettent à votre disposition des utilitaires que nous vous présenterons plus loin dans cet ouvrage.

Les conflits de ressources

Comme chaque périphérique fonctionne suivant des ressources qui lui sont propres, un conflit interviendra si deux éléments font appel à une ressource commune. Les problèmes qui en découlent varient d'un cas à l'autre. Quelquefois, l'un des deux périphériques en conflit ne fonctionne pas, mais il arrive que le système se bloque complètement.

Il faudra alors reconfigurer les éléments en question un par un en tenant compte des possibilités de chacun d'entre eux. Certaines cartes peuvent utiliser plusieurs IRQ ou encore plusieurs adresses mémoire. La documentation technique fournie par le constructeur vous sera d'un précieux secours.

Le Plug and Play

Le Plug and Play est une norme mise au point par des constructeurs de matériels et des éditeurs de logiciels, elle permet d'ajouter de nombreux matériaux dans le PC et de pouvoir l'utiliser immédiatement sans aucune intervention de l'utilisateur.

Malgré tout, la mise en place d'un système Plug and Play n'est pas toujours possible. En effet, les capacités Plug and Play sont soumises à trois conditions :

- Le Bios du PC doit supporter cette norme
- Le périphérique lui-même doit être garanti Plug and Play par le fabricant
- Le système d'exploitation doit être Plug and Play.

Le processus Plug and Play

- Lorsqu'un périphérique est connecté, le Bios le détecte automatiquement. Une carte d'extension doit être capable de spécifier ses caractéristiques techniques et utiliser différentes ressources. Le système d'exploitation récupère ces informations et charge un pilote de périphérique générique qui est capable de faire fonctionner la carte. L'utilisateur n'intervient à aucun moment et le périphérique est prêt à fonctionner.

- Si un périphérique est non Plug and Play (ressources précises, cavalier, commutateur, drivers spécifiques), on devra l'installer par l'intermédiaire d'un programme qui chargera les pilotes nécessaires.

- L'attribution des ressources du système donne la priorité aux périphériques non Plug and Play.

- Enfin, Windows 95/98 et suivants permettent une forme de partage de ces ressources, sans toutefois être capable de faire fonctionner deux périphériques ayant une ressource commune simultanément. Lorsque l'un est activé, l'autre n'est pas en état de fonctionner. L'affectation de la ressource à l'un ou à l'autre se fait dynamiquement sans intervention de l'utilisateur.

Atelier

Exercice n° 1 : Schéma à compléter

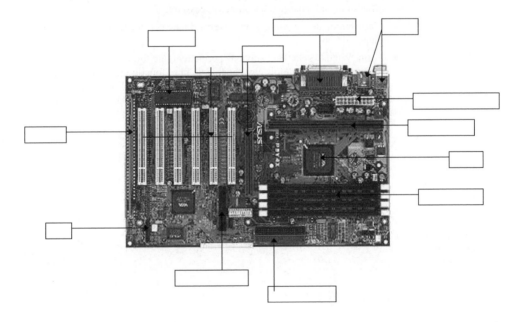

Exercice n° 2

Votre UC est vide. Placez dans l'ordre et successivement, et faites un test de mise sous tension :

- L'alimentation électrique
- Une nouvelle carte mère
- Le processeur
- La mémoire RAM
- Connectez le clavier par l'extérieur

Voici quelques schémas pour vous aider

Boîtier vide
alimentation

Carte mère à fixer

Connecteur
d'alimentation

Connecter les LED

Processeur et
mémoire RAM

Quiz

- *Série de questions/réponses*

Question n° 1

La CMOS RAM se trouve sur :

❑ La carte mère

❑ Le processeur

❑ Une carte d'extension

Question n° 2

Le processeur régule le flux d'informations en provenance et à destination des différentes pièces du PC par :

❑ L'alimentation

❑ La mémoire

❑ Le bus

Question n° 3

Le bus PCI est un bus :

❑ Local

❑ Classique

❑ Externe

Question n° 4

Avec un bus EISA on peut insérer des cartes :

❑ EISA uniquement

❑ EISA ou VLB

❑ EISA ou ISA

Question n° 5

Les adresses E/S des périphériques système se situent dans une plage située entre :

❑ FFFF et 0000

❑ 0000 et FFFF

❑ 0FFF et 000F

❑ 0000 et 00FF

Question n° 6

L'adresse E/S du port de communication COM3 est située entre :

❑ 3E8 et 2EF

❑ 3E8 et 3EF

❑ 3FF et 3EF

❑ 3E8 et 3FF

Question n° 7

Les cartes mères de type ATX présentent les avantages suivants – Attention, plusieurs réponses possibles.

❑ Elles permettent d'utiliser les cartes longues dans la plupart des connecteurs

❑ Elles sont plus petites que les cartes AT, réduisant ainsi la taille de l'UC

❑ Un connecteur USB est intégré

❑ Le processeur est livré avec la carte

Question n° 8

La différence entre une carte AT et Baby AT est :

❑ La carte mère a tourné de 90 degrés

❑ La carte est moins large

❑ Les connecteurs SIMMS ont changé de place

❑ Un connecteur souris PS/2 est intégré

Question n° 9

Le processeur Pentium MMX est un processeur Pentium Pro auquel on a ajouté des instructions permettant de prendre en charge la technologie multimédia.

❑ Vrai

❑ Faux

Question n° 10

Le terme superscalaire indique que :

❑ Le processeur est composé de deux puces superposées

❑ Le processeur utilise deux pipelines d'instructions

❑ Le processeur est de plus grande taille

❑ Le processeur est à base RISC

Question n° 11

En quoi un processeur 486 DX est-il différent d'un processeur 386 SX ?

❑ Le SX traite moins d'espace adressable que le DX

❑ Le DX intègre un coprocesseur mathématique

❑ Le SX est plus rapide que le DX

❑ Il n'existe pas de différences, c'est juste un terme commercial

Question n° 12

La largeur du bus d'adresse d'un processeur détermine :

❑ La quantité de mémoire vive adressable

❑ Le nombre de registres internes

❑ La quantité de périphériques connectables

❑ Toutes ses réponses

Question n° 13

Le processeur Pentium II se présente sous la forme d'un module SEC compatible avec un connecteur Intel.

❑ Vrai

❑ Faux

Question n° 14

La mémoire cache qui équipe un processeur est de type :

❑ DRAM

❑ SRAM

❑ VRAM

❑ RAM

Question n° 15

La ROM est une mémoire :

❑ Morte que l'on ne peut que lire

❑ Une mémoire qui nécessite une carte d'extension

❑ Les 640 premiers Ko de mémoire étendue

Question n° 16

Les barrettes de mémoire DIMM peuvent contenir combien de connecteurs ?
Attention, plusieurs réponses possibles.

❑ 144

❑ 150

❑ 168

❑ 180

Question n° 17

L'alimentation reçoit le courant 220 V et le transforme en 3,3, 5 ou 12 V.

❑ Vrai

❑ Faux

Question n° 18

Les connecteurs présents sur l'alimentation sont utilisés pour :

❑ Relier les cartes d'extension et la carte mère

❑ Relier les unités de disque et les cartes d'extension

❑ Relier la carte mère et les unités de disque

Question n° 19

Quel est le nom de la norme définissant les caractéristiques du bus Firewire ?

❑ IEEE1392

❑ IEEE 393

❑ IEEE1394

- *Disques durs*
- *Lecteurs de disquette*
- *Lecteur de Cd-Rom*
- *Graveur de Cd-Rom*
- *Bandes de sauvegarde*

4

Les unités de stockage

Objectifs

Nous allons maintenant aborder le sujet de la sauvegarde des données et des programmes sur un support physique. Les unités de stockage sont variées, elles n'ont pas le même mécanisme de fonctionnement et leurs performances (capacité et vitesse en lecture/écriture) peuvent varier énormément d'un support à un autre. Ce chapitre les décrit et vous apprendra à les installer dans votre système.

Contenu

Les disques durs.

Caractéristiques techniques des disques durs.

Les différentes interfaces.

Installation d'un disque dur.

Le lecteur de disquette.

Le CD-Rom (lecteur et graveur).

Le DVD-Rom (lecteur et graveur).

Les unités de sauvegarde.

Caractéristiques techniques des disques durs

- *Description*
- *Performances*

Tête de lecture/écriture

Plateaux

Description

Le disque dur représente un composant important de votre système. En effet, il est indispensable pour installer le système d'exploitation et les programmes, sauvegarder les données et enfin prendre en charge la mémoire virtuelle dont nous reparlerons dans la partie de cet ouvrage consacrée aux systèmes d'exploitation. Nous vous présentons ici les caractéristiques du disque dur :

- Le disque dur est formé de plusieurs plateaux magnétiques entre lesquels flottent des têtes de lecture et écriture (chaque plateau est associé à deux têtes car ils sont magnétisés des deux côtés).
- La face représente le recto ou le verso d'un plateau.
- Les plateaux sont partagés en pistes qui sont des chemins circulaires tracés sur le disque.
- Les pistes sont ensuite découpées en secteurs qui sont l'unité élémentaire de stockage et dont la taille est de 512 octets.
- On ne peut accéder directement à la totalité des secteurs d'un disque, mais seulement par groupe de secteurs. Ce sont les clusters que l'on nomme aussi blocs. En fonction de la taille du disque dur, du système de fichier choisi et du système d'exploitation, les clusters peuvent regrouper entre 2 et 32 secteurs.
- Un cylindre est composé de toutes les pistes superposées de même ordre qui se présentent simultanément sous les têtes de lecture/écriture.

Taille du disque dur

Elle peut varier de 512 Mo à plusieurs centaines de Go, en fonction du type de disques, du système d'exploitation et du Bios. Les Bios anciens imposent une taille limite de 512 Mo. De plus, des solutions logicielles permettent de compresser le disque dur afin d'augmenter sa taille. Pour calculer la capacité d'un disque dur, faites l'opération suivante :

Nbre de têtes (ou de faces) X nbre de cylindres X nbre de secteurs X 512 octets

Le mode LBA (Logical Bloc Addressing)

Ce mode supporté par les Bios récents permet de contourner les limites en taille des disques durs. Le principe consiste à faire référence à la capacité de l'unité par le nombre de blocs de stockage physique dont elle dispose. On parle alors d'adressage de blocs logiques.

Performances du disque dur

Vitesse du disque dur

Elle s'établit suivant plusieurs paramètres :

- Temps moyen d'accès, c'est le temps de réponse du disque dur pour accéder à une donnée. Il se situe entre 9 et 30 millisecondes sur les disques actuels.
- La vitesse de transfert détermine le nombre d'octets/seconde qu'il faut au disque dur pour lire et écrire les données. Il se situe entre 500 Ko et 100 Mo par seconde suivant les disques.
- La vitesse de rotation, qui se calcule en nombre de tours par minute. Cette valeur se situe entre 5 400et 10 000 tours par minute suivant les disques.

La mémoire cache

De nos jours, la plupart des disques durs sont équipés d'une mémoire cache intégrée. Le principe de fonctionnement de cette mémoire est le même qu'une mémoire cache de la carte mère. La quantité varie de 256 Ko à 8 Mo. Les données les plus souvent lues sur le disque dur seront mémorisées dans la mémoire cache, améliorant ainsi le temps d'accès à ces données.

L'entrelacement

La première génération de disques durs n'était pas capable de transférer les données aussi rapidement que le processeur ou le contrôleur de disque ne les lisait. Les données étaient enregistrées dans des secteurs consécutifs, ce qui présentait un inconvénient non négligeable. Pendant qu'un secteur était traité, le disque continuait à pivoter, passant ainsi au secteur suivant. Le contrôleur devait donc attendre un tour avant d'y accéder.

L'entrelacement consiste à ne pas se servir de secteurs consécutifs du disque lors de l'enregistrement des données. Les secteurs ne sont plus numérotés de manière consécutive, donc la lecture se fera, par exemple, de 4 en 4 (on devrait dire par pas de quatre secteurs). Les facteurs les plus couramment rencontrés sont 1:4, 1:3, 1:2 et 1:1. C'est ce dernier qui procure la meilleure performance.

Ce procédé est maintenant automatiquement utilisé et les unités de disque sont formatées bas niveau en usine. Il n'y a donc plus aucune raison d'effectuer ces opérations une seconde fois, sous peine d'altérer l'unité de disque.

Les différentes interfaces

- *ST 506*
- *ST 506 RLL*
- *ESDI*
- *IDE*
- *EIDE*
- *SCSI*

Description des différentes interfaces

Une interface est utilisée pour le dialogue entre le processeur et le disque. Il en existe là encore plusieurs.

Sur les cartes mères d'aujourd'hui, deux contrôleurs de disques et un contrôleur de lecteur de disquettes sont inclus.

Les différentes interfaces de disque dur ne sont pas compatibles entre elles. Si l'on veut ajouter un deuxième disque dur, il devra être de même type que le premier.

ST506

C'est la plus ancienne (début des années 80) et fonctionne en codage MFM. Le débit est faible, entre 200 et 900 Ko/seconde. Elle utilise un câble de vingt contacts de données et trente-quatre contacts de commandes. Les premiers disques durs avaient une taille limite de 5 Mo.

ST506 RLL

Cette interface utilise le codage RLL, ce qui accroît la capacité des disques durs de cinquante pour cent par rapport à la précédente.

ESDI (Enhanced Small Device Interface)

Une évolution du ST506 autorise ce mode disposant d'une plus grande densité de secteurs par piste (34 au lieu de 17) et pouvant piloter davantage de têtes. La capacité des disques durs est portée à 20 Mo, ils sont moins bruyants et leur vitesse de transfert atteint 1 Mo/seconde.

Le type IDE (Integrated Drive Electronics)

Il est appelé AT bus. Il exige un bus de 16 bits et déplace l'essentiel des circuits du contrôleur dans l'unité de disque. Le disque dur se connecte avec un câble de quarante contacts. Sa vitesse de transfert se situe entre 3,25 et 8,25 Mo/seconde.

Ce type de disque est très courant sur le marché. Cependant sa taille est limitée par la version du DOS (DOS 3 limité à 32 Mo, DOS 6 limité à 528 Mo) et le type de carte mère (486 limité à 528 Mo).

Les contrôleurs IDE limitent le nombre de disques durs à deux, que le contrôleur soit sur une carte ou intégré à la carte mère. Ils sont connectés sur le même câble équipé de deux connecteurs.

Le type EIDE (Enhanced IDE)

Il a une plus grande capacité que le type IDE et fonctionne suivant le même principe. Il assure une vitesse de transfert de 10 à 16,6 Mo/seconde. De plus cette interface supporte les lecteurs de CD-Rom et lecteurs de bande (unités ATAPI).

Depuis quelques temps, les disques durs ont atteint des limites allant jusqu'à 250 Go et sont capables d'utiliser l'accès UDMA 133 et 166 tout en restant compatibles DMA 33 ou 66 en fonction du chipset de la carte mère. Ce type d'accès autorise dorénavant des vitesses de transfert allant jusqu'à 166 Mo/s.

Ses performances sont aussi bonnes que les disques SCSI. Les contrôleurs EIDE permettent d'installer jusqu'à quatre disques durs. Les cartes mères sont équipées de deux contrôleurs de disques pouvant recevoir chacun deux unités de disque.

Certaines cartes mère de nouvelle génération proposeront jusqu'à quatre contrôleurs IDE. On les appelle des cartes RAID car deux connecteurs de disques sont pris en charge par le Bios de la carte mère alors que les deux autres sont gérés par un programme spécifique et sont en général réservés à l'usage des disques durs uniquement.

SCSI (Small Computer System Interface)

Il nécessite l'ajout d'un adaptateur de système central SCSI avec Bios intégré qui se connecte sur un slot d'extension libre. Notons cependant que certaines cartes mères proposent un contrôleur SCSI intégré. L'unité de disque se connecte par un câble unique sur la carte, et celle-ci prendra en charge l'accès au disque. La particularité de ce système est qu'il permet de chaîner plusieurs périphériques entre eux par une liaison intelligente (jusqu'à sept pour les SCSI 1 et quatorze pour les SCSI 2).

Leur capacité est la même que pour les disques EIDE. La vitesse de transfert atteint 5 Mo/seconde pour les SCSI 1 et 10 Mo/seconde pour les SCSI 2. Le Fast SCSI permet de dépasser la limite des 10 Mo/seconde, et le wide SCSI pousse encore cette limite à 20 Mo/seconde avec un maximum théorique de 40 Mo/seconde à condition de travailler avec un bus spécifique. L'ultra Wide SCSI atteint réellement une vitesse de transfert de 40 Mo/seconde. Les normes les plus récentes sont Ultra 2 Wide SCSI et Ultra 3 Wide SCSI proposant respectivement des taux de transfert de 80 Mo/s et 160 Mo/s.

Les disques durs externes

Depuis quelques temps, l'informatique mobile est en plein essor. Sur le marché des périphériques Plug and Play, on trouve différents équipements permettant de connecter un disque dur par l'intermédiaire d'une interface USB ou Firewire. Là encore, une variété de formats existent. Nous vous les présentons ici :

Boîtier externe USB ou Firewire format 5 pouces ¼

Un boîtier externe vous permet de connecter facilement et rapidement un disque dur, un lecteur ou un graveur de CD-DVD.

Boîtier externe USB ou Firewire format 3 pouces ½

Ce boîtier ne vous permet d'insérer qu'un disque dur au format 3 pouces ½. Il s'agit du modèle le plus répandu.

Boîtier externe USB ou Firewire format 2 pouces ½

Ce format réduit est adapté aux disques durs externes pour ordinateur portable ou pour des disques durs extra plats dont le principal intérêt réside dans sa taille réduite.

Installation d'un disque dur

> - *Réglage du cavalier*
> - *Fixer le disque dur*
> - *Brancher le connecteur d'alimentation et le câble en nappe*
> - *Déclarer le disque dur dans le Setup ou laisser l'autodétection*

Généralités

Comme nous l'avons vu précédemment, il existe une grande variété d'unité de disque. En termes d'installation, nous choisissons de prendre en compte le cas des interfaces IDE qui sont les plus répandues.

On entend par unité de disque tout support utilisant l'interface IDE, ATA ou ATAPI. Les disques durs, les lecteurs de CD-Rom, les lecteurs de bande, les lecteurs zip... Toute unité peut a priori être installée comme maître ou comme esclave. Cependant certaines unités préfèrent l'une des deux solutions. Il n'existe aucune norme en ce qui concerne la disposition des cavaliers. On trouve en tout quatre possibilités :

- Maître : cette unité sera placée en bout de chaîne alors qu'une seconde unité sera installée avant celle-ci.
- Esclave : cette unité sera placée en début de chaîne, c'est-à-dire devant l'unité maître.
- Maître seule ou esclave non compatible ATA : position utilisée si l'unité est seule sur la chaîne en première position ou que l'unité placée en position esclave n'est pas compatible ATA.
- Câble select : dans ce cas, c'est la position sur la chaîne qui détermine si l'unité sera considérée comme maître ou comme esclave. Attention, si l'on choisi cette position, les deux unités présentes sur une chaîne doivent être déclarées en câble select.

Les étapes d'installation

- Insérer l'unité de disque dans les rails (s'il y en a dans l'UC) ou dans l'emplacement réservé et visser les quatre vis.
- Connecter le câble en nappe quarante contacts (le fil rouge sur le 1 du disque) depuis l'unité de disque vers le contrôleur de la carte mère.
- Brancher un des câbles provenant du bloc d'alimentation sur le connecteur d'alimentation de l'unité.
- Configurer le CMOS : en règle générale, la détection d'une nouvelle unité disque se fait automatiquement sur les micros récents. Attention, si votre disque dur n'est pas reconnu à sa taille réel, il faudra faire une mise à jour du Bios de la carte mère.

Installer un second disque dur

- Procéder de la même manière que pour un disque unique, mais utiliser un double câble en nappe de façon à connecter le premier disque sur le second connecteur et le second disque dur au début de la chaîne.

- Si la carte mère contient deux contrôleurs de disque, vous pouvez les brancher indépendamment l'un de l'autre.

- Il faudra penser à déplacer le cavalier correspondant à la position souhaitée s'ils sont connectés ensemble. Dans l'environnement de travail, le disque maître s'appelle C: et le disque esclave D:.

- Configuration CMOS : la plupart des disques durs sont automatiquement détectés et configurés par le Setup.

Préparation d'un nouveau disque dur

Un nouveau disque dur doit être partitionné et formaté avant de pouvoir être utilisé. Chaque système d'exploitation exécutera ces opérations suivant une procédure qui lui est propre.

Le partitionnement

Partitionner un disque dur signifie le diviser en volumes logiques. Il doit y avoir au moins un volume logique déclaré sur un disque dur. Dans le cas d'un PC fonctionnant dans l'environnement Windows 98 ou Windows Me, le programme FDISK est nécessaire pour réaliser cette opération. Cet utilitaire vous permet de :

- Créer une partition DOS primaire (dont la lettre est C: sur le disque principal).

- Créer des volumes logiques (utilisant d'autres lettres de lecteur). La création de volume logique implique la création préalable d'une partition DOS étendue.

- Activer une partition. En effet, il est possible d'installer plusieurs systèmes d'exploitation dans des partitions séparées, l'utilisateur choisira ensuite celle à activer lors du prochain redémarrage du PC.

- Supprimer une partition ou un lecteur logique.

Notez qu'il n'est pas possible de modifier la taille d'une partition. Le seul moyen de le faire est de supprimer la partition et de la recréer ensuite. Dans la partie configuration de cet ouvrage, nous reverrons dans le détail l'utilitaire FDISK.

Le formatage

Le formatage dont nous parlons ici est ce que l'on appelle un formage de haut niveau. Il consiste en la préparation du disque dur à son utilisation par le système d'exploitation. Sur un PC fonctionnant sous Windows 98 ou Windows Me, la commande FORMAT est utilisée.

Le système d'archivage

Le processus de formatage crée un système d'archivage appelé FAT (File Allocation Table), initialise le répertoire racine du disque et vérifie sa surface. Plusieurs types de systèmes d'archivage sont proposés sous Windows suivant la version installée.

FAT 16

Ce système d'archivage est en mesure de contrôler 65 536 (2^{16}) secteurs sur le disque dur. Généralement, un secteur du disque correspond à une entrée dans la FAT, le plus petit bloc utilisé étant composé de 512 octets. La taille maximale d'un disque dur est de 2 Go. Beaucoup de disques contiennent bien plus de 65 000 secteurs, et le seul moyen de les traiter tous consiste à les regrouper par 2, 4 ou 8 et de créer une entrée dans la FAT par groupe de secteurs. Cette opération est appelée clustering (découpage en grappe). L'inconvénient majeur de cette opération est qu'elle impose une taille minimale de bloc utilisée importante (512 X 8 = 4Ko si les secteurs sont regroupés par huit). Plus la taille des grappes est élevée et plus l'espace perdu sur le disque dur est important dans la mesure où un fichier dont la taille réelle serait de 100 octets, occuperait 4 Ko sur le disque.

FAT 32

Fondée sur le même principe que la FAT 16, cette version améliorée permet de prendre en charge deux fois plus de secteurs, donc de réduire la taille des grappes et surtout de prendre en charge des disques durs dont la taille est supérieure à 2 Go. Ce système d'archivage est opérationnel à partir de la version OSR/2 de Windows 95 et les suivantes. Les précédentes versions de Windows ainsi que Windows NT ne peuvent pas lire les volumes formatés avec le système d'archivage FAT 32.

VFAT (virtual FAT)

L'accès à ce système de fichier se fait par l'intermédiaire de pilotes 32 bits en mode protégé ou de routines DOS 16 bits. Complété d'un support pour les noms longs de fichiers, il permet de lancer des utilitaires disque en mode exclusif sans risque que d'autres programmes viennent interférer. Ce système gère les partitions FAT 16 et FAT 32.

NTFS

Ce système d'archivage est utilisé par Windows NT, il est différent et incompatible avec le système FAT du DOS. Un disque formaté en NTFS ne sera accessible qu'à partir du système d'exploitation Windows NT. Il est plus intéressant que le système FAT car il dispose d'une compression fichier par fichier, d'une configuration complète de contrôle et d'attributs d'accès. Ce système n'est pas concerné par le problème de la taille des grappes ni par les limitations de capacité de disques. Une partition FAT peut être convertie en partition NTFS lors de l'installation de Windows NT.

Le lecteur de disquette

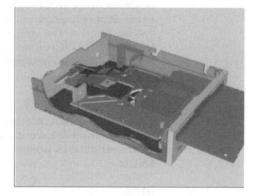

- *Description*
- *Installation et configuration*
- *Les autres lecteurs*

Description

Le format est maintenant standard. Les lecteurs sont de type HD (Haute densité) au format 3 pouces ½ et peuvent lire des disquettes double densité (720 Ko) et haute densité (1,44 Mo). Il existe des lecteurs de disquette ainsi que des disquettes d'une capacité de 2,88 Mo, mais ce matériel reste très peu utilisé n'est plus disponible sur le marché.

La vitesse de transfert des données varie de 31 Ko/seconde à 125 Ko/seconde.

Le lecteur de disquette est détecté par le Bios et prend automatiquement la lettre lecteur A. Tout comme un disque dur, une disquette doit être formatée et peut être rendue "bootable".

Installation et configuration

Elle se fait exactement comme pour le disque dur. Attention, un connecteur de trente quatre contacts est disponible sur la carte mère pour le lecteur de disquettes.

- Installer le lecteur de disquette et le visser.
- Relier le câble en nappe trente-quatre contacts au contrôleur de disquette intégré ou sur le contrôleur d'une carte spécifique. Le procédé de double connexion répondra aux mêmes exigences que pour les disques durs. Le connecteur du premier lecteur de disquette est en général torsadé et détermine l'unité d'initialisation.
- Relier le lecteur de disquette à un connecteur du bloc d'alimentation.
- Déclarer le nouveau lecteur dans le Setup, à moins que le Bios ne se charge de le faire automatiquement.

Les autres lecteurs

D'autres lecteurs, très présents et populaires sur le marché, offrent des performances et des capacités beaucoup plus intéressantes.

Le lecteur Zip 100

Ce lecteur existe dans plusieurs interfaces (IDE – SCSI – EIDE) et se décline en lecteur interne ou externe. Il utilise des disquettes dont la capacité est de 100 Mo, relativement économiques et durables.

Le lecteur Zip 250

Tout comme son prédécesseur, le lecteur Zip 250 existe dans plusieurs interfaces. Il permet d'utiliser des disquettes dont la capacité atteint 250 Mo.

Le lecteur superdisk LS120

L'intérêt réside surtout dans la densité très importante des disquettes (appelées superdisk). Un modèle d'asservissement est gravé en usine sur la disquette, permettant ainsi l'alignement parfait des têtes de lecture/écriture. De ce fait, une disquette peut comporter 2490 pistes offrant ainsi une capacité de 120 Mo (une disquette classique contient 135 pistes). L'autre aspect non négligeable de ce lecteur est qu'il est compatible avec les disquettes 1,44 Mo, ce qui permet leur lecture et l'enregistrement de données.

Le lecteur Jaz

C'est un lecteur amovible qui permet d'utiliser des cartouches de 1 ou 2 Go de données. Il offre une vitesse de transfert de 8 Mo/seconde et d'un temps de recherche moyen de 12 millisecondes.

Les unités de CD-Rom

- *Le lecteur de CD-Rom*
- *Installation d'une unité*
- *Le graveur de CD-Rom*
- *Utilisation du graveur de CD-Rom*

Description

Les lecteurs de disque compact peuvent seulement lire les informations sur des disques préalablement gravés. Ils ne peuvent modifier les données et en enregistrer de nouvelles. Ils contiennent des données très diverses (son, image, texte, vidéo…).

Désormais présent sur les PC, il est le support le plus utilisé actuellement. La capacité d'un CD-Rom est de 650 Mo, ce qui représente environ 450 disquettes HD. La vitesse de transfert de données d'un lecteur de CD-Rom est à l'origine de 150 Ko/seconde, mais les plus récents offrent une vitesse de transfert dépassant 7 Mo/seconde. Pour connaître le taux de transfert d'un lecteur CD-Rom, il suffit de multiplier les 150 Ko/s par le coefficient annoncé sur le lecteur. Le temps d'accès variera entre 200 et 100 millisecondes suivant les modèles.

Des lecteurs sont disponibles dans les interfaces EIDE – SCSI – USB – Parallèle, en version externe ou interne.

Le lecteur de CD-Rom externe se pose sur le bureau comme un autre périphérique. Il suffira de connecter la carte d'extension qui le contrôle, ou encore sur le port USB ou parallèle et d'en installer le pilote. Cette unité devra être reliée sur le secteur et ne fonctionnera que si elle est allumée au démarrage.

Installation d'un lecteur de CD-Rom

L'installation d'un lecteur de CD-Rom se réalise comme celle d'un disque dur. Il faut noter cependant que sur d'anciens PC ne disposant que de deux connecteurs IDE, il était courant d'installer une carte son équipée d'un connecteur IDE et de brancher le CD-Rom sur celle-ci.

- Glisser le lecteur et le fixer comme pour un lecteur de disquette.
- Connecter le câble en nappe entre le lecteur connecteur IDE.
- Brancher un connecteur partant du bloc d'alimentation vers le lecteur.

- Un câble audio devra être branché du lecteur vers la carte son ou le composant sont intégré à la carte mère, assurant ainsi le fonctionnement optimal du son.
- Au redémarrage de l'ordinateur, le Bios détecte automatiquement le lecteur de CD-Rom.

Note : L'utilisation du son nécessite de connecter une paire de haut-parleurs à l'arrière du PC sur la carte son, ou alors de connecter le tout directement sur l'amplificateur d'une chaîne stéréo.

Le graveur de CD-Rom

Le graveur de CD-Rom est un outil qui permet de réaliser des sauvegardes sur des CD-Rom. La qualité de ce support et surtout l'importante capacité de stockage qu'il offre font de ce support un excellent choix pour les sauvegardes importantes.

Les performances d'un graveur peuvent être différentes en lecture et en écriture. Ainsi, un graveur proposant l'écriture 12X gravera à 180 Mo/s et la lecture 48X lira à 7,2 Mo/s.

Un graveur peut utiliser deux sortes de disques compacts :

- CD-R : ce disque est de type WORM (Write Once Read Many) ne permettant d'écrire les données qu'une seule fois et de les lire indéfiniment. Ils permettent toutefois l'écriture en multisession sur différents secteurs du disque. Leur capacité est de 550 à 700 Mo.
- CD-RW : ce type de disque permet d'effacer et de réécrire plusieurs fois sur le support. Les données peuvent également être supprimées, mais l'espace n'est pas rendu disponible tant que l'on n'a pas formaté le disque.

Utilisation du graveur

Il est installé de la même manière que le lecteur de CD-Rom. Dans le cas d'une liaison SCSI, on pourrait relier le lecteur et le graveur sur la même chaîne.

S'il s'agit d'un graveur externe, il faudra installer un pilote pour le faire fonctionner. Notez bien que dans ce cas, il devra être relié au secteur par un câble et devra être le plus souvent allumé au moment où le PC démarre. En effet, il se peut que si vous l'allumiez après, le système ne le reconnaisse pas.

Enfin, il vous restera à installer un logiciel qui vous permettra de réaliser des sauvegardes. De nombreux logiciels sont présents sur le marché, et les nouveaux systèmes d'exploitation comme Windows XP permettent d'utiliser un graveur de CD-Rom sans avoir besoin d'un logiciel spécifique.

Les systèmes d'exploitation réseau d'aujourd'hui proposent également de réaliser des sauvegardes du système sur CD-Rom en remplacement des bandes de sauvegarde.

Les unités de DVD-Rom

> - *Le lecteur de DVD-Rom*
> - *Les techniques de gravure*
> - *Le graveur de DVD-Rom*

Le lecteur de DVD-Rom (Digital Versatil Disk)

Encore récents sur le marché, ce type de lecteur tend à remplacer les lecteurs de CD-Rom classiques. Il permet de stocker des données comme des images, des vidéos ou toutes sortes de données multimédias et d'obtenir une meilleure qualité de lecture. Leur installation est exactement la même qu'un lecteur de CD-Rom classique.

Le potentiel de lecture d'un DVD-Rom est à l'origine de 1350 Ko/s. Les performances évoluent rapidement, pour connaître la vitesse maximale de lecture d'un lecteur DVD-Rom, il suffit d'appliquer le coefficient multiplicateur annoncé sur le lecteur. Ils sont compatibles avec les lecteurs de CD-Rom, mais peuvent avoir des performances différentes de celle de la lecture d'un DVD-Rom.

Les disques DVD ont une apparence similaire aux disques classiques mais diffèrent sur plusieurs aspects :
- Le DVD permet l'utilisation des deux faces du disque car ils sont composés de deux disques d'une épaisseur de 0,6 mm collés ensemble.
- Le disque DVD stocke les données sur des couches multiples. La lecture des différentes couches se fait par l'altération du point focal du laser de lecture. Ces couches multiples permettent de stocker 8.5 Go de données sur une disque simple face et le double sur un disque double face.
- Les pistes sont plus près les unes des autres, ce qui permet d'avoir plus de pistes sur le disque, et les sillons sont plus petits. Ceci rend possible la création de quatre fois plus de sillons que sur un disque classique.

Capacité de stockage

Suivant les disques, il existe plusieurs normes offrant des capacités de stockage différentes :
- DVD-5 simple face, simple couche   4,7 Go
- DVD-9 simple face, double couche   8,5 Go
- DVD-10 double face, simple couche   9,4 Go
- DVD-18 double face, double couche   17 Go

Format DVD

Le stockage DVD est associé à différentes normes :
- DVD-Rom : disque uniquement lisible et dont la capacité se situe entre 4,7 et 17 Go avec un taux d'accès entre 1350 Ko/s et plus.

- DVD vidéo : Il est destiné au stockage de vidéos long métrage numérisées. La quantité de stockage permet d'intégrer des bandes sons dans différentes langues et de sous-titres. Il est doté d'un système de brouillage pour empêcher les copies illégales. Un logiciel de décryptage est nécessaire pour qu'un lecteur de DVD-Rom puisse lire ces disques.
- DVD audio : similaire à un CD audio classique mais pouvant stocker plus de données.
- DVD-R : équivalent au CD-R, il s'agit en fait d'un disque enregistrable.
- DVD-RAM : c'est l'équivalent du CD-RW permettant le stockage de 2,6 Go de données sur chaque face.

Les techniques de gravure

Nous avons vu qu'il existe différents formats de disques DVD. Chacun d'entre eux fait appel à une technique de gravure particulière. Actuellement sur le marché, trois principales technologies prédominent.

DVD-Ram

Cette technologie nécessite un graveur adapté et n'est pas compatible avec les lecteurs DVD de salon.

Elle repose sur la technologie magnéto-optique et l'emploi de disques réinscriptibles protégés par une cartouche. Le DVD-RAM utilise la méthode « Zoned CLV » (vitesse linéaire constante par zone) au lieu de la CLV (vitesse linéaire constante).

DVD –Rw

Cette technologie est à l'origine du premier standard adopté par le « Forum DVD ». Son principal avantage est d'être comptable avec la plupart des lecteurs DVD-Rom informatiques ainsi qu'avec de nombreux lecteurs de salon.

Le DVD-RW utilise la technologie de changement de phase pour l'enregistrement où le rayon laser change la phase de la surface du disque afin d'enregistrer ou d'effacer les données.

Dans la phase d'effacement, toutes les zones sur le disque réfléchissent la lumière. Le laser altère les caractéristiques réfléchissantes des zones durant l'enregistrement.

La surface d'enregistrement, par changement de phase devient amorphe, donc moins réflective durant, et revient à un état de réflectivité crystalin lors de l'effacement des données.

DVD +Rw

Les DVD+RW sont compatibles avec la plupart des lecteurs de DVD informatiques et de salon. Le temps d'accès est rapide en raison de la vitesse de rotation constante (CAV).

La face enregistrable du DVD est polycrystaline. Pendant l'écriture un faisceau laser puissant et très fin chauffe une zone sélectionnée jusqu'à une température de 500-700 et transforme très rapidement la zone de l'état solide à l'état liquide. Ensuite cette portion de surface refroidit très vite et l'état amorphe est ainsi obtenu. Les zones de surface polycrystaline et amorphe possèdent alors des coefficients de réflexion très différents et peuvent ainsi être distinguées par le laser de lecture. La réflexion de la région amorphe est moins importante que la réflexion de la région polycrystaline. Pour effacer le support ou pour ramener une zone amorphe à l'état polycrystalin, il faut la chauffer à 200° plus longuement que pour atteindre la zone amorphe.

Le graveur de DVD-Rom

Avant d'équiper votre PC d'un graveur de DVD-Rom, il faudra tenir compte d'une part du format DVD que vous souhaitez utiliser, de sa compatibilité avec les différents type de techniques de gravure et de ses performances.

Il existe quatre grandes familles de graveurs :

- Les DVD-Ram, qui sont destinés à stocker des données.
- Les DVD-Rw qui ne prennent en charge que le type de gravure –R.
- Les DVD+Rw qui ne prennent en charge que le type de gravure +R.
- Les DVD –R/+R qui sont compatibles avec les deux technologies.

Les graveurs de DVD les plus répandus sont les multi-formats. En effet, alors qu'à la base les deux technologies s'opposaient, aujourd'hui de nombreux graveurs supportent à la fois la norme DVD-Rw issue du DVD Forum et la norme DVD+Rw soutenue par la DVD Alliance

Les bandes de sauvegarde

Description

Les unités de sauvegarde ont été conçues pour contourner le problème de la faible capacité des disquettes. Leur fonctionnement est analogue à celui d'un lecteur de disquette. Ce qui les différencie c'est le support utilisé, une bande peut contenir bien plus de données. Elles sont fournies avec les interfaces SCSI, EIDE ou parallèles et existent en plusieurs types.

Les cartouches QIC (Quarter Inch Cartridge)

Ces cartouches sont disponibles en deux formats DC6x et DC3x d'origine et les mini cartouches. La capacité d'une cartouche varie de 60 Mo à 25 Go suivant la taille de la bande utilisée :

QIC 40-MC	40 Mo
QIC 80-MC	80 à 500 Mo
QIC 3010-MC	340 Mo à 2,2 Go
QIC 3020-MC	680 Mo à 1,7 Go
QIC 3030-MC	580 Mo
QIC 3040-MC	840 Mo à 3,2 Go

Travan

Ce format de lecteur de bande a été conçu à partir du système QIC et existe avec les capacités suivantes :

TR-1	400 à 800 Mo
TR-2	800 Mo à 1,6 Go
TR-3	1,6 Go à 3,2 Go
Travan 5 Go	2,5 à 5 Go
TR-4	4 Go à 8 Go

En théorie, il existe une compatibilité ascendante au niveau des lecteurs de bande basés sur le système QIC. Autrement dit un lecteur doit être capable de lire des bandes issues d'un lecteur plus ancien. Cependant, il n'existe aucune garantie de compatibilité à 100 %.

Cartouche audio numérique (4 mm)

Couramment appelée DAT (Digital Audio Tape), elles font appel à un format numérique et à deux têtes de lecture + une tête d'écriture. Ces bandes de sauvegarde sont conformes à la norme DDS (Digital Data Storage) et sont disponibles dans les capacités suivantes :

DDS	1,3 Go et 2 Go compressés
	2 Go et 4 Go compressés
DDS-2	4 Go et 8 Go compressés
DDS-3	12 Go et 24 Go compressés

Il existe une version 8 mm de ces bandes offrant une capacité de stockage de 14 Go non compressés.

Numérique (DLT)

Développé pour être un système de sauvegarde pour les réseaux locaux, il est très apprécié sur les serveurs. Bien plus rapide que les autres formats, il offre une capacité de stockage de 15 à 20 Go non compressés. Cette capacité sera multipliée par deux si l'on utilise un format compressé.

Installer une unité de sauvegarde

S'il s'agit d'une unité de sauvegarde externe, il vous suffira le plus souvent de la connecter sur un port parallèle et d'installer le pilote par l'intermédiaire d'une disquette d'installation.

S'il s'agit d'une unité interne, voici les étapes à suivre :

- Installez l'unité dans un emplacement disponible (en général un lecteur de disquette) et fixez-la avec quatre vis.
- Raccordez l'unité à l'alimentation à l'aide d'un cordon libre.
- Connectez son câble en nappe vers le connecteur approprié (IDE, EIDE, SCSI).
- Installez ensuite le pilote à l'aide du programme d'installation.

Atelier

Exercice n° 1

Installez le lecteur de disquette et le disque dur que vous avez démontés auparavant.

Lecteur de disquettes

Contrôleur de la
carte mère

Alimentation
des lecteurs

Exercice n° 2

Dans la mesure du possible, procurez-vous un second disque dur. Installez-le comme
disque esclave. Notez ensuite les différentes étapes que vous avez dû suivre.

Deux disques durs

N° d'étape	Description

Exercice n° 3

Installer un ensemble de prise en charge de CD-Rom et DVD-Rom. Par exemple, un lecteur de DVD-Rom et un graveur de CD-Rom.

N° d'étape	Description

Quiz

> • *Série de questions/réponses*

Question n° 1

Sur un PC de type 80486, la taille maximale d'un disque dur de type IDE est de :

- ❏ 520 Mo
- ❏ 1 Go
- ❏ 2 Go

Question n° 2

Les contrôleurs de type EIDE permettent d'installer :

- ❏ 1 disque dur
- ❏ 2 disques durs
- ❏ 4 disques durs

Question n° 3

Si l'on installe deux disques durs sur le même contrôleur, ils seront définis de la façon suivante :

- ❏ 2 disques maîtres
- ❏ 1 disque maître et 1 disque esclave
- ❏ 2 disques esclaves

Question n° 4

Sur un lecteur de CD-Rom on peut :

- ❏ Lire et écrire les informations
- ❏ Lire et effacer les informations

❏ Ecrire les informations seulement

❏ Lire les informations seulement

Question n° 5

Pour installer un lecteur de CD-Rom, il faut obligatoirement installer une carte d'extension pour le connecter.

❏ Vrai

❏ Faux

Question n° 6

Un graveur de CD-Rom interne s'installe exactement comme :

❏ Un périphérique

❏ Un lecteur de CD-Rom

❏ Une carte d'extension

Question n° 7

Les unités de sauvegarde fonctionnent comme :

❏ Un disque dur

❏ Un lecteur de disquette

❏ Un lecteur de CD-Rom

Question n° 8

Voici les étapes d'installation d'un graveur de CD-Rom, replacez-les dans le bon ordre :

❏ Brancher le graveur de CD-Rom vers l'alimentation

❏ Glisser le graveur de CD-Rom dans un rail et fixez-le avec quatre vis

❏ Relancer l'ordinateur pour qu'il prenne en compte les modifications

❏ Connecter le câble en nappe entre le graveur de CD-Rom et connecteur IDE

❏ Installer les pilotes à l'aide du programme d'installation fourni avec le matériel ou en mode Plug and Play sous Windows.

Question n° 9

Combien d'unités un système SCSI 1 peut-il relier?

❏ 2

❏ 7

❑   10

❑   14

Question n° 10

Sur un disque dur préparé pour un système FAT, comment se nomme l'unité de support de sauvegarde ?

❑   Une piste

❑   Un secteur

❑   Un cylindre

❑   Une grappe

Question n° 11

Quelles sont les deux techniques de gravures permettant de lire un DVD-Rom sur un lecteur de salon ?

❑   DVD-Rw

❑   DVD-Ram

❑   DVD+Rw

5

Les périphériques d'entrées/sorties

Objectifs

Les périphériques sont de loin les éléments les plus diversifiés du PC. Nous allons aborder la partie technique des ports de communication, des périphériques et des cartes d'extension. Les imprimantes et les modems seront abordés plus précisément dans le chapitre suivant.

Contenu

Les périphériques d'entrées

Les périphériques de sorties

Les ports de communication

Le port série.

Le port parallèle.

Le port USB.

Le port SCSI.

Le port IRDA.

Le port audio/joystick.

Le port Firewire

Les cartes d'extension

Les ressources graphiques

Les périphériques multimédias

Les périphériques d'entrées/sorties

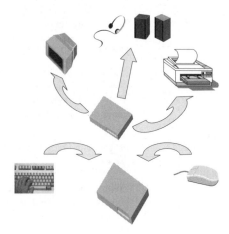

- *Les périphériques d'entrée*
- *Les périphériques de sortie*

Les périphériques d'entrées

Tout ce qui n'est pas le microprocesseur et ses satellites immédiats est un périphérique. Un périphérique travaille sous l'impulsion du processeur et permet la communication entre l'ordinateur et le monde extérieur. C'est le bus qui assure cette tâche.

La plupart du temps, les périphériques d'entrées se connectent directement sur la carte mère par l'intermédiaire des ports intégrés.

Aujourd'hui, les limites de ces ports intégrés sont de plus en plus souvent contournées par des périphériques sans fil. La souris et le clavier sont les premiers éléments mis au point. Le principe du sans fil requiert tout de même l'utilisation d'un port intégré.

Le clavier

C'est le principal périphérique sans lequel il est impossible de travailler avec l'ordinateur. Il est connecté directement sur la carte mère par l'intermédiaire d'une prise PS/2 (prise DIN 6 broches) ou d'un connecteur AT. Le clavier standard est composé de 101/102 touches et est détecté par le Bios. Les paramètres liés à sa configuration se déclarent au niveau du système d'exploitation. Par défaut, on travaille sur un clavier anglais car le Bios ne contient pas les paramètres du clavier.

Le clavier intègre aujourd'hui diverses fonctions reposant sur l'utilisation d'une touche permettant de réaliser différentes tâches comme accéder à l'Internet ou quitter Windows.

La souris

Il existe essentiellement deux types de souris, mécanique ou optique. La première est la plus couramment utilisée. On notera par ailleurs le système trackball (un petit bouton rouge et deux autres fixés sur le clavier) utilisé principalement sur les ordinateurs portables. Son rôle consiste à envoyer un ordre donné par l'utilisateur vers l'unité centrale qui traitera et restituera une réponse.

Elle se connecte par l'intermédiaire d'un port séries (9 broches) ou d'un port PS/2 (prise DIN 6 broches) qui équipent désormais tous les PC récents. Beaucoup de cartes d'extension comportent une sortie souris, le choix de la connexion se fera en fonction du nombre de périphériques à brancher sur l'ordinateur.

Elle est principalement utilisée sous Windows bien qu'elle puisse servir dans un programme DOS. Il faudra alors la déclarer dans les paramètres du programme Dos.

La souris mécanique

Lorsqu'on déplace ce type de souris sur une surface plane, on fait rouler une bille contenue à l'intérieur de la souris. Le roulement de cette bille entraîne la rotation de deux disques munis de fentes. Entre chaque disque sont placés des diodes DEL et des phototransistors. Lorsque les disques tournent, la lumière des diodes passe par les fentes et atteint les capteurs. Ces derniers peuvent alors transmettre à l'ordinateur la direction du mouvement de la souris.

La souris optique

Celle-ci utilise la technologie optique plutôt qu'une boule pour enregistrer les mouvements et glisser uniformément sur la plupart des surfaces. Le tapis de souris est inutile, et aucun entretien n'est nécessaire.

Les sans fils

Les claviers ou souris sans fils constituent les premiers périphériques de ce type abordables sur le marché. Leur utilisation repose sur une base filaire, à l'instar de nombreux périphériques sans fil.

Le principe est qu'une cellule est connectée sur les ports PS/2 de la carte mère. Des piles sont ensuite insérées au niveau des périphériques et un réglage de canal peut être opéré. Voici un exemple.

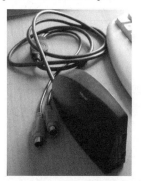 

Les périphériques de sorties

Chaque ordre reçu par un périphérique d'entrée est traité par le processeur qui envoie une réponse au périphérique de sortie par l'intermédiaire du bus vers le connecteur sur lequel le périphérique est connecté. Celui-ci restitue l'ordre du processeur par l'affichage écran, le déclenchement d'une impression, l'émission d'un son, etc.

Les périphériques de sorties se connectent par l'intermédiaire des ports de communication ou encore par l'intermédiaire d'une carte d'extension spécifique (c'est le cas de l'écran qui est relié à la carte graphique).

De plus en plus de périphériques USB et Firewire font leur apparition dans le commerce. Les pratiques multimédias sont maintenant largement connues du grand public.

Le prochain chapitre est consacré aux imprimantes et aux modems. Il nous est apparu important de les traiter à part et dans le détail.

Les ports de communication

- *Les ports série et parallèles*
- *Le port USB*
- *Le port Firewire*
- *Le port SCSI*
- *Le port audio/joystick*

Le port séries

Il sert à connecter des périphériques d'entrées et de sorties. La particularité de ce port est qu'il est intégré à la carte mère et connecté sur un contrôleur spécifique. Souvent les cartes mères possèdent deux ports séries. On les nomme COM suivi d'un numéro d'ordre (COM1, COM2, COM3…). COM1 est un connecteur DB9 mâle, COM2 est un connecteur DB25 mâle. Certaines cartes mères intègrent deux connecteurs DB9. Le pilote de port séries est intégré au Bios, les ports sont donc déclarés dès le démarrage du PC.

Principe de fonctionnement

Le mode de fonctionnement du port série diffère du mode parallèle et en fait un moyen de communication assez lent.

La transmission des données se fait octet par octet et bit à bit sur un fil unique par liaison numérique et d'une manière séquentielle suivant un ordre précis :

- 1 bit de start qui signale le début de la transmission, permettant la synchronisation des horloges
- 4 à 8 bits de données qui contiennent les informations
- 1 bit de parité qui assure le contrôle de l'intégrité des données
- 1, 1,5 ou 2 bits de stop qui signale la fin de la transmission

La vitesse standard de transmission des données est de 9 600 b/s. Mais on pourra augmenter cette valeur jusqu'à 115 Kb/s à condition que le périphérique connecté puisse fonctionner à cette vitesse.

Ce mode de transmission peut être bidirectionnel, c'est-à-dire que l'échange de données se fait dans les deux sens (le pilote servant d'intermédiaire).

Le câble pourra être plus long que pour un port parallèle.

Paramétrage des ports séries

Une commande DOS permet de régler les paramètres des ports séries afin de l'harmoniser avec le périphérique raccordé. Exemple de configuration d'un port série :

```
Mode COM1 : 9600,E,8,1
```

Com1 a été configuré à 9 600 bauds de vitesse, le code de parité est pair, il transporte 8 bits de données et 1 bit de stop.

Des utilitaires Windows, dont nous reparlerons plus tard, gèrent la configuration d'un port série.

Le câblage

Les câbles série peuvent être utilisés théoriquement sans limite de longueur ; cependant dans la pratique, cette longueur est fixée à dix mètres maximum. Une liaison série répond à la norme RS 232-C qui a réparti les périphériques utilisant une liaison série en deux catégories :

DTE ou ETTD (Equipement terminal de traitement de données)

Sont classés comme DTE les PC ou tout autre terminal de données opérant en interaction avec les utilisateurs.

CDE ou ETCD (Equipement de terminaison de circuit de données)

C'est l'interface connectée au PC en vue de transmettre des données. Le modem est le principal périphérique utilisé pour cela, bien que de nombreux autres puissent fonctionner suivant le même principe.

Il est possible de connecter deux DTE entre eux. Le câble utilisé pour la connexion est un câble croisé que l'on appelle aussi câble faux modem afin d'assurer la communication entre les deux DTE qui utilisent le même schéma de brochage. En effet, dans ce cas, si l'on utilisait un câble droit, les liaisons ne pourraient pas se faire (TD serait relié à TD au lieu de RD). Ce type de câble croise les liaisons de la façon suivante :

PC1	DB9	DB25	DB25	DB9	PC 2
TD	3	2	2	3	TD
RD	2	3	3	2	RD
TRS	7	4	4	7	TRS
CTS	8	5	5	8	CTS
DSR	6	6	6	6	DSR
DCD	1	8	8	1	DCD
DTR	4	20	20	4	DTR
SG	5	7	7	5	SG

Le test en boucle (Loopback)

Les tests en boucle s'effectuent sur les ports séries ou parallèles pour vérifier qu'ils fonctionnent correctement. Le principe est que l'on utilise un équipement qui ré-achemine les lignes de sortie d'un port directement à ses lignes d'entrée. Ce test se réalise conjointement avec un logiciel de diagnostic chargé d'envoyer des données pour le test.

Le port parallèle

Le port parallèle est basé sur l'interface Centronics. C'est la liaison la mieux adaptée aux imprimantes. On l'appelle LPT suivi d'un numéro d'ordre (LPT1, LPT2, …). Tous les PC comportent au moins un port parallèle (LPT1). C'est un connecteur DB25 femelle. Il peut cependant accueillir d'autres périphériques. Le pilote de port parallèle est intégré au Bios, donc le port parallèle est déclaré dès l'allumage du PC.

Principe de fonctionnement

Les données sont transmises par liaison numérique par séries de 1 ou plusieurs octets sur 8 bits (huit fils distincts). La transmission est plus rapide que pour un port série.

A l'origine, la liaison était unidirectionnelle, c'est-à-dire que les données ne sont envoyées que dans un sens (du processeur vers le périphérique par l'intermédiaire du pilote). L'évolution du standard appelé IEEE 1284 permet aujourd'hui une liaison bidirectionnelle utilisée suivant plusieurs modes.

Mode	Support DMA	Caractéristiques	Vitesse
Compatible (initial de l'IBM PC)	non	Unidirectionnel sur 8 bits	100 à 200 Ko/s
4 bits appelé aussi BI-TRONICS	non	Bidirectionnel fonctionne sur 4 bits en entrée et 8 en sortie	40 à 60 Ko/s en entrée 100 à 200 Ko/s en sortie
8 bits	non	Bidirectionnel fonctionne sur 8 bits en entrée/sortie	80 à 300 Ko/s
ECP (Extended Capabilities Port)	oui	Bidirectionnel fonctionne sur 8 bits en entrée/sortie Prise en charge du raccordement CD-rom et scanner	2 Mo/s
EPP (Enhanced Parallel Port)	non	Fonctionne sur 8 bits en entrée/sortie Prise en charge de plusieurs périphériques connectés en guirlande	2 Mo/s

Pour savoir quel mode peut supporter un port parallèle, lancer le programme de configuration CMOS. Les modes ECP et EPP nécessitent l'installation d'un pilote et d'un logiciel spécifique. Ces deux modes exigent un câble de bonne qualité et conforme à la norme.

Les câbles d'imprimante parallèle

Les câbles d'imprimantes compatibles IBM possèdent un connecteur 25 broches mâle (DB25) et un autre connecteur Centronics 36 broches.

La longueur d'un câble parallèle est limitée à 5 mètres à cause de la distorsion de données. Plus le câble est long et plus ce phénomène s'accentuera. Vous risquez alors des erreurs sur des bandes magnétiques, des impressions troubles, …

Le port USB (Universal Serial Bus)

Mis au point par un ensemble de constructeurs, ce port est disponible sur les cartes mères actuelles et sur la plupart des portables. Ce port intègre deux connecteurs et convient à de nombreux périphériques en traitant toutes sortes de données (son, vidéo, scanner, photo numérique, …).

Nous vous avons décrit au chapitre 3 les caractéristiques du bus USB.

Les connecteurs

La norme USB utilise des connecteurs 4 broches organisés comme suit :

Broche	Description
1	+5 V
2	Données -
3	Données +
4	Masse

Le Port Firewire

Le dernier arrivé, ce port est spécifiquement adapté aux périphériques multimédias nécessitant une bande passante importante. Nous avons décrit son principe de fonctionnement dans le chapitre 3. Certaines cartes mères en seront équipées alors que d'autres nécessiteront l'ajout d'une carte d'extension.

Connecteurs et câbles

Attention, il existe des connecteurs 4 ou 6 broches.

Les connecteurs 6 broches sont utilisés pour les périphériques alimentés par le PC. Dans ce cas, deux paires de fils pour les données et pour la synchronisation d'horloges seront employées. Les deux autres fils serviront à l'alimentation des périphériques

Les connecteurs 4 broches sont destinés aux périphériques ayant leur propre alimentation électrique. Ainsi, les deux paris de fils seront utilisés de la même façon que pour les connecteurs 6 broches.

Le port SCSI

Le système SCSI utilise un flux de données parallèle ainsi que des signaux de liaison et de contrôle. Il permet de connecter plusieurs périphériques à la chaîne. Une chaîne SCSI doit être équipée d'une terminaison à chaque extrémité de la chaîne. Chaque périphérique connecté utilise un câble ruban ou un câble externe. Ce système comprend un langage de commandes lui permettant d'identifier les périphériques présents sur la chaîne.

Le problème de la distorsion des données limite la longueur du câble à 3 mètres pour le Fast SCSI, à 6 mètres pour le SCSI standard et à 20 mètres pour le SCSI différentiel.

Il existe des interfaces SCSI externes et internes.

Connecteurs SCSI internes

Les périphériques SCSI internes sont généralement équipés d'un connecteur 50 ou 68 broches (correspondant aux périphériques SCSI et Wide SCSI). Le connecteur SCSI interne est de type IDC (Insulation Displacement Connector) à 50 broches serti sur un câble ruban.

Connecteurs SCSI externes

Dans ce domaine, il existe une grande variété de connecteurs. Les plus couramment rencontrés sont :

- Type Centronics à 50 broches
- Type Micro Centronics à 68 broches
- Type D femelle à 25 broches (identique au port parallèle)
- Type D femelle à 50 broches
- Type micro D femelle à 50 broches

Configuration d'un bus SCSI

- En principe, il faut commencer par installer une carte d'extension de type interface SCSI. Aujourd'hui, les cartes SCSI sont de type PCI. Sur certaines cartes mères, un contrôleur SCSI est intégré, dans ce cas l'ajout d'une carte est inutile. Le pilote ASPI installé avec la carte SCSI se charge comme un pilote classique.
- Les unités se connectent en guirlande et peuvent être internes ou externes
- Seul le bus SCSI 1 sera équipé de terminaisons manuelles, les autres normes prévoient des terminaisons automatiques.
- Paramétrage des identificateurs permettant à chaque périphérique d'être reconnu par le système SCSI. En général, chaque périphérique est identifié par un numéro d'ID allant de 0 à 7 ou 15 suivant la norme. L'adaptateur SCSI prend aussi un identificateur qui est souvent le 7 ou le 15 alors que les disques durs prennent souvent les identificateurs 0 et 1.

Réglage des cavaliers

Pour définir un numéro d'ID sur les périphériques comme les disques durs et les lecteurs de CD-Rom, il faudra régler trois cavaliers, nommés A0, A1 et A2. Chacun d'eux définit une valeur numérique et peut être positionné sur ON ou sur OFF. Ainsi, la combinaison des trois positions donne un chiffre allant de 0 à 7. Voici les combinaisons possibles, sachant que le cavalier A0 correspond à la valeur 1, le cavalier A1 à la valeur 2 et le cavalier A2 à la valeur 4.

Combinaison	Valeur
OFF – OFF – OFF	0
ON – OFF – OFF	1
OFF – ON – OFF	2
ON – ON- OFF	3
OFF – OFF – ON	4
ON – OFF – ON	5
OFF – ON – ON	6
ON – ON – ON	7

Note : dans le cas d'un système SCSI 2 Wide SCSI et suivants, un quatrième cavalier appelé A3 prenant la valeur 8 permettra de combiner des valeurs allant de 0 à 15.

Le port IRDA

L'Infrared Device Association est un groupe industriel de 150 entreprises qui a défini une liaison infrarouge de série permettant la communication entre les ordinateurs et des périphériques tels que des imprimantes, des souris, des claviers, …

Le port IRDA peut être directement fourni par la carte mère ou être ajouté au moyen d'un module supplémentaire. Rapide, il travaille à une vitesse comparable à celle du port parallèle, il est souvent utilisé pour permettre le transfert d'informations entre un ordinateur et un PDA ou un téléphone mobile.

Le principal obstacle de ce port est que les équipements doivent avoir un champ de vision directe car les ondes infrarouges ne peuvent traverser des obstacles tels que des murs.

Caractéristiques

- Supporte un angle maximal de 30°.
- Transfère les données à un débit allant de 1 à 16 Mb/s.
- La portée est limitée à 2 m au plus

Le port audio/joystick

Les PC multimédia d'aujourd'hui sont équipés d'un port Audio qui prend en charge les connexions suivantes :

Le port audio

- Sortie audio : sur laquelle on peut envoyer un signal vers un amplificateur.
- Entrée audio : sur laquelle on peut connecter un amplificateur de type hi-fi.
- Sortie HP : utilisée pour connecter les hauts parleurs, souvent de couleur verte.
- Entrée micro : permettant d'utiliser un micro.
- Casque : permettant d'utiliser un casque ou des hauts parleurs suivant le cas.

Le port Joystick/midi

En principe, les cartes son ou les composants audio intégrés à la carte mère fournissent un connecteur de type Joystick/midi. Il se présente sous la forme d'un connecteur femelle 15 broches sur deux rangées.

Attention, certains ports joystick sont compatibles avec l'utilisation d'un système Midi alors que d'autres ne permettent que l'utilisation d'un joystick.

Les cartes d'extension

- *Les types de cartes*
- *Les formats de carte*
- *Installation d'une carte*
- *Les paramètres d'une*

Les cartes d'extension font partie des éléments les plus manipulés du PC. Elles ont l'avantage de s'installer facilement, disposent d'une grande variété d'utilisation et permettent de faire évoluer votre PC vers les nouveaux supports de communication.

Elles se connectent sur les slots d'extension disponibles sur la carte mère et sont alimentées par les bus d'extension. Elles envoient les informations qu'elles reçoivent du processeur aux périphériques qu'elles contrôlent. Cette opération s'effectue par l'intermédiaire du bus.

Nous avons abordé dans un chapitre précédent la question des bus d'extension. Les cartes que vous intégrerez au PC devront être de même type que le bus.

Les différents types de cartes

Comme nous l'avons vu précédemment, le nombre de cartes d'extension peut varier sensiblement suivant les périphériques et les ressources de l'ordinateur. De ce fait, il en existe plusieurs types :

Carte vidéo

Elle est utilisée pour connecter l'écran et déterminer les ressources graphiques. Nous en reparlerons plus largement dans ce chapitre.

Carte son

Nécessite aussi des haut-parleurs, un lecteur de CD-Rom et un câble audio. Elle est incluse dans un PC répondant aux normes multimédias. Elle mettra à votre disposition plusieurs connecteurs. Là encore, il existe une grande variété de cartes. Les carte mères intègrent souvent un port audio.

Carte Modem

Elle sert à assurer la communication par modem et inclut en général la fonction fax. Elle nécessite de configurer un port de communication pour que le PC ait une porte d'accès vers l'extérieur.

Cartes réseau

Surtout utilisées en entreprise, elles servent à assurer la communication en réseau. Nous aborderons plus en détail le rôle de cette carte dans le chapitre consacré au réseau.

Cartes d'interface

Elles permettent de connecter des périphériques d'entrées et sorties très variés. On peut citer un scanner, une souris, une unité de sauvegarde, etc.

Les cartes d'émulation

Elles Permettent d'utiliser l'ordinateur comme émulateur. On peut citer en exemple les cartes radio ou télévision ou encore dans un environnement plus professionnel les cartes permettant d'émuler d'autres systèmes d'exploitations.

Les formats de cartes

Carte PC 8 bits

Que l'on ne rencontre plus. Le connecteur est constitué d'un bloc de 62 broches.

Carte ISA 16 bits

Ce type de cartes est courant sur les configurations un peu anciennes. Mais très souvent, les cartes mères possèdent 2 ou 3 slots ISA, même si elles sont récentes. Les cartes d'extension ISA 16 bits sont les plus répandues sur le marché. Le connecteur ISA est composé d'un bloc de 62 broches et d'un autre de 36 broches.

Cartes MCA 32 bits

C'est un cas un peu particulier. Seuls les PC de type IBM PS/2 en comportent. Les cartes connectables à ce type d'architecture sont très rares. De plus, ce connecteur particulier ne supporte aucun autre type de carte. Les échanges se font sur 32 bits.

Cartes EISA 32 bits

Connectables sur les slots EISA qui travaillent sur 32 bits de données. Les cartes de type ISA peuvent être connectées sur u

Cartes PCI 32 ou 64 bits

Très répandues actuellement et très performantes. Elles se connectent sur le bus du même nom qui fonctionne sur 32 ou 64 bits de données.

Cartes AGP 64 bit

On rencontre maintenant couramment ce type de carte pour les ressources graphiques.

Note : si la carte mère utilise un bus MCA, toutes les cartes d'extension doivent être de type MCA.

Si la carte mère utilise un bus ISA, toutes les cartes d'extension doivent être de type ISA. On pourra cependant connecter une carte de type PC 8 bits, mais les échanges se feront moins rapidement.

Si la carte mère possède un bus EISA, les cartes d'extension pourront être de type ISA ou EISA.

Si la carte mère contient des connecteurs PCI, les cartes d'extension pourront être PCI 32 bits ou PCI 64 bits.

Ajout d'une carte d'extension

- N'oubliez surtout pas d'éteindre le micro et de respecter les précautions antistatiques avant d'installer la carte. Ce détail oublié, vous pourriez endommager sérieusement votre carte.
- Insérer la carte dans un slot libre.
- Visser la carte et refermer l'UC.
- Exécuter le programme d'installation livré avec la carte ou laisser le système d'exploitation la détecter avec le processus Plug and Play.

Attention : suivant le type de carte et le système d'exploitation dont vous disposez, soit le logiciel installera le pilote automatiquement, soit vous devrez configurer certains paramètres dont nous parlons tout de suite après.

Il arrive qu'après avoir installé une carte, un autre composant du matériel ne soit plus en état de fonctionner. Il faudra être particulièrement vigilant sur ce qui suit, c'est souvent la cause du dysfonctionnement.

Les paramètres d'une carte d'extension

Une carte d'extension ne fonctionnera que si ces trois paramètres sont correctement définis. La norme multimédia commence à porter ses fruits. En effet, les cartes multimédias s'auto configurent sans que vous ayez besoin d'intervenir. Mais encore faut-il que le système d'exploitation soit aussi plug and play (c'est le cas de Windows 95 et suivants). En attendant, certaines cartes ont besoin que vous déterminiez vous-même ces paramètres, même si les logiciels d'installation vous proposent des valeurs par défaut qui sont le plus souvent les bonnes. Mais ne vous y fiez pas, quelquefois c'est plus difficile.

Il peut arriver qu'un cavalier sur la carte la définisse pour une interruption alors que le programme d'installation en propose une autre. En tout état de cause, prenez le temps de lire la documentation avant de vous lancer.

- L'IRQ
- Le port entrées/sorties
- L'adresse mémoire
- Canal DMA

Note : ces paramètres ne vous seront peut-être pas systématiquement demandés lors de l'installation d'une carte. Il se peut aussi que l'on vous demande d'en définir un, deux, trois ou bien les quatre.

Avant d'installer une carte, mieux vaut procéder à un « état des lieux » de ces différents paramètres. Vous pourrez le faire à l'aide de l'icône Système du panneau de configuration de Windows 95/98, par un double clic sur « ordinateur ».

Les ressources graphiques

- *La carte graphique*
- *Les mode graphiques*
- *La mémoire graphique*
- *Les résolutions d'écran*

La carte graphique

Elle reçoit des données de la RAM par l'intermédiaire du processeur qu'elle transmet au moniteur. La qualité et la vitesse de cette carte seront les éléments essentiels à retenir. Elle va traduire les instructions d'affichage en signaux pour écran. Elle est directement liée aux possibilités d'affichage (en taille et couleur) et possède sa propre mémoire. Elle est connectée à un slot de la carte mère. Les cartes graphiques peuvent être de type ISA, EISA, PCI ou AGP. Ces caractéristiques sont décrites plus haut dans ce chapitre.

Les modes graphiques

L'affichage standard sur un PC se fait sur 80 colonnes et 25 lignes de texte. L'affichage des informations à l'écran se fait suivant plusieurs modes graphiques. Ceux-ci ont évolué au fil du temps. Voici une description des principaux modes :

MDA (Monochrome Display Adapter)

Ce mode affiche du texte uniquement, c'est l'ancêtre de l'affichage et la résolution est de 25 lignes pour 80 colonnes.

HGC (Hercules Graphics Controler)

Ce mode reprend les caractéristiques du mode MDA et offre en plus l'affichage graphique par pixel en noir et blanc uniquement. Sa résolution maximale est de 720 x 348.

CGA (Color Graphic Adapter)

Ce mode a introduit la couleur dans le monde de l'affichage, bien que la résolution d'écran soit de très mauvaise qualité, offrant trois possibilités :

- 320 x 200 x 4 couleurs
- 640 x 200 x 2 couleurs
- mode texte 80 x 25 et 40 x 25

EGA (Enhanced Graphics Adapters)

Évolution naturelle à l'arrivée de l'IBM AT, offrant une résolution maximale de 640 x 200 x 16 couleurs (disposant d'une palette de 64 couleurs en tout).

VGA (Video Graphics Array)

Le premier standard fournissant une norme analogique. Sa résolution optimale passe à 640 x 480 x 16 couleurs et contient une palette comptant 256 couleurs, ceci permettant d'obtenir une résolution 320 x 200 x 256 couleurs.

MCGA (Multi-Color Graphics Array)

Norme spécifique au PS/2 d'IBM qui reprend les caractéristiques du mode CGA en offrant un système vidéo analogique.

8514/A

Ce mode offre une "haute résolution" sur PS/2, permettant un affichage de 1024 x 768 x 256 couleurs sur un moniteur entrelacé.

XGA (Extended Graphics Array)

Comporte les mêmes caractéristiques que le 8514/a en offrant une palette de 65 000 couleurs sur un moniteur non entrelacé.

SVGA (Super Vidéo Graphics Array)

C'est maintenant le standard des PC récents basé sur la même technologie que le mode VGA, il permet une résolution allant de 800 x 600 à 1280 x 1024 une palette graphique de 256 à 16,7 millions de couleurs.

La mémoire graphique

On trouve de la mémoire de type dynamique (DRAM) qui équipe les cartes de base. Elle est très rapide, mais aussi limitée. Les cartes haut de gamme possèdent une mémoire ultra rapide (VRAM). Plus on demande une résolution haute et plus la carte a besoin de mémoire. La taille de la mémoire sur la carte peut varier de 1 à 64 Mo. Plus la résolution graphique désirée est précise, plus la carte utilise de mémoire. Cette mémoire permettra également de gérer plus rapidement les ressources "gourmandes" comme par exemple le 3D.

Résolutions	Couleurs			
	16 (4bits)	256 (8 bits)	65 000 (16 bits)	16,7 millions (24 bits)
640 x 480	0,5 Mo	0,5 Mo	1 Mo	2 Mo
800 x 600	0,5 Mo	1 Mo	2 Mo	2 Mo
1024 x 768	1 Mo	1 Mo	2 Mo	4 Mo
1280 x 1024	1 Mo	2 Mo	4 Mo	4 Mo
1600 x 1200	2 Mo	2 Mo	4 Mo	8 Mo
1800 x 1440	2 Mo	4 Mo	8 Mo	8 Mo

Note : certaines cartes de la nouvelle génération possèdent des fonctions supplémentaires (contrôleur 3D, convertisseur PAL/SECAM, connecteur VESA, connecteur de souris).

Sur certains PC, les composants graphiques sont inclus sur la carte mère et une carte vidéo est alors inutile. Ce principe permettra un transfert d'information plus rapide. Si un PC est équipé d'un tel composant et que l'on veut intégrer une carte graphique plus performante, il faudra désactiver le composant vidéo intégré dans le programme de configuration CMOS.

Le bus d'extension AGP (Accelerated Graphics Port) est disponible sur les systèmes récents (développé essentiellement pour les processeurs Intel PII et supérieurs). Conçu pour offrir de meilleures performances que le bus PCI, il offre les avantages suivants :

- Vitesse supérieure à 66 Mhz.

- Transfert de données plus rapide, de 256 Mo/S pour le système AGP 1x, de 512 Mo/s pour le système AGP 2x et de 4 Go/s pour le système AGP 4x.

- Connexion directe entre l'UC et le port graphique.

- Permet l'utilisation de la RAM du système sans avoir recours à de la RAM vidéo.

- Supporte la lecture/écriture vidéo simultanée.

Le moniteur

A la base, l'écran n'utilise que trois couleurs (le rouge, le vert et le bleu) que l'on appelle couramment RGB (Red Green Blue). L'image est constituée de pixels qui sont regroupés par trois. Plus l'espacement entre les pixels d'une même couleur est réduit, plus la qualité de l'image est grande. Un écran standard utilise un espacement de 0,28 mm, les plus haut de gamme passent à 0,26 mm et les plus économiques varient de 0,29 à 0,31 mm.

Un balayage de l'écran par des rayons au rythme de 60 fois par seconde assure la fixité de l'image dans le cas d'un moniteur VGA ou SVGA. Certains permettent d'augmenter cette valeur à 72 fois. C'est ce que l'on appelle la fréquence de rafraîchissement qui est exprimé en Hertz (Hz).

L'entrelacement est une technique qui affiche l'image en deux passages. Le scintillement produit par ce procédé s'accentue lorsque l'on utilise une résolution élevée.

La qualité d'affichage dépendra de plusieurs paramètres :

- L'écran ne pouvant afficher que ce qui provient de la carte vidéo, il est important que ces deux éléments aient une résolution analogue. Si l'écran est de type VGA, la carte graphique devra être également de ce type ou supérieure.

- La taille de l'écran est également importante car elle détermine le nombre de pixels que l'on pourra afficher. Elle peut varier de 14 à 21 pouces. On peut raisonnablement estimer qu'un moniteur destiné à un ordinateur de bureau sera de type SVGA et de taille 15 pouces minima.

- Le facteur d'entrelacement. S'il est non entrelacé, l'écran produira moins de scintillement et la fatigue visuelle diminuera d'autant.

- Un écran multi synchrone (on dit encore multiscan ou multifréquence) assure le fonctionnement avec une grande variété de cartes graphiques et est capable d'afficher une grande gamme de mode d'affichage (couleur + résolution graphique). De plus, ce moniteur recevra les informations aussi vite que la carte graphique les transmet.

Connexion de l'écran

L'écran possède un connecteur 15 broches mâles qui le relie à la carte graphique ou au port d'écran de l'UC ainsi qu'un câble d'alimentation. Un panneau amovible permet d'accéder au bouton de réglage de la luminosité et du contraste ainsi que des molettes pour régler la position et la taille de l'image à l'écran.

Les résolutions d'écran

15 pouces	17 pouces	19 pouces	21 pouces
640 x 480	640 x 480	640 x 480	640 x 480
800 x 600	800 x 600	800 x 600	800 x 600

1024 x 768	**1024 x 768**	**1024 x 768**	1024 x 768
	1280 x 1024	**1280 x 1024**	**1280 x 1024**
		1600 x 1200	**1600 x 1200**
		1800 x 1440	1800 x 1440

recommandée	acceptable	*non recommandée*

Les périphériques multimédias

- *Méthode d'assemblage*
- *Les connexions vidéo*
- *Les périphériques USB*

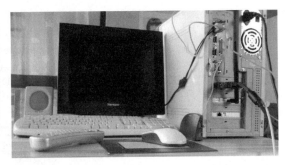

Nous avons vu dans ce chapitre qu'un grand nombre de technologies nouvelles comme le Firewire ou l'IRDA sont optimisées pour les périphériques multimédias. Ceux-ci sont nombreux et diversifiés sur le marché. Nous vous proposons maintenant d'étudier une configuration multimédia.

Dans cet exemple, nous allons utiliser divers éléments qui répondent aux besoins de l'informatique personnelle. En effet, nous allons exploiter le potentiel multimédia à travers les éléments suivants :

- Un clavier et une souris sans fil.
- Une carte graphique multifonction équipée d'une télécommande.
- Un appareil photo numérique.
- Un PDA.

Méthode d'assemblage

Tout d'abord, il est primordial d'avancer étape par étape afin de bien comprendre la logique et les connexions. Nous partons donc d'un PC assemblé au cours des chapitres précédents. La vue arrière ci-dessus nous montre l'ensemble des connecteurs et des câbles nécessaires, nous allons maintenant entrer dans le détail.

Les connecteurs intégrés à la carte mères

Dans notre configuration, nous disposons sur la carte mères des connecteurs suivants :

- Clavier
- Souris
- Port audio
- Joystick
- Deux ports série et un port parallèle

Le point d'accès pour la souris et le clavier sans fil doit être connecté sur les ports PS/2 violet et vert. Assurez-vous que le clavier et la souris sont équipés de piles, il faudra éventuellement régler les canaux sur la cellule de façon à ce que chacun d'entre eux en utilise un différent de l'autre.

Les hauts parleurs doivent être connectés au moyen de prises "jack" sur la sortie audio du composant son intégré à la carte mère. Il s'agit ici du port de couleur verte. Certaines cartes mères n'utilisent pas de codes de couleur, vous devrez alors vous référer à la documentation de la carte mère ou éventuellement aux symboles visibles.

Si vous possédez un joystick, connectez le sur le port 15 broches jaune.

Les deux connecteurs USB ainsi que deux autres disponibles sur la face avant seront utilisés ultérieurement pour l'appareil photo numérique et le PDA. Notez que ce boîtier comporte également des connecteurs audio sur la face avant que nous n'utiliserons pas.

A ce stade, démarrez votre ordinateur afin de vous assurer que ces éléments fonctionnent correctement et qu'aucun message d'erreur ne s'affiche.

Les connexions vidéo

Nous avons choisi de développer particulièrement cet aspect. En effet, de nombreux périphériques multimédias exploitent des données vidéo numériques. Certaines fonctions comme l'acquisition vidéo ou la sortie TV nécessitent du matériel adapté. Nous vous présentons ici une carte graphique AGP multifonction. Notez que celle-ci n'intègre pas de connecteurs Firewire.

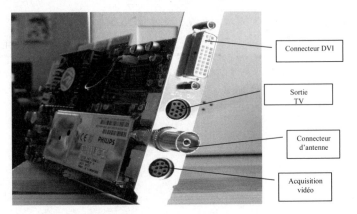

La connexion de l'écran

Une fois la carte installée, il faut d'abord connecter l'écran au PC. Attention, il s'agit d'un connecteur DVI adapté aux écrans de type numérique de nouvelle génération. Pour utiliser un écran classique VGA, il faudra ajouter un adaptateur VGA/DVI.

La réception de la télévision

La fonction « Tuner » permet de regarder la télévision sur l'ordinateur et offre la possibilité de regarder une émission en différé en enregistrant le flux sur le disque dur. Il est également possible de programmer le contrôle parental ou d'autres éléments comme le sous titrage. Après avoir raccordé l'antenne de télévision au connecteur approprié, il faudra procéder au paramétrage de la zone géographique, procéder à la détection automatique des chaînes. Cet aspect sera traité dans le module consacré à Windows XP Professionnel Edition.

La sortie TV

Nous vous présentons maintenant une utilisation très courante de ce type de carte. Nous avons installé un lecteur DVD-Rom et une carte graphique qui nous permettrons de regarder des films dans la quasi-totalité des formats numériques d'aujourd'hui. Vous pourrez ainsi regarder des films, mais aussi des séquences prises sur une caméra numérique ou encore un diaporama de photos de vacances.

Attention : tenez compte du fait que suivant le modèle du téléviseur dont vous disposez, plusieurs solutions s'offrent à vous. Vous obtiendrez une qualité maximale si celui-ci est équipé d'un connecteur S-Vidéo. A défaut, il est toujours possible de connecter votre téléviseur par une prise Péritel ou un connecteur de type « jack » identifié « Vidéo In ».

D'autre part, il faudra également raccorder la carte graphique avec les hauts parleurs de la télévision ou encore avec un amplificateur et des hauts parleurs séparés. Vous pouvez ainsi obtenir une qualité de son tournant si vous disposez du matériel spécifique. Ici, nous raccorderons la carte graphique avec les hauts parleurs de la télévision.

Côté Unité centrale

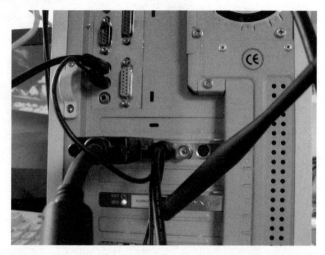

Nous avons connecté le câble raccord fourni avec la carte sur le connecteur de sortie TV de la carte graphique. Le cordon de type « Jack » est connecté sur la prise IN de la carte son. Attention, c'est le seul câble mis à disposition par le constructeur.

Un second câble de type « jack » raccorde la prise OUT de la carte son vers les prises droite et gauche de la télévision. Vous devez vous procurer ce câble chez un revendeur informatique.

Enfin, un troisième câble partant du connecteur S-Vidéo du câble raccord est branché sur la sortie télévision appropriée (S-Vidéo, Vidéo IN ou Péritel). Là encore, ce câble n'est pas fourni avec la carte graphique.

Côté téléviseur

Nous avons choisi les raccordements suivants :

- Un câble de type S-Vidéo qui part du connecteur S-Vidéo du câble raccord de la carte graphique vers la sortie S-Vidéo du téléviseur.
- Deux prises de type « jack » qui relient les hauts parleurs droit et gauche du téléviseur (connecteur rouge et blanc) au connecteur OUT de la carte son.

Attention : lorsque vous allumerez votre téléviseur, vous devrez sélectionner le canal nommé S-VHS afin de visualiser les films.

Notez également que si votre téléviseur ne comporte pas de sortie de type S-VHS, il est possible d'opter pour une connexion via la prise Péritel.

La télécommande

Pour piloter les DVD et les réglages de votre téléviseur, nous disposons d'une télécommande. Une cellule réceptrice équipée d'un connecteur USB est branchée sur l'unité centrale.

Les périphériques USB

Il nous reste maintenant deux éléments multimédias à vous présenter. Leur utilisation est aujourd'hui largement répandue. Voici une présentation d'un appareil photo numérique et d'un PDA.

L'appareil photo numérique

La grande révolution de la photo numérique est maintenant en route. Tout est possible avec ce type d'équipement, leur prix est encore élevé, mais il existe une grande variété de modèles plus ou moins perfectionnés et onéreux. Voici les principales caractéristiques dont il faut tenir compte :

- Le nombre de Pixel, qui détermine la qualité de la numérisation.
- Les possibilités en matière de Zoom optique et numérique.
- La capacité de la carte mémoire qui stocke les photos.
- Les diversités de prise de vues et la capacité d'enregistrer de courtes séquences vidéo.
- Les connecteurs disponibles pour le transfert vers l'ordinateur.

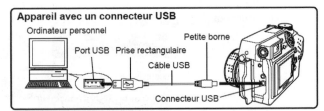

En terme d'installation, c'est assez simple. Il suffit de disposer d'un connecteur libre sur le PC, dans notre exemple un connecteur USB. Le fabricant vous fournira des pilotes pour Windows ainsi qu'un logiciel permettant de prendre en charge le transfert des photos sur le PC.

La plupart de ces logiciels proposeront également un outil de gestion d'album, de manipulation des photos et d'impression.

Attention : tous les appareils photos numériques contiennent des piles ou des batteries. Celles-ci se déchargent très vite, nous vous conseillons de vous procurer un chargeur de batteries. Même si cela est un peu cher à l'achat, son utilisation s'avère pratique et évite de tomber en panne.

Le PDA

Il s'agit d'un agenda électronique qui travaille de façon autonome. La plupart d'entre eux offrent de nombreuses fonctions comme les E-Mail, le GPRS ou les rendez-vous. Ces équipements fonctionnent avec un système d'exploitation propriétaire et un logiciel de synchronisation permettant de mettre à jour les données en provenance du

PC vers le PDA et réciproquement. Notez également que de nombreux logiciels peuvent s'installer dessus, fournissant ainsi une solution mobile très pratique.

La connexion

La connexion entre le PDA et le PC peut se faire au moyen d'un socle ou directement. Les plus couramment rencontrés utilisent un socle relié par un connecteur USB. A l'intérieur de celui-ci, un connecteur est prévu pour enficher le PDA.

Ces appareils sont livrés avec un chargeur de batterie. Celui-ci fonctionne comme un chargeur pour téléphone portable.

Atelier

Exercice n° 1

Faites un check-up de votre matériel (les cartes d'extension restantes). Dressez une liste. Reconnectez-les une par une et redémarrez votre système. Notez les paramètres de chacune d'entre elles.

Type de carte	Format de carte	Paramètre (IRQ, DMA, adresse E/S

Exercice n° 2

Prévoyez un maximum de périphérique et assemblez le tout.

Quiz

> • *Série de
>   questions/réponses*

Question n° 1

Le clavier est un périphérique qui se déclare dans :

❑ Le setup

❑ Le config.sys

❑ Le config.sys et l'autoexec.bat

Question n° 2

La souris est un périphérique :

❑ D'entrées

❑ De sorties

❑ D'entrées et de sorties

Question n° 3

Les périphériques de sorties se connectent sur :

❑ Le port PS/2

❑ Les ports séries et parallèles

❑ L'alimentation

Question n° 4

Les ports séries et parallèles sont déclarés dans :

❑ Le config.sys

❑ L'autoexec.bat

❑ Le Bios

Question n° 5

Le mode de transmission utilisé par un port séries est :

❏ Unidirectionnel

❏ Bidirectionnel

Question n° 6

Les ports parallèles sont nommés :

❏ COM1, COM2, ...

❏ LPT1, LPT2, ...

❏ POR1, POR2, ...

Question n° 7

Citez au moins quatre types de cartes d'extension.

❏

❏

❏

❏

Question n° 8

Le bus PCI travaille avec quel type de carte ?

❏ Des cartes ISA ou PCI

❏ Des cartes PCI

❏ Des cartes VLB ou PCI

Question n° 9

Quels sont les trois paramètres que l'on a besoin de configurer pour qu'une carte d'extension fonctionne correctement ?

❏

❏

❏

Question n° 10

Combien d'IRQ utilise un PC standard ?

❏ 7

❏ 12

❏ 16

❑   18

Question n° 11

Un numéro d'IRQ peut être affecté à plusieurs éléments du PC.

❑   Vrai

❑   Faux

Question n° 12

L'adresse d'entrées/sorties est utilisée pour :

❑   Éviter les conflits d'IRQ

❑   Définir une plage de l'espace adressable du processeur pour communiquer avec la carte

❑   Déclarer au processeur de quel type de carte il s'agit

Question n° 13

Le canal DMA permet au processeur de se décharger d'une partie de son travail en assurant la communication directe entre la carte et la mémoire.

❑   Vrai

❑   Faux

Question n° 14

Quelle est la résolution maximale obtenue par une carte VGA ?

❑   640 x 480 x 16 couleurs

❑   800 x 600 x 16 couleurs

❑   640 x 480 x 256 couleurs

❑   800 x 600 x 256 couleurs

Question n° 15

Combien de broches un connecteur d'écran VGA comporte-t-il ?

❑   9

❑   15

❑   25

❑   28

6

Les imprimantes et les modems

Objectifs

L'ordinateur ne serait pas un outil entièrement satisfaisant si on ne pouvait obtenir une production papier. Ce chapitre va dans un premier temps traiter de la question des imprimantes, de leur principe de fonctionnement et de leurs caractéristiques techniques.

La seconde partie aborde le sujet du modem, qui constitue aujourd'hui un excellent moyen de communication dans le monde PC. Son principe d'utilisation du réseau téléphonique en fait un outil abordable, souple d'utilisation. L'explosion du phénomène Internet a littéralement dopé les ventes de ce type de matériel.

Contenu

Les différents types d'imprimantes.

Les modes d'impression.

L'installation d'une imprimante.

Le dépannage des imprimantes.

Les différents types de modems.

Les caractéristiques techniques du modem.

L'installation et la configuration d'un modem.

Les différents types d'imprimantes

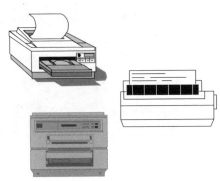

- *Imprimantes matricielles*
- *Imprimantes jet d'encre*
- *Imprimantes laser*

Description

Ce périphérique fonctionne par l'intermédiaire du pilote qui transmet l'ordre venu du processeur vers l'imprimante. Il existe actuellement trois types d'imprimantes sur le marché. Les principes de fonctionnement d'un type à l'autre varient peu, la principale différence réside dans la méthode d'impression de l'image sur le papier.

La résolution de l'imprimante est la quantité de points qu'une imprimante peut former sur une distance donnée. Deux résolutions sont couramment utilisées, 300 et 600 DPI (Dots per inch), également appelé PPP (Point par pouce).

La vitesse d'impression se calcule en page par minute (PPM).

Les imprimantes matricielles

On dit aussi à aiguilles. Elles tendent à disparaître du marché car elles sont très bruyantes et offrent peu de possibilités dans le traitement des polices de caractères. Elles impriment le caractère en projetant une rangée d'aiguilles regroupées dans la tête d'impression sur un ruban encré.

La qualité d'impression dépend essentiellement du nombre d'aiguilles présentes sur la tête d'impression. On trouve des matricielles à 9, 24 ou 48 aiguilles. Plus il y a d'aiguilles, meilleure est la qualité d'impression. La résolution maximale d'une imprimante matricielle sera de 360 x 360 ppp.

Certaines imprimantes matricielles peuvent utiliser un papier ordinaire de type papier pour photocopie ou du papier continu. Celui-ci comporte une bande perforée sur les côtés qui se place sur les ergots de l'imprimante. La grande majorité des imprimantes peuvent utiliser les deux types de papier et possèdent un levier de réglage prévu à cet effet.

Les imprimantes jet d'encre

Leur qualité d'impression est satisfaisante en dehors des images. Elles sont moins coûteuses que les imprimantes laser mais en général moins rapides.

La transmission se fait en bitmap, c'est-à-dire que l'image est envoyée point par point et ligne à ligne. Elles permettent une résolution allant de 300 x 600 ppp à 1440 x 1440 ppp. Les imprimantes haut de gamme offrent une qualité analogue à celle du laser en offrant une résolution pouvant atteindre 6000 x 1200 PPP.

Elles fonctionnent par projection d'encre liquide sur le papier. La tête d'impression se compose d'un ensemble de buses derrière lesquelles est placée la cartouche d'encre. Le caractère se compose en laissant passer une quantité d'encre précise à travers les buses sur le papier. Il existe deux types de têtes d'impression jet d'encre.

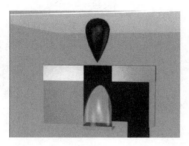 

Jet d'encre thermique

Surtout utilisées sur les imprimantes Deskjet de Hewlett Packard, où chaque buse est entourée d'un élément chauffant. Lorsque l'encre chauffe, elle se dilate et est alors forcée à travers les buses. Ce procédé limite la durée de vie de la tête d'impression.

Jet d'encre piézo-électrique ou à cristal

Système utilisé sur les Stylus d'Epson. Elle comporte un élément piézo-électrique. Lorsqu'une charge est appliquée, celui-ci sert de pompe à encre. Ce système est plus fiable mais plus cher car techniquement plus complexe à fabriquer.

Les imprimantes laser

Elles sont les plus courantes et utilisent la même technologie qu'une photocopieuse. Le laser applique une charge électrique sur le tambour OPC, attirant ainsi le toner qui est transféré sur le papier.

Même si, comme les imprimantes matricielles ou à jet d'encre, l'impression est réalisée par point, sa qualité est bien plus grande car les points sont nettement plus petits et presque invisibles à l'œil nu.

Elles sont dotées d'une mémoire RAM qui leur permet d'imprimer plus d'images et plus vite et offrent une résolution allant de 300 x 600 ppp à 600 x 1200 ppp.

Ce qui est très différent concerne le traitement de l'image. L'imprimante laser traite l'image dans son ensemble. Les données sont converties d'une image vectorielle à une image en mode point. Le processus d'impression démarre ensuite et comporte plusieurs étapes :

- Chargement électrostatique : un tambour photosensible capable de retenir une charge électrostatique importante équipe les imprimantes laser. Celui-ci envoie une charge négative uniforme.

- Imagerie laser : un laser est utilisé pour envoyer une forte lumière faisant perdre au tambour sa charge électrostatique de manière sélective, ligne par ligne, au fur et à mesure que le tambour tourne. Ces lignes représentent une image électrostatique de l'image à imprimer.

- Développement de l'image : le toner est alimenté uniformément sur le rouleau de développement chargé négativement et se colle sur le tambour, formant ainsi l'image.

- Transfert de l'image : le papier est attiré par un système de roue et de rouleau et passe entre le tambour et un fil haute tension. Celui-ci génère un champ électrostatique sur le papier, décollant ainsi le toner du tambour.

- Fusion : le papier passe ensuite entre deux rouleaux chauffés pour faire fondre l'encre sur le papier.
- Nettoyage : le tambour est nettoyé par une barre métallique placée à la surface du tambour. Cette barre supprimera la charge afin de permettre l'impression de la page suivante.

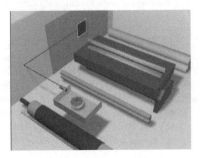 

Les imprimantes multifonctions

Le monde de l'imprimante a, comme beaucoup de périphériques informatiques, suivi l'évolution multimédia. On trouve aujourd'hui sur le marché une nouvelle génération d'imprimante.

Celle-ci adopte le principe de la multifonction et propose, suivant les modèles de deux à cinq fonctions parmi les suivantes :

- Impression couleur
- Scanner
- Photocopieuse
- télécopieur
- Capture de photo

Ces imprimantes intègrent différentes interfaces au niveau de la connectique. Certaines d'entre elles proposent uniquement le port USB alors que d'autres intègrent des port réseau Ethernet, Parallèle ou encore FireWire.

Enfin, celles qui proposent la fonction capture de photo sont équipées d'un lecteur de carte mémoire que l'on trouve sur les appareils photos numériques.

Autres imprimantes

Il existe des imprimantes thermiques à papier thermosensible qui fonctionnent suivant le même principe qu'une imprimante matricielle en générant de la chaleur sur la tête d'impression. Elles sont limitées à une résolution de 75 ppp, ne prennent pas en charge les enrichissements de texte et peuvent imprimer en noir ou en bleu. Elles nécessitent l'utilisation d'un papier spécifique (on en voit souvent sur les fax) et se connectent sur un port série ou parallèle.

On rencontre également des imprimantes thermiques à cire chaude qui fournissent une résolution de 300 ppp et sont très appréciées pour les qualités de graphique et de couleur qu'elles offrent. Elles restent relativement lentes et coûteuses.

L'impression couleur

On rencontre des imprimantes capables de supporter la couleur dans tous les types d'impression. Le principe de production de la couleur est pratiquement le même pour chacune d'entre elles. La base de la couleur est constituée d'encre de trois couleurs, le cyan, le magenta et le jaune (CMY ou CMJ). Le mélange de ces trois couleurs en quantité variée permet de générer n'importe quelle couleur. Très souvent, on trouve en plus de ces trois couleurs de base du noir (CMYK ou CMJN), on utilisera cette encre pour produire les impressions noir et blanc afin de ne pas utiliser inutilement de la couleur.

Les consommables

L'imprimante comporte différents éléments qu'il faudra changer ou entretenir régulièrement. Le papier constitue également un élément important.

Les imprimantes matricielles

Sur ce type d'imprimante, il faudra changer le ruban lorsque celui-ci ne produit plus suffisamment d'encre pour obtenir une impression correcte. Plus rarement, vous aurez à changer une tête d'impression usée (cette usure provient des éléments chauffants) comme s'il s'agissait d'un consommable.

Certaines imprimantes matricielles ne peuvent utiliser que du papier continu muni d'une bande perforée. Ce papier est souvent de qualité analogue à celle du papier pour photocopieur ordinaire. D'autres peuvent utiliser les deux systèmes d'alimentation.

Les imprimantes jet d'encre

Les cartouches d'encre doivent être changées lorsque les couleurs sont altérées ou les impressions trop claires. Cette opération nécessite simplement de s'assurer du type de recharge utilisée. Certaines se vendent par couleur séparée, d'autres en kit de trois couleurs.

Comme pour les imprimantes matricielles, les têtes d'impression sont également considérées comme des consommables. Il arrive quelquefois que celles-ci soient intégrées à la cartouche d'encre. Le remplacement de l'ensemble devient alors inévitable et onéreux.

Bien que les premiers modèles exigeaient un papier spécifique, la plupart d'entre elles utilisent un papier classique. Cependant, ce type d'imprimante est particulièrement sensible à la qualité du papier. Un papier trop absorbant provoque des graphiques troubles car l'encre se répand trop, par contre un papier trop peu absorbant provoquerait une impression trop claire.

Les imprimantes laser

Tout comme les autres, le toner doit être remplacé régulièrement si l'on souhaite maintenir une qualité d'impression. Très souvent, un témoin lumineux intégré à l'imprimante indique qu'il est temps de le faire.

Le tambour OPC a lui aussi une durée de vie limitée. Il faudra le changer de temps en temps. Attention, cet élément est particulièrement sensible à la lumière et ne devra être retiré de son sachet d'emballage que pour être mis en place dans l'imprimante le plus rapidement possible.

Le fil corona (haute tension) casse quelquefois et doit être remplacé. Il est en général intégré à la cartouche d'encre et donc renouvelé à chaque fois que l'on change de cartouche.

Le papier utilisé pour les imprimantes laser est particulièrement important. En effet, le traitement que subit le papier dans l'imprimante le fait gondoler. En respectant quelques principes, vous éviterez des soucis de bourrage ou autres.

- Conservez le papier dans son emballage d'origine pour éviter de faire entrer l'humidité de l'air ou au contraire de l'assécher.
- Le poids du papier est un facteur très important. Le papier de photocopie a un poids compris entre 60 et 90 g/m². Les imprimantes laser impriment idéalement sur un papier dont le poids est compris entre 110 et 130 g/m².

Les modes d'impression

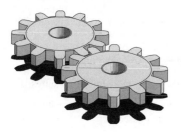

- **Imprimer en mode texte**

- **Les imprimantes bitmap**

- **Les langages de description de page**

Le mode texte

L'impression en mode texte pourra produire des documents de type texte (sans image ni enrichissements) vers n'importe quelle imprimante. Lorsque l'imprimante reçoit une donnée (un code caractère), elle cherche dans une table de consultation le modèle d'image correspondant. Celui-ci indique au mécanisme d'impression comment former le caractère. Souvent la ROM de l'imprimante contient un modèle d'image binaire et aussi un modèle d'image vectorielle utilisé pour les polices de caractères plus sophistiquées.

Il n'est pas utile d'installer un pilote d'imprimante spécifique puisque le système utilise celui qui est intégré au Bios. Vous pouvez utiliser trois commandes DOS pour imprimer en mode texte :

```
Print nomfich

Type nomfich LPT1

Copy nomfich LPT1
```

Les imprimantes bitmap (le mode graphique)

Les données à imprimer sont transmises point par point et ligne à ligne. Les instructions envoyées contrôlent le système d'imagerie de l'imprimante, ce qui lui permet d'imprimer des graphiques, des images et des caractères ne figurant pas dans sa ROM (c'est le cas des polices True Type).

Ce procédé est simple mais n'offre pas une grande souplesse d'utilisation (la résolution de l'imprimante ne pourra pas être modifiée sous peine de distorsion de l'image) et le traitement graphique est lent même si la qualité s'avère bonne.

Note : il existe une gamme d'imprimantes dépourvues du système de modèle d'image et qui ne sont donc pas capables de produire elles-mêmes le caractère. Leur principal inconvénient est qu'elles ne comportent pas de mémoire, leur vitesse de fonctionnement dépendra donc des performances du PC en termes de processeur et de mémoire.

Le mode Postscript ou PCL

Certaines imprimantes sont pilotées par un langage de description de page. Il en existe plusieurs, les plus courants étant Postscript ou PCL pour les imprimantes laser et ESC P pour les imprimantes matricielles. Le mode PCL est le plus utilisé et permet une impression plus rapide que le mode Postscript, qui autorise un traitement plus large de l'image (pivotement, retournement…). La description de la page est envoyée à l'interpréteur de l'imprimante qui la traduit en bitmap. Le contrôleur envoie cette page image vers la mémoire de l'imprimante (celle-ci devra être comprise entre 1,5 Mo et 3 Mo). Enfin elle est envoyée vers le système d'impression.

Ce mode d'impression permet de traiter des images graphiques et une grande quantité de fontes (police enrichie) car il gère le contour du caractère, ce qui permet de faire varier la taille, le motif de remplissage et l'aspect. Bien que l'image soit d'une excellente qualité, la lenteur d'impression reste un point faible.

Certaines imprimantes peuvent basculer du mode Laserjet au mode postscript.

Installer une imprimante

- Si l'imprimante est neuve, il y a probablement des cales à l'intérieur pour protéger les pièces sensibles. Il faudra aussi installer la cartouche d'encre.

- Elle se connecte soit sur le port parallèle (LPT1) avec un câble 25 broches, soit sur le réseau si l'imprimante est équipée d'une carte réseau ou encore sur le port USB qui devient aujourd'hui très courant sur le marché.

- Vérifiez que le mode d'impression déclaré dans le programme de configuration CMOS est valide et supporté par l'imprimante.

- Installez ensuite le driver par l'intermédiaire du système d'exploitation. Notez que Windows possède une grande quantité de drivers d'imprimante.

- Reportez-vous ensuite à la documentation de l'imprimante pour configurer l'impression via le panneau de contrôle.

- Imprimez une page de test.

L'émulation

Afin de pouvoir utiliser une imprimante avec un plus grand nombre de logiciels, on peut émuler une imprimante, méthode qui consiste à utiliser le driver d'une autre imprimante. Ceci n'est bien entendu possible que si l'imprimante est capable d'assurer les fonctions de l'autre. IBM Graphics, HP Laserjet, Postscript et Epson sont les quatre pilotes les plus connus.

Dépannage d'une imprimante

Avant toute chose, n'oubliez pas que les imprimantes laser ne doivent pas être démontées par du personnel non qualifié en raison de la présence de fortes sources lumineuses et électriques. De plus, ne tentez jamais de démonter une imprimante encore sous tension ni de déverrouiller un système de sécurité. Nous vous proposons ici une synthèse des problèmes liés aux imprimantes. Ceci est valable dans la mesure où les vérifications d'usage (présence du papier et d'encre, imprimante mise sous tension, correctement connectée et configurée) ont été faites.

Imprimantes matricielles

S'il ne se produit aucune impression ou si une page blanche sort, le ruban est déchiré. Il se peut également que l'ouverture du cylindre soit trop importante. Après avoir vérifé le ruban, il faudra alors resérer l'espace entre le cylindre et le ruban. Si l'impression donne un résultat trop clair, dans la plupart des cas, il s'agira d'un problème d'usure du ruban.

Dans le cas d'un problème d'engagement du papier, vérifiez d'abord si le type de papier inséré dans l'imprimante correspond au réglage de l'imprimante (feuille à feuille ou continu).

Imprimantes à jet d'encre

Si l'impression est trop claire, la cartouche d'encre est presque vide ou le papier n'est pas approprié à l'imprimante. Il faut tenir compte du fait que les imprimantes de ce type consomment beaucoup d'encre et qu'elles nécessitent l'utilisation d'un papier de bonne qualité. Si certaines couleurs changent, l'une des trois couleurs constituant la cartouche est épuisée, vous devrez également changer la cartouche d'encre.

Notez que certaines imprimantes proposent le nettoyage des têtes d'impression dans les outils déployés avec le pilote, alors que d'autres intègrent les intègrent dans la cartouche d'encre.

Imprimantes laser

Lorsque aucune impression ne se produit ou si l'imprimante imprime du code à la place des données, il s'agit d'un problème de pilote. Consultez le site Web du fabricant afin de télécharger le pilote approprié.

Si la qualité d'impression est trop claire, cela peut provenir du tambour OPC qui s'use ou de la cartouche de Toner qui est presque vide. Pensez à vérifier également le réglage de la densité d'impression.

Souvent, des rayures apparaissent sur la page. Si elles sont blanches, la vitre de scanner d'image est encrassée, si elles sont noires le fil corona est encrassé ou la cartouche de Toner est mal enclenchée.

Enfin, plus rarement, si l'imprimante produit une page entièrement noire, le fil corona est rompu ou le tambour est mal mis en place.

Le modem

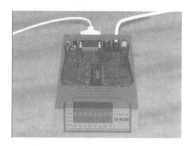

- *Description*
- *Modes de communication*
- *Caractéristiques techniques*
- *Installation d'un modem*

Description

Certains périphériques ont un rôle d'entrées et de sorties. C'est le cas du modem qui permet à l'ordinateur de se connecter à d'autres par l'intermédiaire d'une ligne téléphonique et d'échanger des données.

Le modem, qui est une abréviation de Modulation/Démodulation, convertit des signaux numériques provenant du PC en signaux analogiques transmis sur la ligne téléphonique. Ce processus est appelé modulation. Le modem qui réceptionne les signaux à l'autre bout de la ligne procède à l'opération inverse, qui est appelée démodulation. Le réseau téléphonique utilisé peut être de type RTPC (Réseau Téléphonique Public Commuté) ou sur le réseau RNIS (Réseau Numérique à Intégration de Services). L'ADSL constitue l'avenir en combinant le réseau RTPC existant et la technologie numérique.

Il existe sur le marché trois types de modems, les modems externes, les modems internes et les modems PCMCIA. La qualité de ces appareils est à peu près similaire, chacun d'eux possède cependant des spécificités.

Le modem interne

Il est constitué d'une carte d'extension qui se connecte sur un slot libre du PC. Cette opération reprend les différents éléments expliqués dans le chapitre consacré aux cartes d'extension. Il comporte en général un haut-parleur intégré pour permettre de contrôler l'état de la ligne et propose une fois installé un panneau lumineux visible à l'extérieur du PC pour visualiser les voyants. Ces cartes possèdent leur propre port série et n'utilisent donc pas ceux du PC. Il faudra configurer le CMOS pour éviter des conflits. Dans certains cas un port série du PC devra être désactivé. L'inconvénient majeur de ce type de matériel est que vous devez allumer le PC pour que le modem puisse être alimenté.

Le modem externe

Ils possèdent leur boîtier externe ainsi qu'une alimentation et un câble série ou USB ; ils sont les plus répandus sur le marché. Ils sont souvent autonomes, c'est-à-dire qu'ils sont capables de réceptionner les données quand l'ordinateur est éteint. Certains modems très rapides peuvent être connectés sur un port parallèle ou à une carte d'interface. A l'inverse des modems internes, ils sont utilisables sur des plates-formes diverses (PC, Macintosh, gros systèmes…).

Le modem PCMCIA

Ce type de modems est utilisé sur les ordinateurs portables. Il se connecte dans un emplacement d'extension à chaud. Les portables d'aujourd'hui comportent fréquemment un modem intégré évitant ainsi l'utilisation d'une carte.

Les modes de communication

Chaque modem est conçu pour fonctionner dans un mode de communication précis et avec un type de ligne téléphonique adapté. On trouve cinq principales catégories de modems :

Les modems RTPC

Ils sont très connus car ils ont été les plus répandus dans les débuts de l'Internet grand public. Ils fonctionnent sur une ligne téléphonique analogiques classiques et se connectent en général à l'aide d'un port série à un débit maximal de 56 Kbps.

Les modems ADSL

Les plus courants sur le marché actuellement, ils peuvent se connecter par l'intermédiaire d'un port USB ou même un port réseau Ethernet. Actuellement, le débit maximal d'une connexion ADSL se situe entre 1 Mbps et 20 Mbps. La grande particularité de ce type de connexion est qu'elle permet de garder sa ligne téléphonique disponible pendant que l'on se connecte à l'Internet.

Les modems RNIS

Le réseau RNIS étant totalement numérique, les modems utilisés constituent aussi des adaptateurs de terminal qui s'apparentent plus à des interfaces réseau. Les services RNIS proposent deux canaux à 64 Kbps et un canal de signalisation à 16 Kbps. Si un câble à paires torsadées en cuivre est utilisé, il est alors possible d'établir une liaison fonctionnant à 128 Kbps.

Les modems câbles

Ils ont été conçus pour relier un PC au réseau de télévision par un câble coaxial à fibre de verre. La vitesse de transfert des données est de 30 Mo/seconde.

Les modems satellites

Les antennes satellites permettent d'établir une connexion Internet allant jusqu'à 400 Kbps et de recevoir des programmes de télévision. Ceci impose du matériel spécifique (un récepteur et un adaptateur PC) et un logiciel de pilotage. Les réceptions et transmissions transitent alors par le satellite.

Caractéristiques techniques

> * *Mode de transfert*
> * *Vitesse*
> * *Détection des erreurs*
> * *Contrôle de flux*
> * *Compression des données*

Les caractéristiques techniques d'un modem se fixent suivant plusieurs aspects que nous allons détailler de manière synthétique. Le marché d'aujourd'hui produit des modems multi-usages capables de se rendre compatibles avec d'autres. Cinq points essentiels seront abordés : le mode de transfert, la vitesse de transfert, la détection des erreurs, le contrôle de flux et la compression des données.

Le mode de transfert

En théorie, les modems sont capables de transférer des données en mode synchrone ou asynchrone. En pratique le mode synchrone reste peu utilisé et n'est réellement efficace que si les données transmises constituent un volume important. La plupart des modems standard fonctionnent en mode asynchrone.

Le mode asynchrone

Ce mode est utilisé avec un port série et envoie les données bit à bit, d'une manière libre et n'exige pas la synchronisation entre l'émetteur et le récepteur. Les caractères ASCII sont transmis sur 7 ou 8 bits selon le cas.

Un bit de départ est envoyé par l'émetteur pour prévenir le récepteur que des données vont être transmises. La fin de la transmission est annoncée par un bit de stop. Ces deux signaux permettent de synchroniser le transfert entre les deux modems. Lorsque l'émetteur ne transmet pas de données, il envoie des bits hauts (de valeur 1 en continue). Certains modems peuvent utiliser 1,5 ou 2 bits de stop.

Le mode synchrone

Dans ce cas, les données sont transférées octet par octet (donc par 8 bits) et sous forme d'un flux continu. Des octets de synchronisation sont envoyés en début de transfert et d'autres en fin de message. Ce mode de transfert implique que l'émetteur et le récepteur sont prêts en même temps et sous contrôle. Même s'il est plus rapide, il apparaît comme plus contraignant à utiliser et est surtout employé sur de gros systèmes.

La vitesse de transmission

La vitesse de transfert d'un modem se mesure en bits par seconde (Bps ou Kbps). Une norme spécifie les différentes vitesses de transfert pour les modems classiques sur le réseau téléphonique RTPC. Une évolution de cette norme a produit les versions suivantes :

Version	Caractéristiques
V21	300 Bps
V22	1200 Bps en mode semi-duplex
V22 Bis	2400 Bps en mode en duplex intégral
V23	1200 Bps en émission et 75 Bps en réception de données utilisateur
V32	9600 Bps en émission et 4800 Bps en réception
V32 bis	14 400 Bps en émission et réception
V32 terbo	19 600 Bps en émission et 16800 Bps en réception
V FC V fast	28 800 Bps
V34	28 800 Bps
V90	56 000 Bps en théorie
V92	56 000 Bps utilisant un port USB

Il est important de noter que si deux modems en communication ne sont pas de même type, la communication s'établira sur les performances du modem le plus faible.

Il faut 8 bits de données et 2 bits de contrôle pour transmettre un caractère, la vitesse réelle de transfert d'un caractère correspond donc à la vitesse annoncée du modem divisée par dix. Cette vitesse augmentera si les données sont compressées.

Le semi duplex signifie que la ligne est utilisée pour émettre ou pour transmettre, le mode full duplex permet d'utiliser la ligne dans les deux sens en même temps.

La détection des erreurs

Une transmission peut être altérée par des éléments extérieurs comme un orage, une variation de courant ou encore un bruit électrique. Il existe différentes méthodes pour vérifier la réception intégrale des données.

Le contrôle de parité

Consiste à ajouter un bit de parité à chaque bloc de données pour vérifier les erreurs. Celui-ci peut être pair ou impair. Le principe consiste à définir tous les bits de données à 1 comme pair ou impair. Ce bit est utilisé pour ajuster le nombre de "1" si nécessaire. Ce système de contrôle n'est pas fiable à 100 % car il ne permet pas de détecter des erreurs lorsque deux bits de données dans un même octet sont erronés ou endommagés. Exemple : si la parité est définie à impair :

- 1101101/0   La somme des 1 est impaire, le bit de parité est de 0.
- 1101100/1   La somme des 1 est paire, le bit de parité est de 1.

La somme des contrôles

Cette méthode consiste en un nombre qui correspond à la valeur des deux derniers octets de la somme de tous les octets de données transmis. En effectuant le même calcul du côté du récepteur et en comparant ce résultat à la somme des données transmises, il est possible de voir si des données ont été corrompues. Le principal défaut de cette méthode est qu'elle ne permet pas la modification des données ni la somme de contrôle qui donne le calcul correct.

Le contrôle de redondance cyclique (CRC)

Un algorithme CRC traite un bloc de données transmis comme un nombre binaire et le divise par 16 ou par 32. Le reste de cette division correspond à la somme de contrôle. La division par 16 s'effectue sur des données ne dépassant pas 4 Ko et est fiable à 99,998 %. Au delà de 4 Ko, la division se fait par 32 et le résultat reste très fiable. Les standards actuels (MNP4 V.42 et LAPM V.42) utilisent le contrôle CRC dans le cadre d'un système de répétition de requête automatique (ARQ).

- Le modem émetteur transmet un bloc de données et un CRC.
- Le modem récepteur reçoit les données et calcule un CRC local.
- Le modem récepteur compare la valeur des deux CRC et rejette le bloc de données en cas de différence.
- Dans ce cas, le récepteur envoie un code ARQ à l'émetteur pour lui demander de retransmettre les données erronées.

Le contrôle de flux

Dans une liaison par modem, le flux de données doit être rythmé pour que l'émetteur et le récepteur puissent gérer le volume du trafic. En fait, il faut que les modems puissent indiquer aux PC qu'ils sont prêts à émettre ou à transmettre, ou encore qu'un problème survient d'un côté (par exemple que le récepteur doit traiter un volume important de données et que pendant ce temps il n'est pas prêt à en recevoir d'autres).

Contrôle de flux logiciel

On appelle XON-XOFF (abréviation de X mit ON et X mit OFF) les codes envoyés vers le PC par l'émetteur ou le récepteur pour s'assurer qu'il peut continuer à envoyer ou recevoir des données, ou bien si l'émetteur doit faire une pause quand le récepteur est submergé de données. On le nomme contrôle de flux logiciel car ces codes sont envoyés en même temps que les données et sont interprétés à l'arrivée.

Contrôle de flux matériel

Lors d'un transfert de données binaires, le contrôle de flux logiciel ne pourra pas être utilisé. En effet, les codes appartenant à XON et XOFF peuvent exister dans le flux de données lui-même. Dans ce cas, le contrôle de flux se fait au moyen de deux câbles de signaux, RTS et CTS. Ceux-ci s'emploient indépendamment des données. Ce type de contrôle de flux s'utilise de manière optimale avec des modems rapides (dont la vitesse de transfert doit être supérieure à 9600 Bps) car le canal de données n'est pas utilisé pour le contrôle de flux.

Signaux de contrôle du modem

Deux autres câbles sont utilisés pour le contrôle de la ligne téléphonique. Le signal CD indique un signal de détection de porteuse dans le cas d'une connexion directe entre deux PC. Le signal RI est un indicateur de sonnerie indiquant que le modem a détecté un appel entrant.

La compression des données

Afin de réduire le temps de transfert des données, il est possible de les compresser en utilisant un algorithme connu des deux côtés de la chaîne. L'émetteur compresse lors de l'envoi des données et le récepteur les décompresse à l'arrivée. Les standards de compression MNP5 et V42 bis dont les taux de compression sont respectivement de 2/1 et 4/1, sont les plus utilisés. Il existe une compatibilité descendante, permettant d'utiliser les versions antérieures de ces standards.

La négociation de protocole

Une connexion par modem doit être souple et fonctionner quelles que soient la marque et les caractéristiques techniques des deux modems. En effet, ceux-ci peuvent être très différents. Lors de la liaison, un test appelé "négociation de protocole" est réalisé afin d'utiliser les paramètres de vitesse, de détection des erreurs et de compression de données les mieux adaptés aux deux modems. Ces tests sont intégrés dans les standards Vxx que nous avons décrits avant.

Installation d'un modem

- *Connexion du modem*
- *Configuration du logiciel de communication*
- *Diagnostic du modem*
- *Le test en boucle*

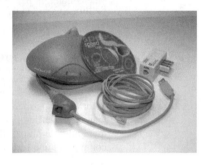

Connexion du modem

- S'il s'agit d'un modem RTPC, il connecte sur un port série. En général sur COM1 à l'aide d'un câble 9 broches ou sur COM2 à l'aide d'un câble 25 broches. Aujourd'hui, de plus en plus de modem se connectent sur le port USB.

- S'il s'agit d'un modem ADSL, il se connecte en général sur un port USB. Notez que certains modems ADSL sont disponibles au format Ethernet et se connectent alors sur un concentrateur (hub).

- Brancher ensuite le modem sur la ligne téléphonique. Attention, si vous possédez un modem ADSL, vous devez équiper chaque prise de téléphone recevant un équipement d'un filtre ADSL. Celui-ci permet de transformer les signaux tout en laissant libre la ligne téléphonique.

- Installer le pilote fourni avec le modem. Attention, de nombreux fournisseurs d'accès vous demanderont d'installer d'abord le pilote et ensuite le modem. En tout état de cause, conformez-vous toujours à la documentation de votre fournisseur d'accès.

Configuration du logiciel de communication

Une fois le modem installé, connecté et le pilote installé, vous devez configurer votre liaison en fonction des caractéristiques techniques de votre modem. Même si sous Windows 95 et suivants, la plupart du temps ces réglages se font de manière automatique, vous devrez vérifier les points suivants :

La vitesse de transfert

La vitesse d'une liaison série entre un modem et un PC est en principe indépendante de la vitesse de transfert réelle entre les modems. Dans la mesure du possible, paramétrez le port série à une vitesse très supérieure à celle du modem (testez quatre fois plus rapide, puis moins…).

Le nombre de bits de données, d'arrêt et de parité

Vérifiez que ces paramètres définis dans Windows soient identiques sur les deux modems entre lesquels la liaison est établie.

Le contrôle de flux

Dans la plupart des cas, le contrôle de flux matériel est plus performant que le contrôle de flux XON – XOFF. Là encore, la même technique doit être utilisée par les deux modems.

Diagnostic d'un modem

Ces dernières années, un langage de commande pour modem a été développé par la société Hayes. Ce langage est couramment appelé "AT" et comporte un jeu de commandes permettant de réaliser un certain nombre de tests. Ces commandes seront visibles et défileront lors d'un transfert de données. Bien qu'il soit parfois utile de les manipuler, la plupart des logiciels de communication fournis avec le modem comportent une série de tests sous forme d'interfaces graphiques qui exécutent ces tests.

Commande	Action
ATA	Décroche la ligne. ATA=0 - réponse automatique est activée
ATDxxxxxxxxxx	Où les x représentent un numéro de téléphone. Cette commande compose le numéro
ATDxxxxxxxxxxN1	Enregistre le numéro correspondant dans la mémoire n° 1
ATDTxxxxxxxxxx	Idem à la commande ATD mais compose par impulsion multifréquence
ATDPxxxxxxxxxx	Idem à la commande ATD mais compose par impulsions décimales
ATDT0,xxxxxxxxxx	Compose le 0, puis attend une seconde avant de composer le numéro représenté par les x
ATH	Raccroche
ATI1	Affiche les informations sur le modem n°1
ATDN1	Compose le numéro enregistré dans la mémoire n°1
ATZ	Réinitialise le modem
A/	Répète la dernière commande émise
ATS0=n	Définit le nombre de sonneries avant que le modem ne réponde. n doit être défini par un chiffre
ATSO=0	Désactive la réponse automatique du modem
ATS7=nn	Définit le nombre de secondes d'une réponse après numérotation. nn doit être défini par un chiffre

Le test en boucle

Les modems d'aujourd'hui exécutent des tests de diagnostic automatiquement lors d'une tentative de connexion. Parmi ces tests, un test en boucle peut être réalisé et constitue une vérification approfondie. Il existe trois types de tests en boucle que nous allons résumer.

Le test en boucle analogique

Des données sont transmises de l'ordinateur vers le modem qui les convertit en données analogiques. Celles-ci sont envoyées en boucle puis reconverties au format numérique et renvoyées au PC. Dans ce cas, ce test ne réalise aucune connexion téléphonique, ce qui ne permet pas de vérifier l'état du câble.

Le test en boucle numérique local

Ce test doit être effectué avec deux modems. Il vérifie l'intégrité du circuit d'un système à l'autre par l'intermédiaire de la liaison modem. Dans ce test, le mode en boucle numérique est défini sur le modem local et le modem récepteur est utilisé pour envoyer et recevoir des données.

Le test en boucle numérique distant

Agit suivant le même principe, mais dans le sens inverse. C'est le modem distant qui exécute le test en boucle et le modem local qui envoie et reçoit des données.

Composants et types d'UART

L'UART (Universal Asynchronous Receiver/Transmitter) est une puce sur laquelle repose le fonctionnement du port série. Elle contrôle la transmission des données et des informations annexes (bits de départ et de stop, bit de parité, la conversion des données séries vers parallèles et inversement).

Bien qu'il en existe de plus performante, l'UART 16550 d'IBM est la plus répandue et est compatible avec toutes les sortes de transmission de données, hormis le transfert à haut débit. Sa vitesse maximale est de 128 000 bps.

Atelier

Exercice n° 1 : Installation d'une imprimante

Si vous possédez une imprimante, supprimez-la de la configuration de votre PC et réinstallez-la en suivant les étapes.

Testez ensuite l'émulation d'une imprimante.

Exercice n° 2 : Installation d'un modem

Il faudra vous procurer un modem, utiliser une ligne téléphonique quelconque et trouver un correspondant pour tester les échanges.

Réalisez l'installation du modem, de son pilote, d'un logiciel de configuration et configurez le tout. Testez ensuite une liaison modem à modem par un transfert de fichier.

Exercice n° 3 : Diagnostic du modem

A l'aide du panneau de configuration de Windows, testez le modem installé.

Quiz

- *Série de questions/réponses*

Question n° 1

Les imprimantes peuvent être de type : Attention, plusieurs réponses possibles.

- ❑ Electriques
- ❑ Matricielles
- ❑ Laser
- ❑ Mécaniques
- ❑ A jet d'encre

Question n° 2

Quel est le rôle de la commande **print nomfich.txt ?**

- ❑ Imprimer le fichier en mode bitmap
- ❑ Déclarer une imprimante
- ❑ Imprimer le fichier en mode texte uniquement
- ❑ Imprimer le fichier en mode texte ou en mode Postscript

Question n° 3

Quelles procédures pourraient améliorer la qualité d'impression d'une imprimante matricielle ? Attention, plusieurs réponses possibles.

- ❑ Remplacer le ruban d'impression
- ❑ Changer la tête d'impression à 24 aiguilles par une tête à 9 aiguilles
- ❑ Configuration de l'ouverture correcte du cylindre
- ❑ Aucune de ces procédures

Question n° 4

Laquelle de ces imprimantes possède une mémoire ROM ?

☐ Matricielle

☐ Jet d'encre

☐ Laser

☐ Toutes

Question n° 5

Quel est le langage d'imprimante le plus couramment utilisé sur les imprimantes laser ?

☐ Postscript

☐ PCL

☐ Unilanguage

Question n° 6

Pour utiliser un modem, il faut connecter :

☐ Le câble du modem vers le port parallèle et le câble téléphonique vers une prise de téléphone

☐ Le câble du modem vers un port série ou USB et le câble téléphonique vers une prise de téléphone

☐ Le câble du modem vers le port PS/2 et le câble téléphonique vers une prise de téléphone

Question n° 7

Modem est une abréviation de :

☐ Mode/Demode

☐ Modulation/Démodulation

☐ Modem d'émission

☐ Modulation d'émission

Question n° 8

Parmi les éléments suivants, quels sont ceux qui interviennent lors d'une émission de données en mode asynchrone ? Attention, plusieurs réponses possibles.

☐ Bit de départ et bit d'arrêt

☐ Bits de parité

❑ Port de communication série

❑ Octet de synchronisation

Question n° 9

Parmi cette liste de séquences de bits, quelles sont celles correspondant à une parité PAIRE ? Attention, plusieurs réponses possibles.

❑ 1111111/0

❑ 1111111/1

❑ 1011101/1

❑ 1011101/0

Question n° 10

Combien de caractères par seconde peuvent être transmis par un modem fonctionnant à 19 600 bps ?

❑ 19 600

❑ 1960

❑ 9600

❑ 96 000

Question n° 11

A quoi sert le bit de parité ?

❑ Permettre le transfert

❑ Définir le contrôle de flux

❑ Détecter des erreurs d'une manière simple

Question n° 12

L'abréviation CRC correspond à :

❑ Contrôle de Réception Corrompue

❑ Compte de Redondance Complète

❑ Contrôle de Redondance Cyclique

❑ Compte de Retransmission Corrompue

Question n° 13

La norme NMP 5 permet de gérer :

❑ La correction des erreurs

❑ Le contrôle de flux

❑ La compression des données

❑ Les trois paramètres

Question n° 14

Quels sont les éléments contrôlés lors d'un test en boucle analogique ? Attention, plusieurs réponses possibles.

❑ Le câble PC à modem

❑ Les circuits analogiques du modem local

❑ Les circuits analogiques du modem distant

❑ Les circuits numériques du modem local

❑ Unencode Asynchronous Receiver Transmitter

❑ Universal Asynchronous Receiver Transmitter

7

Les réseaux et l'Internet

Objectifs

Dans ce chapitre, nous abordons le domaine des réseaux. Dans les entreprises la mise en réseau du parc micro est devenue incontournable. Dans les foyers, il est de plus en plus courant de posséder plusieurs PC et des kits de mise en réseau sont vendus dans le commerce. Nous allons, dans ce chapitre, faire le point sur l'aspect physique et logiciel du réseau. Nous aborderons également toute la connectivité de l'Internet.

Contenu

Les types de réseau : le réseau Lan et le réseau Wan.

La topologie du réseau : en étoile, en bus et en anneau.

Le câble réseau : paire torsadée, coaxial et fibre optique.

Les cartes réseau : leur installation, configuration et leur connecteurs.

Les extensions d'un réseau : pont, routeur et passerelle.

Le réseau Internet et les services réseau.

Le protocole TCP/IP.

La connexion à l'Internet.

La mise en œuvre d'un réseau domestique.

L'Internet sans fil.

Les réseaux

- *Principe*
- *Les types de réseaux locaux*

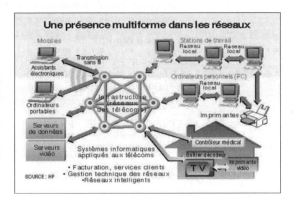

Principe

Le principe du réseau consiste à relier plusieurs ordinateurs ainsi que des périphériques entre eux par l'intermédiaire de câbles pour permettre l'échange de données ainsi que le partage de ressources. Un réseau peut être défini pour deux ou des milliers de postes de travail suivant les exigences.

Il existe essentiellement deux types de réseau, celui que l'on appelle local et l'autre que l'on appelle étendu. Voici les caractéristiques de ces deux aspects.

Le réseau local

Il est couramment appelé LAN (Local Area Network). Sa principale caractéristique est qu'il est mis en place dans un site unique (dans un seul bâtiment) et a pour but principal de partager des ressources et des données. Chaque poste de travail participe aux échanges et au traitement des données.

Ce type de réseaux apporte des avantages en termes financier, matériel et organisation du travail que l'on peut énumérer ainsi :

- Le partage des périphériques permet à un ensemble d'utilisateurs d'accéder à une ressource unique. Par exemple une imprimante laser couleur, un graveur de CD-Rom ou encore un scanner.
- Le partage des logiciels, dont le principe est qu'un seul poste installe une application et les autres l'utilisent en même temps. Ceci peut représenter un avantage financier non négligeable dans la mesure où il est possible d'acheter des licences multi-utilisateurs et faciliter l'installation de ces logiciels. Un seul poste devra être installé et les autres travailleront à distance.
- Le partage des données représente aussi un élément important. L'intérêt réside surtout dans le fait que plusieurs utilisateurs pourront avoir accès à des données mises en réseau. Ce principe est très largement employé sur les fichiers de base de données.
- La fiabilité est un facteur à prendre en compte. Il existe des possibilités de dupliquer des disques afin d'assurer une bonne sécurité.
- La tolérance aux pannes et aux incidents. Des systèmes de sauvegarde sur bandes sont souvent mis en place afin d'assurer la restauration du système en cas de panne. La duplication des informations sur des serveurs de sauvegarde permet de continuer à travailler si le serveur principal est en panne.

- Des passerelles, permettant d'utiliser le fax, la messagerie électronique interne ou encore le réseau Internet, peuvent être mises en place. Ces outils s'avèreront précieux pour la communication interne et externe.

Le réseau étendu

C'est celui que l'on nomme WAN (Wilde Area Network). Il couvre une région géographique étendue et permet d'interconnecter plusieurs sites d'une entreprise. Ces connexions seront établies par l'intermédiaire de lignes téléphoniques ou de lignes RNIS que nous avons abordées dans le chapitre consacré aux modems.

Ce type de réseau impose une mise en œuvre précise, du matériel et des techniques coûteuses. Nous nous contentons ici de vous le citer. Le reste de ce module sera plutôt consacré au réseau LAN ainsi qu'à l'Internet.

Les types de réseaux locaux

Un réseau local peut être mis en place suivant deux structures différentes. L'une d'entre elles est appelée réseau centralisé et l'autre le point à point. Le choix de l'une ou l'autre solution aura des répercussions sur vos possibilités de travail.

Le réseau centralisé

Ce type de réseau fonctionne suivant le principe du client/serveur. Il offre l'avantage de ne pas limiter le nombre de postes connectables et propose un environnement sécurisé. Il implique la mise en place d'un serveur sur lequel sera installé le système d'exploitation de réseau. Ce serveur prend en charge la partie sécurité et la validation des partages des ressources. Les postes clients sont les PC des utilisateurs qui se connectent au réseau à l'aide d'un logiciel client.

Le point par point

Dans cette configuration, chaque poste peut être client ou serveur. Il n'existe aucune notion de sécurité car il n'y a pas d'administrateur. Chaque utilisateur décide de partager ses ressources. Ce type de réseau ne nécessite pas l'installation d'un logiciel serveur et représente une solution économique. Attention, dans ce cas chaque poste est mis à contribution au cours du trafic réseau. On estime qu'il est raisonnable de limiter ce type de réseau à une vingtaine de postes maximum. Au-delà, les performances en termes de vitesse se trouveront très limitées.

La topologie des réseaux locaux

A n n e a u

E t o i l e

- *Le réseau en étoile*
- *Le réseau en bus*
- *Le réseau en anneau*

B u s

La topologie d'un réseau décrit la structure générale des supports ou du câblage qui relie tous les éléments ensemble. Elle inclut également la nature du flux de données qui le traverse. Il existe trois types de topologies à l'heure actuelle.

Réseau en étoile

Dans cette topologie, chaque poste est relié à un point central que l'on nomme un concentrateur (ou Hub). Celui-ci centralise les données circulant sur le réseau et les distribue à leur destinataire. Ce système permet de diagnostiquer facilement un incident et ne bloque pas l'ensemble du trafic s'il existe un problème sur un poste donné. Dans la pratique, lorsque le nombre de postes est important, on multiplie le nombre de concentrateurs que l'on va relier entre eux. Ceci va augmenter la vitesse du trafic dans la mesure où chaque concentrateur va prendre en charge un nombre limité de postes.

La communication Ethernet

.Sur ce type d'organisation, on utilise un système de communication nommé Ethernet. Cette technique utilise une méthode à accès multiple qui repose sur la détection de porteuse et de collisions. La carte réseau procède à la détection de la porteuse et attend une période de silence sur le câble pour émettre des données. Lorsque plusieurs postes tentent d'envoyer des données, ils utilisent tous la même méthode. La carte réseau opère la détection de collisions afin de déterminer si le message en transit a rencontré des problèmes. Dans ce cas, une période d'attente est mise en place afin d'éviter que plusieurs postes réalisent la transmission au même moment. On utilise du câble à paire torsadée non blindée sur un réseau répondant à la norme 10baseT dont la capacité de transmission maximale est de 10 Mb/seconde. La longueur du câble est aussi limitée.

La communication Fast Ethernet

Une technologie appelée Fast Ethernet repose sur la même technologie mais permet de transférer des données à la vitesse de 100 Mb/seconde si l'on utilise du câble à paire torsadée de catégorie 5

La communication Gigabit Ethernet

La dernière évolution de ce type de communication réseau a été baptisée Gigabit Ethernet et offre un débit de transfert de donnée à 1000 Mb/s. Elle nécessite une carte réseau compatible et du câble à paire torsadée de catégorie 5e et supérieur ou encore du câble en fibre optique.

Réseau en bus

Cette architecture repose sur un fil unique et continu sur lequel sont reliés les postes utilisateurs. Il faut équiper ce type de réseau par des terminaisons à chaque extrémité pour assurer une continuité. Il n'offre aucun point de distribution et un poste qui provoque un incident réseau peut bloquer tous les autres.

La communication Ethernet

Utilise également la communication Ethernet. Les cartes réseau sont reliées à l'aide de câble coaxial fin pour les réseaux répondant à la norme 10base2 et de câble coaxial épais pour la norme 10base5.

Ce système est adapté aux réseaux de petite taille fonctionnant en point à point.

Réseau en anneau

Ce type de réseau est constitué d'une boucle fermée 'l'anneau logique' à laquelle sont reliés les postes de travail et les serveurs. Sa particularité est qu'il permet de relier divers systèmes et matériaux. Particulièrement adapté aux environnements hétérogènes, il est plutôt coûteux et peu choisi dans des structures de petite ou de moyenne taille.

La communication à jeton

Son système de communication évite les collisions en vérifiant qu'un seul poste accède au réseau à la fois. Un numéro de séquence est attribué à chaque dispositif, à mesure qu'il accède au réseau. Le réseau autorise l'accès à chacun d'entre eux à l'aide d'un jeton. Ce jeton unique est attribué à un dispositif qui fait appel au réseau, une fois la communication terminée, le jeton passe au dispositif suivant.

Le type de réseau le plus courant à utiliser ce principe est le réseau FDDI (Fibre Distributed Data Interface) à fibre optique. La vitesse de transfert des données peut atteindre 1 Gb/seconde. Un système FDDI complet repose sur deux anneaux en fibre optique. Si le premier tombe en panne, les données passent par le second tout en assurant la continuité du trafic. Ceci évite les pannes bloquantes.

Token ring

Ce standard d'IBM qui représente un réseau en anneau à jeton peut être mis en œuvre sur un réseau en anneau, mais on utilise plus souvent des unités d'accès multi-station (MAU) qui sont des équipements de type concentrateurs. Les unités MAU sont reliées directement à l'anneau et les postes de travail se connectent aux ports de ces unités.

Le câblage réseau

> - *Le câble à paires torsadées*
> - *Le câble coaxial*
> - *Le câble en fibre optique*

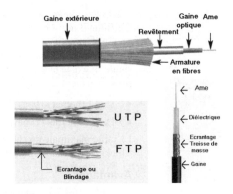

Le câble fait partie des éléments essentiels du réseau. En fonction du budget et du trafic réseau supposé, on trouve plusieurs solutions. Il est à noter que la vitesse de transmission des données dépend énormément du câble. Il existe principalement trois sortes de câbles couramment utilisés.

Le câble à paire torsadée

Ce câble est constitué de deux fils isolés enroulés l'un autour de l'autre. On peut utiliser une ou plusieurs paires pour constituer un câble. La plupart d'entre eux ne sont pas protégés, il s'agit alors de câbles non blindés. La plupart des réseaux locaux utilisent ce type de câble. Comme pour le reste des équipements, il existe des avantages et des inconvénients que l'on peut résumer ainsi :

Avantages

Les systèmes téléphoniques utilisent ce même type de câbles dans les bâtiments pré-équipés. Les paires inutilisées peuvent servir au réseau. De plus, c'est un câble économique et facile à installer.

Inconvénients

Ce câble est sensible aux interférences électromagnétiques et aux écoutes clandestines. Il ne permet pas les transferts sur longue distance (la limite est de 100 mètres).

Les catégories de câbles à paires torsadées

En pratique, le câble est connecté au PC par un connecteur de type RJ45 puis vers une prise murale. De là, le câble court vers un point de communication où il se branche à un panneau de raccordement. Un cordon relie ensuite ce panneau à un concentrateur. Il existe plusieurs catégories de câbles à paires torsadées que l'on répertorie ainsi :

Catégorie	Caractéristiques techniques
Catégorie 3	Débit de 10 Mb/seconde Communication Ethernet 10 baseT
Catégorie 4	Débit de 16 Mb/seconde Communication anneau à jeton
Catégorie 5	Débit de 100 Mb/seconde Communication Fast Ethernet, ATM
Catégorie 5e	Débit de 1000 Mb/seconde Communication Gigabit Ethernet

Le câble coaxial

Il est constitué de deux conducteurs qui partagent le même axe. En son centre, il est constitué d'un fil de cuivre entouré d'une mousse plastique isolante. Autour de cette première structure, on trouve un deuxième conducteur (souvent nommé le conducteur externe) et un maillage tubulaire. La gaine extérieure du câble est en plastique isolant rigide. Il existe là aussi plusieurs types de câbles coaxiaux. On en trouve principalement deux types sur le marché.

* Thin Ethernet (10base2 ou Thinnet)
* Thick Ethernet (10base5 ou Thicknet)

La taille maximale du câble est de 185 mètres pour Thinnet et de 500 mètres pour Thicknet. Il existe une limite de trente connexions par segment de câble

Avantages

Ce câble offre une compatibilité et une interopérabilité des matériaux différents. Il présente une bonne résistance aux interférences électromagnétiques. C'est un câble lourd et solide offrant une meilleure résistance physique.

Inconvénients

Ce câble reste sensible aux écoutes clandestines. Les Thick Ethernet sont lourds, encombrants et onéreux.

Le câble à fibre optique

La fibre optique est constituée de filaments de plastique ou de verre photoconducteurs. Placée au centre d'un tube épais formant un revêtement protecteur, la fibre optique est protégée par une gaine extérieure résistante. Tout comme les autres, il existe des variantes de câbles, dont la différence est marquée par leur diamètre.

Contrairement aux autres, ce câble n'est pas sensible aux interférences électromagnétiques et aux écoutes clandestines et peut être utilisé sur une grande longueur (jusqu'à deux kilomètres sans avoir à équiper le système de répéteurs).

La carte réseau

- *Installation et configuration de la carte réseau*
- *Les connecteurs*

Une carte réseau est nécessaire pour relier le PC au réseau. Exactement comme pour les autres cartes, celle-ci peut être de type ISA, PCI, SCSI… Avant de vous procurer une carte, vérifiez sur quel type de bus elle sera connectée. Nous avons traité ces différents aspects techniques plus haut dans cet ouvrage.

Chaque carte réseau possède une adresse MAC sous forme d'une valeur hexadécimale qui lui est propre. Cette adresse garantit la réception d'un message à destination.

Installation de la carte réseau

L'installation physique de la carte réseau se fera de la même manière que pour n'importe quelle carte. Nous avons consacré tout un chapitre aux cartes d'extension que nous vous invitons à consulter. Il est entendu ici, qu'après l'installation, il faudra raccorder le PC avec les autres par du câble.

En effet, vous pouvez choisir de l'installer par l'intermédiaire du programme d'installation fourni avec la carte ou alors laisser Windows s'en charger. L'avantage d'utiliser cette méthode, est que Windows essaiera de détecter votre carte et d'installer son pilote. En effet, Windows est fourni avec un certain nombre de pilotes. Un autre avantage réside dans le fait que dans une même interface, Windows vous donnera la possibilité d'installer tous les composants réseaux nécessaires en même temps.

Configuration de la carte

Au même titre que les autres cartes, il vous faudra lui affecter des ressources disponibles sur le système. Pour mémoire rappelons que suivant les cartes, elles peuvent exiger tous, quelques-uns ou aucun des paramètres suivants :

- IRQ
- Port E/S
- Adresse mémoire
- Canal DMA

Note : certaines cartes sont équipées de puces ROM appelées "mémoire morte d'amorçage" permettant de contrôler le poste de travail au démarrage. A la première mise en route du PC, cette mémoire va charger le système d'exploitation à partir du réseau. Cette technique est surtout utile dans le cas où la station de travail ne contient aucune unité de disque. Cette mémoire s'active ou se désactive à l'aide d'un cavalier sur la carte réseau ou à l'aide d'un programme fourni avec la carte.

Il faudra également prendre en compte le type de connecteur présent sur la carte pour la relier avec le PC au moyen du câble. En effet, certains types de câbles utilisent des connecteurs spécifiques et certaines cartes réseau possèdent plusieurs connecteurs. Il faudra penser à configurer ce paramètre. Là encore, certaines cartes peuvent détecter automatiquement le connecteur utilisé et désactiver les autres alors que pour d'autres, cette opération se fait à l'aide du logiciel de configuration. Les cartes les plus anciennes exigeront que l'on règle un cavalier ou un commutateur DIP pour définir le connecteur à utiliser.

Les connecteurs

En règle générale, le connecteur utilisé dépend du type de câble et du format de communication employé sur le réseau. Bien que le type RJ45 soit très largement choisi sur le marché, il existe une variété de connecteurs dont voici les principaux :

Type	Câble réseau	Communication
BNC	10base2 – connecteur en T pour câble coaxial fin	Ethernet
RJ45	10baseT/100baseTX/1000baseT et TokenRing – connecteur pour câble à quatre paires torsadées blindé (8 fils)	Ethernet, Fast Ethernet, Gigabit Ethernet et anneau à jeton
RJ11	Connecteur pour câble à deux paires torsadées	Réseau téléphonique
AUI	10base5 – connecteur 15 broches pour câble coaxial épais	Ethernet *
Fibre optique	10baseF/100baseFX/1000baseX – connecteur pour câble à fibre optique. Trois variables existent : SC – ST/STII – FSMA	Tout support

Extension d'un réseau local

- *Les répéteurs*
- *Les ponts*
- *Les routeurs*
- *Les passerelles*

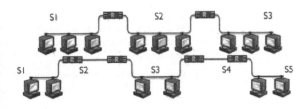

Ces éléments sont utilisés pour étendre la portée d'un réseau local et ne sont pas indispensables. Il peut cependant être judicieux de faire appel à eux pour un meilleur confort et une optimisation de la communication réseau.

Les répéteurs

Ils sont intégrés dans un réseau dans le but d'accélérer ou de régénérer un signal. Ce dispositif s'utilise en général sur un réseau ThinNet lorsqu'il est nécessaire de prolonger un câble au-delà de 185 mètres (c'est sa portée maximale).

Sur les réseaux Ethernet, ce sont les concentrateurs qui prennent en charge la fonction du répéteur, ce qui permet d'étendre la portée d'un câble à paires torsadées à 100 mètres dans n'importe quelle direction à partir du concentrateur.

Les segments de réseau reliés par un répéteur font partie du même réseau et auront la même adresse réseau.

Attention, le nombre de répéteurs connectables à un réseau est limité. Le maximum utilisable sur un réseau Ethernet est de cinq segments reliés à l'aide de quatre répéteurs. Les stations ne pouvant alors se connecter qu'à trois segments dans la mesure où les deux autres seront utilisés pour étendre la distance d'accès.

Les ponts

Un pont permet l'échange de données entre deux ou plusieurs segments d'un réseau. L'ensemble de ces segments forme alors un réseau logique.

Un pont peut se révéler très utile pour diviser un segment trop grand en deux. Le pont relie les deux et garantit l'échange de données entre deux postes de travail se trouvant sur un segment différent. Ceci aura pour effet de réduire le trafic dans une zone. En effet, si les échanges de données se produisent sur des stations faisant partie du même segment, le pont ne sera pas employé et le trafic de l'autre segment ne sera pas surchargé.

Certains ponts sont conçus pour relier deux réseaux de même type, alors que d'autres permettent de communiquer entre deux ou plusieurs réseaux hétérogènes ou encore assurer la conversion de données.

Les routeurs

Un routeur a le même rôle qu'un pont mais offre plus de fonctionnalités. Basé sur le même principe, il permet de relier deux sous réseaux distants (qui peuvent être également de types différents). Chaque sous réseau possède une adresse réseau distincte. Lorsque les données sont envoyées vers un autre sous réseau, celles-ci contiennent l'adresse du réseau de destination.

Pour permettre cet échange, le réseau doit utiliser un protocole routable, ce qui n'est pas le cas de tous (NetBeui ne l'est pas). Les routeurs fournissent des connexions de base Internet, les données peuvent ainsi emprunter différents chemins avant d'arriver au destinataire. Lorsque les données transitent à travers plusieurs sous réseaux, le routeur choisira le chemin sur lequel il y a le moins de trafic, ce qui permet d'éviter les encombrements.

Certains dispositifs intègrent les fonctions de pont et de routeur. Dans ce cas, en fonction de la demande, il sera capable de choisir l'une ou l'autre des techniques pour acheminer les données.

Notez que si vous utilisez le protocole TCP/IP, le terme de passerelle est utilisé en lieu et place du terme routeur. Ne confondez pas ces deux notions.

Les passerelles

Une passerelle est une station de travail ou un dispositif particulier qui convertit des données entre deux systèmes de réseau totalement différents. Par exemple, il sera utilisé pour transférer des données d'un PC vers une station ou un serveur gros système (UNIS, IBM…). Une passerelle travaille plus lentement qu'un routeur ou qu'un pont car elle convertit avant de transférer.

Le réseau Internet

- *Historique*
- *Principe de fonctionnement*

L'Internet représente en fait le plus grand réseau mondial. Il est constitué de plusieurs milliers de réseaux (locaux et étendus) et d'ordinateurs disséminés à travers le monde. Ce réseau peut être constitué de plusieurs types d'ordinateurs, qu'ils soient des PC, des Macintosh, des stations de travail organisées en réseau sous Unix, des ordinateurs portables ou tout autre matériel informatique. Il n'y a pas non plus de restrictions en ce qui concerne le système d'exploitation employé. En fait, si le poste est connecté au réseau Internet, il est capable de recevoir et de donner des informations à travers le monde.

L'Internet contient un volume gigantesque d'informations (plusieurs Téra-octets, soit plusieurs millions de Mo) qui sont pour la plupart gratuites et disponibles au public de façon permanente. Il y en a pour tous les goûts et dans tous les domaines, tels que le sport et les loisirs, les informations techniques, les échanges commerciaux, et bien d'autres encore. Chaque information possède un nom appelé URL qui contient tous les renseignements techniques nécessaires à son accès.

Historique d'Internet

Le principe est mis au point en 1969 aux États-unis : création de laboratoires militaires américains, le premier réseau informatique, Arpanet, a avant tout un rôle de défense : il devait sauvegarder les données informatiques indispensables en cas d'attaque nucléaire. Un grand pas est fait en 1986 quand la NASA et la National Science Foundation décident de connecter entre eux les serveurs de toutes les universités américaines.

Au début, Internet n'est accessible qu'aux universités et aux grandes entreprises. L'interface ne propose que du texte et est donc très peu conviviale. C'est au début des années 90 qu'Internet va connaître un formidable essor avec l'arrivée du Web : pour la première fois Internet présente une interface graphique interactive, simple, conviviale et rapide.

Il est toutefois important de signaler qu'au niveau de la sécurité des données, il n'existe aucune garantie. Le réseau étant complètement public, il y aura toujours des petits malins pour pirater des données. Si vous devez faire circuler des informations sensibles, il est toujours possible d'utiliser certains outils de codage des documents et des mots de passe et d'autres paramètres de sécurité.

Principe de fonctionnement

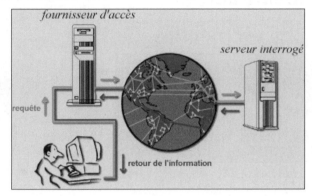

- L'utilisateur demande une information contenue sur un serveur distant.
- Sa requête est transmise au fournisseur d'accès qui va interroger le serveur en question par le réseau pour y puiser l'information recherchée.
- Le fournisseur d'accès retransmet à l'utilisateur l'information reçue du serveur distant.

Le processus qui consiste à transférer des fichiers à travers le réseau par le protocole TCP/IP n'est pas si simple. Afin de permettre un transfert optimisé et de qualité, tout fichier à transférer est découpé en petits paquets qui contiennent chacun l'adresse de leur destinataire. Ces paquets circulent sur le réseau dirigés par ses noeuds (les routeurs) selon des chemins plus ou moins différents, pour reconstituer à leur arrivée le fichier initial.

De la sorte, une information située sur un serveur éloigné géographiquement mettra plus de temps pour être recueillie, car elle passe par plus de nœuds, plus de chemins, et a plus de chance de côtoyer des sections encombrées du réseau.

Les services

- *Le World Wide Web*
- *Le courrier électronique*
- *Les forums de discussion*
- *Le téléchargement de fichier*
- *Le téléphone et la visioconférence*

Le succès d'Internet repose sur les services apportés, il en existe une grande variété, et là encore, la variété satisfait le plus grand nombre. Nous vous proposons ici de découvrir les principaux.

Le World Wide Web

Ce service que l'on appelle souvent le Web, est le plus répandu et le plus vaste. Il permet l'accès à une grande quantité d'informations qui sont le plus souvent gratuites (hors coût des communications téléphoniques) et disponibles de façon permanente. Deux éléments composent le Web.

Le serveur Web

Il contient les informations sous forme de pages qu'il met à disposition de l'utilisateur connecté. Elles sont générées à partir d'un langage de description de page appelé HTML (Hypertext Mark-up Language) qui permet d'utiliser des commandes pour formater le texte à l'écran. Le grand intérêt de ce langage est qu'il supporte des extensions multimédias comme le son, la vidéo, les graphiques, les images.

Le navigateur

C'est l'outil qui vous permet d'accéder aux informations sur le serveur. Il a pour rôle d'extraire et d'afficher des informations au format HTML (extension de fichiers .htm). Il existe de nombreux logiciels sur le marché, mais Internet Explorer et Netscape Navigator sont les plus utilisés sur le marché. La plupart des explorateurs fournissent également les outils pour accéder aux autres services comme la messagerie électronique ou les forums de discussion.

Le courrier électronique

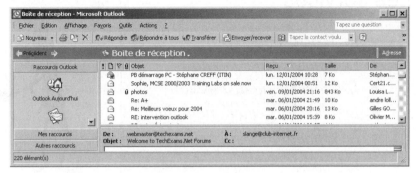

C'est le plus populaire des services et le plus couramment rencontré dans les entreprises. Il permet d'envoyer des messages de type texte (en format ASCII) et de joindre des documents vers n'importe quelle destination. Le principe ressemble à un service postal. Chaque utilisateur possède une adresse que l'on appelle e-mail et qui est reliée à un serveur de courrier. Le courrier est remis dans la boîte postale du destinataire jusqu'à ce qu'il vienne l'extraire. Il ne manque plus que le facteur !

Deux protocoles sont utilisés pour la messagerie électronique :

- SMTP, qui transporte les messages vers le serveur.
- POP3, qui permet au destinataire de le réceptionner.

Ce service peut transporter n'importe quel type de document sous forme de pièce jointe et la vitesse de transfert est impressionnante. Il constitue de nos jours un moyen de communication essentiel pour les échanges internationaux. Son coût est aussi un facteur non négligeable. La connexion se paie sur la base d'une communication téléphonique locale avec le fournisseur, il faut aussi acquitter un abonnement.

Les forums de discussion (USENET)

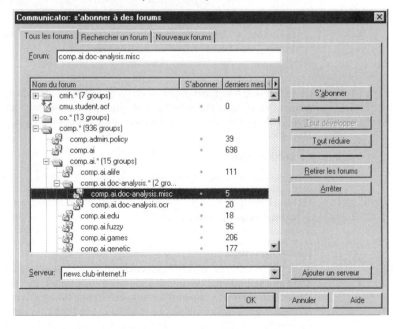

Ils sont constitués d'articles envoyés par des utilisateurs et accessibles par un lecteur d'information (souvent intégré au Web). Ces articles sont organisés sous forme de groupes hiérarchisés en sous-groupes. Ils apportent la possibilité de créer des points de rencontre où les utilisateurs dialoguent autour d'un sujet.

La convention veut que les règles, les restrictions et les sujets de discussion soient écrites dans un message appelé FAQ (Frequently Asked Questions, ou Foire Aux Questions). Très souvent, si le groupe d'information est important, les questions que vous désirez poser se trouvent dans cette information. Cela permet de ne pas encombrer inutilement le groupe d'informations répétitives.

Il existe une série de catégories dans lesquelles sont classés les groupes afin de faciliter la recherche en vue d'un abonnement. Ils sont identifiés par les lettres précédant le nom du sous-groupe. Par exemple, **comp** regroupe des informations à propos d'ordinateurs et de logiciel, alors que **rec** concerne les loisirs ou encore **sci** concerne les sciences. Prenez le temps d'explorer les groupes d'information avant de vous abonner.

Les serveurs de groupes utilisent le protocole NNTP (Network News Transfert Protocol) pour transférer les informations. Ce protocole prend en charge les requêtes, la réception et l'envoi d'informations. De nombreux explorateurs contiennent un lecteur de groupe d'informations intégré. Il est cependant toujours possible de télécharger à partir du Web des logiciels dédiés à la lecture de groupes d'informations. Certains d'entre eux vous permettent de travailler hors ligne, offrant la possibilité de télécharger les en-têtes et le contenu des messages pour les exploiter hors connexion.

Le transfert de fichiers

Le protocole FTP (File Transfer Protocol) assure la prise en charge du transfert des fichiers sur l'Internet. Il présente le grand intérêt d'être utilisable sur n'importe quel système informatique. C'est le protocole employé pour le téléchargement de logiciels à partir d'un site Web.

La plupart des explorateurs sont équipés du service FTP, il est toujours possible de télécharger ce service et des versions différentes à partir d'un site Web.

Chaque fois que l'on utilise FTP pour transférer un fichier, vous vous connectez au poste distant. La plupart des sites FTP fournissent un compte utilisateur baptisé "anonyme" pour lequel la connexion se fait par l'intermédiaire de l'adresse électronique qui fait office de mot de passe de l'utilisateur.

L'IRC (Internet Relay Chat)

C'est une plate-forme de discussion directe, en temps réel, qui permet à plusieurs utilisateurs de dialoguer simultanément. Chaque personne écrit un message qui est transmis sur l'une des lignes composant l'IRC. Il est possible de visualiser plus de deux mille lignes à tout moment. La souplesse de cet utilitaire est tel que l'on peut s'intégrer à une discussion à n'importe quel moment et répondre à des questions précédemment posées. L'IRC nécessite l'installation d'un logiciel particulier disponible sur Internet

Le téléphone sur Internet

Le principe de ce service est exactement le même que sur un réseau téléphonique classique. On peut envoyer et recevoir des communications téléphoniques. La différence réside surtout dans le prix. En effet, en passant par l'Internet, vous pouvez « téléphoner » n'importe où dans le monde pour le prix d'une communication locale lors de l'établissement de la connexion avec votre fournisseur.

Il n'existe actuellement aucune norme, les participants doivent donc être synchronisés sur le logiciel utilisé à chaque bout de la connexion. Certains d'entre eux ne fonctionnent qu'avec un combiné téléphonique spécifique alors que d'autres (en fait la plupart) peuvent se servir de la carte son, du micro et des haut-parleurs existants sur le PC.

La visioconférence

Ce service utilise la même technologie que l'IRC. La visioconférence établit des connexions entre les utilisateurs et permet de transférer le son et des images télévisuelles. Cette technique nouvelle est limitée par les performances du fournisseur. La bande passante disponible sur Internet est un facteur déterminant. A suivre…

Le protocole TCP/IP

- *Généralités*
- *L'adresse IP*
- *Le masque de sous-réseau*
- *Configurer TCP/IP sous Windows 98*

Généralités

Toute la communication Internet est basée sur le protocole TPC/IP, c'est l'élément clé de ce réseau mondial. Contrairement à ces prédécesseurs, il contourne les problèmes liés à l'utilisation des circuits directs. Lorsque deux ordinateurs se connectaient, une voie de communication directe était établie entre eux. Si le circuit était coupé, la communication était rompue et les données perdues.

Principe de fonctionnement

Le principe de fonctionnement de ce protocole est tout à fait différent. Les données à transférer sont découpées en morceaux que l'on appelle des paquets. Chaque paquet contient des informations concernant l'expéditeur et le destinataire. Chacun d'entre eux prendra un chemin à travers la toile qui peut varier selon l'encombrement du réseau. A l'arrivée, chaque paquet reprend sa place d'origine et les données sont intégralement reconstituées en bout de chaîne.

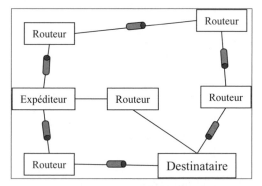

Ce schéma illustre la façon dont les paquets de données peuvent circuler depuis un expéditeur vers un destinataire. Si l'on expédie à nouveau ces données, elles pourraient prendre un chemin différent. On attribue généralement une durée de vie appelée TTL (Time To Live) à un paquet de façon à ce qu'il n'erre pas inutilement sur le réseau.

L'adresse IP

Chaque ordinateur est identifié par une adresse unique que l'on appelle une adresse IP. Elle est composée d'un numéro binaire 32 bits. Elle permet notamment d'identifier le destinataire d'un message électronique lors d'un transfert.

Ce numéro 32 bits est ensuite converti en quatre sections de huit chiffres décimaux séparés par des points. Par exemple :

```
192.108.250.8
```

Chaque série peut recevoir une valeur allant de 0 et 255, hormis quelques valeurs réservées, ce qui représente plus de 4,2 milliards de possibilités.

L'affectation des adresses IP est gérée par un organisme nommé l'InterNIC. Dans la pratique, une entreprise qui a besoin d'adresses IP reçoit une série de numéros de départ en fonction du nombre de postes à définir. Elle est ensuite libre de définir le ou les séries de chiffres non reçus. Ces adresses sont regroupées sous le nom d'adresse réseau.

192.	Permet de définir les trois autres séries (16,5 millions).
192.108	Permet de définir les deux autres séries (65 000).
192.108.250	Permet de définir la dernière série (255).

Masque de sous réseau

Le masque de sous réseau est utilisé pour masquer une partie de l'adresse IP et déterminer l'adresse du réseau. Il est défini sous la forme d'une adresse qui utilise la valeur 255. Par exemple :

`255.255.0.0`

Les ordinateurs dont l'adresse IP commencera par les deux mêmes séries de chiffres font partie du même réseau logique.

Configuration du protocole TCP/IP

Lorsqu'un PC individuel utilise TCP/IP, aucune adresse IP ne lui est attribuée. Le protocole TCP/IP est installé et configuré de telle manière que l'utilisateur n'intervient pas sur les paramètres. Cependant, dans un réseau d'entreprise où l'on a reçu un début d'adresse, il faudra régler les paramètres suivants :

Configuration de l'IP

Automatique ou spécifier l'adresse IP. Le serveur Windows NT intègre maintenant le logiciel DHCP (Dynamic Host Control Protocol) capable d'attribuer une adresse IP automatiquement parmi celles utilisables.

Configuration Wins

Wins fournit un mécanisme permettant de convertir les noms d'ordinateurs en adresses IP. Lors d'une communication réseau, le nom UNC d'une ressource partagée doit être converti en adresse IP du serveur avant de pouvoir établir la connexion. Un serveur Wins possède une adresse IP qui lui est propre. Vous pouvez déclarer ici un serveur Wins primaire et un secondaire. Le logiciel DHCP permet aussi l'attribution de ces paramètres automatiquement.

Configuration DNS

Le DNS (Domain Name Server) est un serveur de noms de domaine. Son rôle consiste à convertir les noms d'ordinateurs TCP/IP inclus dans les adresses électroniques et les URL. Il faudra configurer cet élément en indiquant l'adresse IP du serveur DNS primaire et du serveur DNS secondaire. En effet, les fournisseurs d'accès possèdent deux serveur afin d'assurer la tolérance aux pannes.

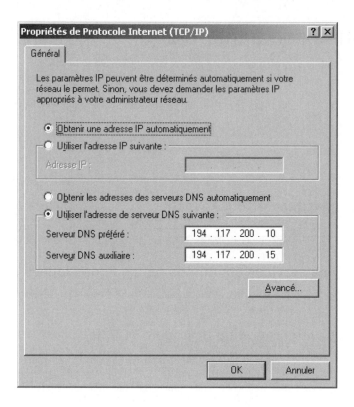

Connexion à Internet

- *Les services commutés ou les lignes louées*
- *Les prestataires de services*
- *La configuration de la connexion*

Les services commutés ou les lignes louées

Il existe deux catégories de connexions Internet, les services commutés utilisant un modem et une ligne téléphonique ou les connexions permanentes utilisant des lignes louées.

Les services commutés

C'est la meilleure solution pour les utilisateurs individuels ou les entreprises qui utilisent l'Internet de manière occasionnelle. Ce support est simple à mettre en place et reste très économique. Il nécessite une ligne téléphonique analogique standard et un modem dont la vitesse de transfert peut varier de 14,4 Ko/seconde à 56 Ko/seconde.

Il existe aussi la possibilité d'utiliser un circuit numérique RNIS. Ce support utilise une technologie permettant d'optimiser la vitesse de transfert à 128 Ko/seconde.

L'ADSL (Asymetric Digital Subscriber Line), en français Réseau de Raccordement Numérique Asymétrique, est une technologie permettant de faire passer de hauts débits sur la paire de cuivre utilisée pour les lignes téléphoniques de la Boucle Locale. Grâce à l'installation d'un filtre, cette technologie permet d'allouer aux données une bande de fréquence différente de celle utilisée par le téléphone. Ainsi, vous pouvez téléphoner et vous connecter à l'Internet en même temps. Le fournisseur d'accès proposant le service ADSL installe des équipements de liaison vers leurs serveurs dans les centraux téléphoniques de France Télécom que l'on nomme des NRA (Nœud de Raccordement d'Abonné). Le fournisseur d'accès se relie au réseau téléphonique au moyen de répartiteurs appelés DSLAM (Digital Suscriber Line Access Multiplexer). A l'autre extrémité de la ligne on installe ensuite un modem chez l'abonné.

Le dégroupage total

Depuis peu de temps, certains fournisseurs d'accès offrent un accès en dégroupage total. Le principe est le même que lui de l'ADSL d'un point de vue technique. La principale différence si situe dans la prise en charge de l'entretien de la ligne. En effet, dans le cadre d'un dégroupage partiel, l'opérateur historique de la ligne ne loue d'une partie de la fréquence et continue de prendre en charge la gestion de la ligne. Par conséquent, l'abonnement sera toujours facturé à l'abonné. Par contre, dans le cas d'un dégroupage total, la totalité des services de la ligne est loué au fournisseur d'accès. Il lui appartient alors d'entretenir l'installation et d'en répercuter le coût sur l'abonnement proposé.

Les lignes louées

Elles connaissent un certain succès dans les entreprises désirant utiliser une connexion permanente sur Internet. Elles sont composées de circuits numériques à connexions permanentes capables d'optimiser la vitesse de transfert des données à 1,544 Mo/seconde et bien plus suivant le niveau de service loué.

Le prestataire de service

Il constitue l'intermédiaire entre Internet et l'utilisateur. Il fournit la liaison vers et depuis le réseau. Lorsque l'on se connecte, le numéro d'appel est celui du fournisseur qui a la charge d'accéder au site que vous souhaitez visiter et d'importer les informations jusqu'à votre PC. A l'origine, les prestataires de services se divisaient en deux catégories. L'évolution du marché les pousse maintenant à intégrer l'ensemble des fonctionnalités des deux catégories.

Prestataires de services en ligne

Ils proposent un accès à des services variés dans leur propre réseau mais ne permettent pas de se connecter sur Internet. Certains prestataires de services fournissent aujourd'hui un accès complet à Internet en plus de leurs services.

Prestataires de services Internet

A l'inverse, ils proposent une connexion vers et depuis Internet mais ne proposent aucun service interne. Le choix d'un prestataire de services doit tenir compte de plusieurs facteurs qui peuvent se résumer ainsi :

- Le prix, qui regroupe la location, les frais de connexion et l'échelle des tarifs.
- Les services en ligne, la possibilité de créer des sites Web, la sécurité.
- La bande passante, qui détermine le volume de données que peut traiter votre prestataire de services. Celui-ci dispose d'un accès direct à Internet ou utilise la bande passante d'un fournisseur plus important.
- L'assistance utilisateur.
- L'aide à la configuration du réseau et la qualité des programmes d'installation.

Noms de domaine

La communication entre l'ordinateur et le serveur de données sur lequel on est connecté se fait souvent au moyen de l'adresse IP. Ce type d'identifiant n'étant pas très pratique à utiliser et à mémoriser, une méthode alternative d'adressage appelée FQDN (Fully Qualified Domain Name) qui signifie Nom de domaine entièrement qualifié.

Techniquement, un ensemble de bases de données liées les unes aux autres a été mis en place pour fournir un index croisé entre les noms de domaines et les adresses IP. Elles sont fournies par des serveurs de nom de domaine appelés des DNS (Domain Name Servers).

Structure des noms de domaines

L'organisation d'une telle masse de données nécessite une structure et une hiérarchisation des informations. Chaque partie d'une adresse contient un nom DNS fournissant son adresse IP. La lecture d'un nom de domaine se fait plus facilement de droite à gauche. Les informations sont de plus en plus précises. Prenons un exemple :

`http://www.assistance.masociete.com`

information	Hiérarchie
com	Nom de domaine de haut niveau. Il indique la nature de l'organisation ou le pays
masociete	Sous domaine. Il identifie une société ou un individu. Il doit être unique et enregistré officiellement

assistance	Domaine local. Il contient souvent un nom de service d'une société
www	Indique qu'il s'agit d'un site Web

L'URL (Uniform Resource Locator)

Les informations disponibles sur Internet sont identifiées par l'intermédiaire d'une information appelée URL qui permettra aux utilisateurs d'accéder à cette page. C'est une sorte d'adresse codifiée composée de trois parties :

`http://www.assistance.masociete.com/accueil/bienvenue.htm`

- Le protocole qui permet d'accéder aux informations. les plus souvent rencontrés sont :

Protocole	Description
http:	URL de protocole de transfert d'hypertexte
file:	Noms de fichiers spécifiques au système
ftp:	URL de protocole de transfert de fichiers
irc:	URL de dialogue Internet
mailto:	Adresse de courrier électronique
new:	URL de groupe d'informations

- Le nom de l'hôte est le nom du système central défini sur le serveur DNS.
- Le chemin d'accès du fichier activé.

Les adresses de messageries

Elle se compose de deux éléments, le nom de l'utilisateur et le nom de domaine. Ils sont séparés par le signe "@".Les adresses électroniques doivent être saisies en minuscules et ne contiennent jamais d'espace. Lorsque l'on va les utiliser, elles doivent être saisies exactement de la même façon (attention au tiret), sinon le message n'arrivera pas.

Exemple :
`jpdupont@wanadoo.fr qui se lit JP Dupont chez wanadoo.fr`

Mise en œuvre d'un réseau domestique

- *Le matériel*
- *Installation du réseau*
- *Les méthodes de partage de connexion*

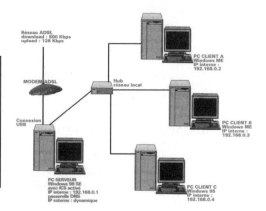

En tant que particulier, voire en tant que petite structure, la mise en réseau de quelques postes de travail se réalise très facilement. Cette solution offre l'avantage d'une technique bien rodée, d'un coût réduit et une mise en place très simple.

Dans la pratique, il s'agit de mettre en œuvre un réseau local sur les bases suivantes :

- Topologie en étoile.
- Câble à paire torsadée.
- Connecteurs RJ45.
- Communication Ethernet ou Fast Ethernet.

Le matériel

Réseau en étoile

Dans le commerce, on trouve aujourd'hui des kits réseau à des prix très abordables. Ils comprennent en principe un Hub (4 ou 8 ports), deux cartes réseau Ethernet équipées de connecteurs RJ45 et deux câbles à paire torsadée prêts à l'emploi.

Attention : cependant aux normes relatives au taux de transfert des données. Si l'on possède déjà une partie du matériel, les cartes, les câbles et le Hub doivent fonctionner sur une norme commune (tous sur 10 Mb/s ou sur 100 Mb/s), ou alors le matériel doit pouvoir s'adapter. La plupart des kits vendus dans le commerce sont appelés 10/100 et peuvent donc fonctionner sur les deux vitesses.

Notez également que dans le cas de l'utilisation d'un Hub, les câbles réseau doivent être non croisés. En ce qui concerne la liaison du modem, le câble peut varier. Nous traitons plus loin ce sujet.

Connexion directe de deux PC

Si les besoins en réseau sont limités à deux PC à connecter ensemble, il existe une solution encore plus simple et plus économique. La technique consiste alors à installer deux cartes réseau (une dans chaque PC) et à les relier directement par un câble à paire torsadée croisée. Cette solution évite l'utilisation du Hub mais limite le réseau à deux ordinateurs seulement.

Installation du réseau

Connexion des ordinateurs

Si l'option choisie consiste à installer un réseau en étoile, la technique est relativement simple. Il suffit de procéder de la façon suivante :

- Brancher le Hub au secteur.
- Installer une carte réseau dans chaque ordinateur.
- Relier chaque ordinateur au Hub à l'aide d'un câble à paire torsadée non croisé.

Connexion du modem

En ce qui concerne le modem, il existe deux façons de le connecter. Le choix de l'une d'entre elles dépend du modem lui-même. Dans la plupart des cas, les fournisseurs d'accès proposent une solution complète en fournissant le modem, le kit de connexion et les paramètres de compte utilisateur. Dans cette option, le modem est relié au PC par un port série ou un port USB. Il n'y a rien de plus à faire en ce qui concerne le réseau.

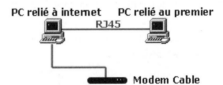

Si vous possédez un modem de type Ethernet, c'est-à-dire équipé d'un câble à paire torsadée et un connecteur RJ45, il faudra alors le relier au Hub comme s'il s'agissait d'un Nœud réseau. Attention, certains Hubs intègrent la fonction Uplink, dans ce cas il faudra utiliser un câble à paire torsadée non croisé. Si le Hub n'intègre pas cette fonction, il faudra alors utiliser un câble à paire torsadée croisé.

Si vous utilisez un modem USB, connectez-le sur l'ordinateur qui servira de serveur de connexion.

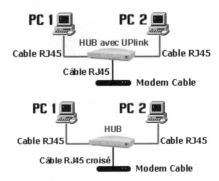

Méthodes de partage de connexion

Dans ce chapitre, nous abordons les grands principes du réseau et du partage de connexion. Nous vous présentons maintenant les deux méthodes pour mettre en œuvre le partage de connexion. Dans la mesure où nous parlons de réseau domestique, nous mettrons en œuvre la première solution.

Attention, avant de mettre en place le partage de connexion, le réseau doit être correctement installé et opérationnel.

L'utilitaire de partage de connexion

Cette méthode est la plus simple, mais surtout la plus économique. Elle est basée sur un outil logiciel intégré au système d'exploitation à partir de Windows 98 SE.

Le principe est qu'un PC fait office de serveur de connexion. On configurera l'accès à l'Internet sur cette machine normalement. Il faudra ensuite installer l'outil de partage de connexion qui transforme votre ordinateur en une passerelle et un serveur DNS. Les manipulations à effectuer vous seront expliquées dans les chapitres consacrés au système d'exploitation.

L'utilisation d'un routeur

Le principal intérêt du routeur est de pouvoir se connecter depuis n'importe quelle machine sans nécessairement connecter une machine serveur. Par ailleurs, le routeur redirige automatiquement les requêtes des machines connectées et ne consomme donc pas de ressources supplémentaires par rapport à une connexion monoposte.

Le principal inconvénient est bien sûr le prix, un routeur de base coûtant environ 300 €. De plus, un routeur doit être paramétré de façon précise.

L'Internet sans fil

* *La norme 802.11*
* *Le matériel*
* *L'assemblage*

Les réseaux sans fil rencontrent un succès grandissant dans le monde du grand public. En effet, avec un peu de matériel et une configuration souple, vous pourrez partager votre connexion à l'Internet entre plusieurs ordinateurs sans avoir à câbler tous les postes.

Dans l'entreprise, on apprécie particulièrement cette technologie nouvelle qui permet à un utilisateur mobile de se connecter au réseau de l'entreprise sans modifier la configuration de l'ordinateur portable.

Nous allons nous pencher plus particulièrement sur l'Internet sans fil adapté à un environnement domestique ou de petite structure d'entreprise.

La norme 802.11

L'IEEE a mise au point une norme réseau dans la continuité du projet 802 qui spécifie les différentes technologies réseau. La norme 802.11 définit donc les spécificités des communications sans fil comme le Blootooth et le Wi-Fi.

Le principe général de cette norme est qu'elle utilise les ondes radio sur la bande passante de 2,4 Ghz et supporte un débit allant jusqu'à 54 Mb/s.

Cette norme se décline en plusieurs versions et présente l'avantage d'offrir une compatibilité en amont. Nous entendons par là qu'un équipement répondant à la norme 802.11g peut communiquer avec un équipement de la norme 802.11b.

L'étendue d'un réseau sans fil varie en fonction de la qualité de l'environnement, à l'extérieur la portée va jusqu'à 160 mètres, alors qu'un l'intérieur elle peut aller jusqu'à 500 mètres. Attention cependant, la capacité à traverser les murs est limitée et engendre une perte de bande passante qui peut descendre jusqu'à 1 Mb/s.

Norme	Fréquence	Débit
802.11a	5 Ghz	54 Mb/s
802.11b	2.4 Ghz	11 Mb/s
802.11g	2,4 Ghz	54 Mb/s

Les structures

La technologie sans fil peut se mettre en place suivant différentes structures. Celles-ci vont avoir une incidence sur la façon dont les équipements du réseau travaillent ensemble. Il existe actuellement trois structures distinctes :

* Le point à point, qui permet à deux ou plusieurs ordinateurs de communiquer ensemble sans nécessiter de point d'accès. Dans ce cadre, il suffit d'équiper les différents ordinateurs de cartes PCI ou d'adaptateurs USB. De nombreux ouvrages et constructeurs de matériel utilisent le terme « Ad-hoc » pour faire référence à cette structure.

- Le point d'accès, qui fonctionne sur la base d'une borne équipée d'une antenne relais permettant à tout périphérique équipé d'une carte réseau ou tout autre périphérique sans fil de communiquer sur le réseau. La portée du point d'accès est plus importante et permet donc de connecter plus de machines sur un périmètre plus large. On parle souvent de mode en fonctionnement en « infrastructure » pour désigner ces réseaux.
- L'extension d'un réseau filaire, qui consiste à intégrer des ordinateurs sans fil à un réseau câblé par l'intermédiaire d'un point d'accès ou un commutateur.

Le matériel

Pour mettre en œuvre l'Internet sans fil, il existe différentes sortes d'équipements. Suivant vos besoins, vous pourrez avoir à choisir entre plusieurs solutions. En fait, en terme de concept, il faudra un routeur ou un modem Ethernet, un point d'accès et un concentrateur pour vous permettre de combiner des accès filaires et des accès sans fil. De nombreux fournisseurs proposent des appareils qui combinent une, deux voire les trois aspects de la connectivité. Nous vous présentons ici les trois solutions possibles :

- Un modem Ethernet connecté sur un concentrateur, un point d'accès sans fil connecté sur le concentrateur et l'utilisation du partage de connexion.
- Un routeur Ethernet, un concentrateur et un point d'accès Ethernet. Dans ce cas, l'utilitaire de partage de connexion ne sera pas nécessaire.
- Un routeur intégrant le point d'accès et le concentrateur.

Dans l'exemple qui suit, nous avons choisi un équipement qui intègre à la fois le routeur ADSL, le point d'accès et le concentrateur. Ainsi, un seul équipement permet de réaliser la mise en place très simplement.

L'assemblage

Le but de notre opération est de connecter le routeur ADSL, un ordinateur par l'intermédiaire d'un câble réseau à paires torsadées de catégorie 5 et un second ordinateur équipé d'une carte réseau sans fil. Voici maintenant une vue arrière des trois éléments ainsi qu'une présentations des câbles et équipements utilisés.

Sur ce modèle, quatre connecteurs RJ45 sont disponibles, il est cependant possible de connecter plus de machines qui utiliseront l'antenne radio pour la communication. Le nombre de machines prises en charge dépend du modèle du routeur.

La technologie ADSL et les capacités du routeurs garantissent la bande passante quelque soit le nombre de connexions concomitantes effectives.

Le routeur

La première étape consiste à installer et connecter le routeur. Pour cela, procéder comme suit :

- Raccorder la prise téléphonique au routeur au moyen du connecteur RJ11 fourni avec le routeur. Attention, veillez à raccorder le filtre ADSL sur votre prise téléphonique et placez la prise du téléphone derrière le filtre. Nous vous rappelons également que tous les équipements connectés sur les prises téléphoniques doivent être équipés de filtres ADSL.
- Branchez ensuite le routeur au secteur avec la prise fournie.

La carte d'extension sans fil

Sur le poste qui recevra l'Internet sans fil, connectez la carte réseau PCI sur un slot de libre. Notez qu'il faut d'abord dévisser l'antenne, insérer la carte et visser ensuite l'antenne.

Il vous faudra éventuellement diriger l'antenne pour la rapprocher le plus possible du routeur. Dans le module consacré au paramétrage, nous aborderons ces différents points de réglages.

La carte réseau câblée

Sur le second PC qui sera relié au routeur par l'intermédiaire d'une carte réseau Ethernet, procéder comme suit :

- Insérer la carte réseau dans un slot disponible.
- Connecter le câble à paires torsadées sur la carte réseau et reliez-le ensuite au routeur sur l'un des quatre ports RJ45 disponibles.

Une fois l'assemblage terminé, vous devriez visualiser ceci :

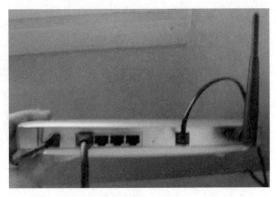

La partie assemblage des éléments est maintenant terminée. Pour la configuration de ces différents équipements, nous vous invitons à consulter le chapitre 14 consacré à l'Internet sous Windows XP Professionnel Edition.

Notez que pour l'exemple, nous avons choisi cette version de Windows pour le paramétrage. Cependant, il est également possible de la faire sous n'importe quelle version de Windows à partir de Windows 98 Seconde Edition.

Atelier

- *Pour réaliser cet exercice, vous devez impérativement posséder au moins deux PC*
- *Du câble et des cartes réseau*

Exercice n° 1

Installez et paramétrez la carte réseau sur chaque poste de la salle.

Lorsque le système redémarre, vérifiez que Windows a correctement installé le driver. Nous installerons le logiciel réseau plus tard.

Exercice n° 2

Complétez ce schéma en identifiant les différentes topologies réseau présentées.

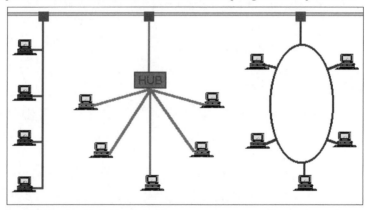

Exercice n° 3

Si vous disposez d'un modem et d'un abonnement à l'Internet d'un fournisseur d'accès, installez le modem et paramétrez votre connexion. Ensuite, partagez-la avec l'autre ordinateur.

Quiz

> • *Série de
> questions/réponses*

Question n° 1

L'installation d'une carte réseau se fait en quatre étapes, replacez-les dans le bon ordre :

❑ Installer le pilote de la carte

❑ Insérer la carte dans un slot disponible

❑ Redémarrer l'ordinateur

❑ Raccorder le PC au réseau

Question n° 2

Parmi les logiciels suivants, lesquels fonctionnent sur un type de réseau poste à poste ? Attention, plusieurs réponses possibles.

❑ Windows 95

❑ Windows NT server

❑ Windows NT workstation

❑ Personal Netware

❑ Novell Netware

Question n° 3

Quel est l'élément qui permet d'étendre la distance maximale d'un câble réseau ?

❑ Une passerelle

❑ Un répéteur

❑ Un pont

❑ Un routeur

Question n° 4

Quel est l'élément qui relie les différents postes dans un réseau en étoile ?

☐ Un routeur

☐ Un pont

☐ Un concentrateur

☐ Un répéteur

☐ Une passerelle

Question n° 5

Parmi les connecteurs suivants, lequel est couramment utilisé pour les connexions réseau 10baseT ?

☐ BNC

☐ AUI

☐ RJ45

Question n° 6

Quelle topologie réseau nécessite des terminaisons ?

☐ BUS

☐ Anneau

☐ Etoile

Question n° 7

Un modem ne peut être utilisé que par une seule machine

☐ Vrai

☐ Faux

Question n° 8

Pour partager une connexion Internet, il existe deux méthodes, lesquelles ?

☐ Utiliser une double prise USB sur le modem

☐ Utiliser un logiciel routeur

☐ Utiliser le partage de connexion de Windows

☐ Utiliser deux modems

Question n° 9

Quelles versions de Windows supportent l'outil de partage de connexion ?

❑ Windows 95

❑ Windows 98

❑ Windows 98 SE

❑ Windows 2000

❑ Windows XP

Question n° 10

L'Internet peut se définir comme le plus grand réseau global individuel et est constitué de plusieurs millions d'utilisateurs.

❑ Vrai

❑ Faux

Question n° 11

TCP/IP répond à la définition suivante :

❑ Un service que le fournisseur met à disposition

❑ Une application permettant de surfer

❑ Un protocole utilisé pour la connexion Internet

❑ Aucune de ces trois réponses

Question n° 12

Quel est le nom du service qui fournit une adresse IP temporaire lors d'une connexion ?

❑ WINW

❑ DHCP

❑ FTP

❑ DNS

Question n° 13

Quel est le service qui permet de transférer des fichiers d'un PC vers une station UNIX ?

❑ GOPHER

❑ IRC

❑ HTML

❑ FTP

Question n° 14

Que signifie l'abréviation URL ?

❑ Uniform Resource Locator

❑ Universal Resource Library

❑ Uncode Real Line

8

Le système
d'exploitation

- *Présentation des systèmes d'exploitation*
- *Le concept MS-DOS*
- *Préparation du disque dur*

Le système d'exploitation

Objectifs

Après avoir exploré les entrailles d'un PC, nous arrivons de manière naturelle au rôle et à l'importance du système d'exploitation. Le disque dur devra être préparé en fonction du système d'exploitation choisi.

Nous aborderons également le processus de chargement du système d'exploitation et le contenu d'une disquette de démarrage.

Contenu

Le système d'exploitation.

Les fichiers fondamentaux.

Les fichiers de configuration.

La préparation des disques durs.

Créer une disquette de démarrage.

Le système d'exploitation

- *Choix du système d'exploitation*
- *Les fichiers fondamentaux du DOS*
- *Le processus d'amorçage*
- *La disquette de boot*

Description

Le système d'exploitation constitue un véritable lien entre la machine et l'utilisateur. C'est en quelque sorte le fil qui vous permet de communiquer avec l'ordinateur. Il prend en charge une bonne partie du contrôle des ressources, permettant ainsi aux applications installées de se consacrer à leurs tâches spécifiques sans se soucier de l'aspect matériel. Il assure l'interaction entre le matériel et les fonctions d'entrées/sorties et interprète les instructions fournies au moyen de commandes.

Il existe plusieurs systèmes d'exploitation sur le marché. Certains sont monotâche et monoutilisateur (c'est le cas de MS-DOS), d'autres au contraire offrent la possibilité d'un travail multitâche (on peut citer OS/2 d'IBM), voire multiutilisateur (comme UNIX). Le dernier système d'exploitation mis au point sur une base UNIX que l'on nomme LINUX voit son succès grandir. Affaire à suivre…

On peut considérer Windows 95/98 comme un cas un peu à part. Bien qu'il soit présenté comme un système d'exploitation, il intègre en réalité un minimum de DOS fondu dans l'environnement Windows 95/98. La différence réside surtout dans le fait que Windows 95/98 prend en charge une partie du travail du DOS et démarre sans l'aide des fichiers de configuration du DOS dont on reparlera plus tard. Nous verrons plus loin que Windows Millenium Edition s'affranchit de cette couche DOS.

Enfin, les systèmes d'exploitation d'aujourd'hui comme Windows 2000 ou Windows XP possèdent une architecture complètement différente basée sur la technologie NT dont nous reparlerons dans les chapitres consacrés à Windows 2000 et Windows XP.

Choix du système d'exploitation

En fonction d'un certain nombre de paramètres on choisira le système d'exploitation qui convient le mieux à une situation donnée. Il n'y a pas de recette miracle en la matière, le plus important est de trouver le système d'exploitation adapté aux besoins des utilisateurs. La grande variété des versions de Windows proposée par Microsoft a tendance à dérouter l'utilisateur, il paraît donc nécessaire de prendre en considération deux utilisations de l'ordinateur, à la maison ou au bureau.

Pour le grand public

L'orientation d'un système d'exploitation grand public se justifie par le fait que les besoins de l'utilisateur sont radicalement différents par rapport au monde de l'entreprise. Les points les plus sensibles à étudier seront les suivants :

- La technologie numérique : le développement très important de l'utilisation des techniques numériques tels que la photo, la musique, la vidéo et le jeu crée un besoin en matière de système d'exploitation.

- Le réseau domestique : de plus en plus, on trouve des foyers équipés de plusieurs ordinateurs devant partager des périphériques et des connexions Internet. Le jeu à plusieurs constitue aussi un argument de poids.

- L'accès à l'Internet : incontournable aujourd'hui, même à domicile. Le système d'exploitation doit intégrer des outils facilitant le paramétrage et l'utilisation d'Internet.

- La convivialité : un utilisateur particulier n'a pas toujours les connaissances et le support nécessaires à la maintenance informatique. Le système d'exploitation doit pouvoir proposer des méthodes simples et des assistants qui guideront l'utilisateur lors d'installation de matériels ou de logiciels.

Lorsque l'on achète un ordinateur, la plupart du temps le système d'exploitation est livré et installé dessus. Suivant l'année de cet achat, on pourra trouver :

- Windows 98, Windows Me

- Windows 2000 Pro

- Windows XP Professionnel ou Edition Familiale

Ces quatre systèmes d'exploitation seront traités plus loin dans cet ouvrage.

Pour l'entreprise

Suivant la situation actuelle de l'entreprise, plusieurs choix s'offrent à vous. D'une manière générale, il faudra commencer par définir les besoins des utilisateurs en veillant sur les points fondamentaux suivants :

- Fiabilité : critère incontournable dans le monde de l'entreprise d'aujourd'hui.

- Conception : attention au nombre de plus en plus important d'utilisateurs mobiles dans l'entreprise.

- Convivialité : plus l'utilisation de l'ordinateur est conviviale, plus la productivité est accrue.

- Facilité de gestion : limiter et réduire les coûts sont deux priorités pour l'entreprise. La durée de vie du matériel et des logiciels doit être connue et maîtrisée.

- Accès à l'Internet : le système d'exploitation doit être compatible avec Internet mais aussi fournir tous les jours une aide précieuse.

Le choix de Windows 2000 Pro est la meilleure solution pour les postes clients de l'entreprise. Attention cependant aux ressources matérielles exigées et reconnues par la HCL. Windows Me fonctionne en réseau mais n'est pas conçu pour l'entreprise.

Windows 2000 Pro repose sur une architecture à technologie NT. Une autre version nommée Windows XP Professionnel est maintenant proposée par Microsoft comme une évolution de Windows 2000.

Dans cet ouvrage, nous vous proposons les deux versions du système d'exploitation. En effet, bien que Windows 2000 Pro soit plus particulièrement destiné à l'entreprise, de nombreux particuliers ont choisi d'installer cette version à domicile.

Le DOS

Bien que ce système d'exploitation ne soit plus utilisé de nos jours, il est important que l'on s'y arrête un moment. En effet, un système d'exploitation comme Windows 98 repose toujours sur le DOS. Cette section vous permettra de comprendre les bases. Il est également nécessaire de s'arrêter sur les outils DOS permettant de préparer un disque dur.

Les fichiers fondamentaux

MS-DOS est un système d'exploitation 16 bits. Trois fichiers principaux représentent le noyau du système d'exploitation. C'est en quelque sorte le cœur du système, sans lequel rien ne peut fonctionner. Deux autres fichiers (autoexec.bat et config.sys) que l'on appelle des fichiers de configuration, sont primordiaux. Ils seront traités plus loin dans ce chapitre. Les autres fichiers sont des données, des programmes propres au DOS, ainsi que quelques programmes conçus pour fonctionner sous Windows.

IO.SYS

Il contient les gestionnaires d'entrées/sorties de base de commande et charge msdos.sys dans les séquences d'amorçage.

MSDOS.SYS

Ce fichier contient le noyau du DOS. Il convertit les requêtes provenant des applications en actions que IO.SYS peut exécuter à l'aide de ses gestionnaires de périphérique.

COMMAND.COM

Ce programme est un interpréteur de commandes. Sa tâche est de recevoir vos commandes, de les interpréter et de les transmettre pour leur exécution ou encore de les exécuter lui-même (il regroupe toutes les commandes internes).

Les fichiers io.sys et msdos.sys sont des fichiers dont les attributs sont lecture seule, caché et système alors que le command.com est visible. Tous sont non éditables, si vous essayez d'en éditer un, vous ne verrez que du code.

Ils sont tous situés à la racine du disque de démarrage (en général c:\). Command.com peut se situer dans un autre répertoire. Il faudra alors spécifier son chemin d'accès à l'aide de la commande shell et comspec dans le fichier config.sys.

Le processus d'amorçage

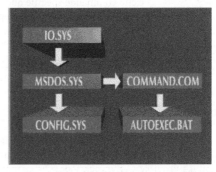

Lors du processus de mise en route du PC, l'autotest est effectué, le Bios procède à une vérification entre ce qui est contenu dans la mémoire ROM et les informations contenues dans le Setup, et charge la configuration.

Le Bios exécute ensuite le code qui cherche un secteur d'amorçage sur une disquette ou sur le disque dur. Le secteur d'amorçage contient quant à lui le code qui charge en mémoire les fichiers fondamentaux de MS-DOS dans l'ordre suivant :

- IO.SYS.
- MSDOS.SYS.
- CONFIG.SYS (les instructions sont lues si le fichier est présent. Son absence n'empêche pas le processus de continuer).
- COMMAND.COM.
- AUTOEXEC.BAT (même remarque que pour le fichier config.sys).

Le fichier config.sys

Ce fichier est de type texte et peut être visualisé ou modifié par le programme edit.com, un éditeur de texte fourni avec le système d'exploitation. Il contient les commandes et instructions permettant de charger les pilotes de périphériques, la gestion de la mémoire et les paramètres de configuration du système. Voici un récapitulatif des lignes que l'on peut trouver dans ce fichier.

Paramètres	Description et syntaxe
BUFFERS	BUFFERS=30 Réserve de la mémoire pour le transfert d'information vers et depuis le disque dur. Chaque tampon utilise 532 octets de mémoire. Le programme smartdrv remplace l'utilisation des buffers
COUNTRY	COUNTRY=033,850,C:\DOS\country.sys Détermine les conventions spécifiques à chaque pays pour l'affichage de l'heure, des dates, de la monnaie ainsi que les caractères utilisables dans le nom des fichiers
DEVICE	DEVICE=C:\DOS\HIMEM.SYS Les lignes device sont utilisées pour charger des pilotes de périphérique en mémoire. Dans cet exemple, charge le pilote Himem.sys, nécessaire à l'utilisation de la mémoire étendue.
DEVICEHIGH	S'utilise comme la commande device mais charge le pilote de périphérique en mémoire haute, libérant ainsi de la mémoire conventionnelle pour les programmes
DOS	DOS=HIGH,UMB Cette commande spécifie que DOS doit toujours maintenir un lien en mémoire haute, se charger en partie en mémoire haute ou encore en utilisant les deux.
FCBS	FCBS=10 Spécifier le nombre de blocs de contrôle que DOS peut ouvrir à tout moment. La plupart des programmes DOS utilisent la commande FILES en lieu et place de la commande FCBS
FILES	FILES=60 Cette commande spécifie le nombre de fichiers que DOS peut ouvrir simultanément. Souvent, les applications DOS nécessitent que cette valeur soit fixée à 30 minimum, voire d'avantage.
LASDRIVE	LASTDRIVE=Z Spécifie la dernière lettre valide pour un lecteur que DOS puisse reconnaître et donc le maximum de lecteurs auxquels il puisse accéder.
SETVER	DEVICE=C:\DOS\SETVER.EXE Cette commande charge la table de version DOS en mémoire.
SHELL	SHELL=C:\DOS\COMMAND.COM /E :1024 /P Spécifie l'emplacement de l'interpréteur de commandes
STACKS	STACKS=9.256 Cette commande spécifie le nombre de piles de données pris en charge par les interruptions matérielles
SWITCHES	SWITCHES= /N Spécifie une option de DOS permettant d'empêcher l'usage des touches « F8 » et « F5 » pour interrompre le processus de démarrage du PC.

Le fichier autoexec.bat

Ce fichier texte est situé à la racine du disque dur sur la partition d'amorçage. S'il est présent, il est lu et traité lors du démarrage du PC. C'est un fichier de type batch qui contient des commandes DOS. Il est utilisé pour charger des programmes résidents en mémoire (TSR). Voici une liste de commandes que l'on peut trouver dans ce fichier

Paramètres	Description et syntaxe
DOSKEY	Ce programme rappelle les commandes DOS en mode ligne de commande au moyen des touches de direction, évitant ainsi à l'utilisateur de saisir plusieurs fois les commandes
ECHO	@ECHO OFF Utilisé de cette manière, supprime l'affichage des commandes exécutées sous DOS. Le signe @ permet de masquer l'exécution de la commande ECHO OFF. En ligne de commande, ECHO affiche un message.
SETVER	Cette commande charge la table de version DOS en mémoire ce qui permet au DOS de rapporter un nombre spécifique de version aux applications.
KEYB	keyb fr,,C:\WINDOWS\COMMAND\keyboard.sys Paramètre le clavier pour un langage spécifique, nécessaire pour tout autre clavier que le clavier anglais. Les fichiers KEYBOARD.SYS et KEYBRD2.SYS incluent les spécifications des claviers propres à chaque langage.
Mouse	C:\MOUSE\MOUSE.COM Charge un programme permettant d'utiliser la souris sous DOS.
Mscdex	C:\CDROM\MSCDEX /D :CDR001 /L :E Cette commande est utilisée si dans le fichier config.sys un pilote de CD-Rom est chargé à l'aide d'une commande DEVICE. Cette commande affecte une lettre au lecteur de CD-Rom, permettant ainsi son utilisation sous DOS.
PATH	PATH=C:\ ;C:\WINDOWS ;C:\WORD Cette ligne permet de définir un chemin d'accès pour les applications. Si le chemin d'accès à une application est spécifié dans cette ligne, celle-ci pourra être exécutée à partir de n'importe quel répertoire ou lecteur.
PAUSE	Permet de marquer une pause dans l'exécution du fichier AUTOEXEC.BAT. L'utilisateur doit appuyer sur une touche pour continuer l'exécution du fichier.
PROMPT	PROMPT PG Définit le format de l'invite de commande DOS.
SET	SET TMP=C:\WINDOWS\TEMP SET COMSPEC=C:\DOS\COMMAND.COM Ces lignes fixent des variables d'environnement DOS utilisées pour spécifier les ressources et paramètres nécessaires au DOS et aux applications.
SMARTDRV	SMARTDRV 4096 2048 /X Cette commande charge le gestionnaire d'antémémoire permettant d'améliorer les performances en lecture/écriture lors de copie de fichiers sous DOS.

La gestion des fichiers sous DOS

Un bref rappel de quelques commandes de base pour gérer les fichiers sous DOS vous est proposé ici. Bien qu'aujourd'hui la gestion des fichiers sous DOS ne soit plus usuelle, il est important de savoir les utiliser lorsque Windows ne démarre plus ou avant son installation.

Copier des fichiers

La commande COPY permet de copier un ou plusieurs fichiers d'un répertoire vers un autre. La syntaxe de cette commande se décompose ainsi :

```
copy chemin/nomfichierssource chemindestination
```

copy c:\doc*.xls d:\sauve	copie tous les fichiers .XLS du répertoire doc vers le répertoire *sauve*.
copy c:\test*.* c:\doc	copy tous les fichiers du répertoire test vers le répertoire *doc*.
copy c:\autoexec.bat a:\	copie le fichier autoexec.bat sur une disquette.

Si le répertoire courant contient les fichiers à copier, il est inutile de préciser le chemin d'accès de la source.

Renommer des fichiers

La commande REN permet de renommer un fichier

```
REN mondo.txt courrier.txt
```
Renomme le fichier *mondo.txt* en *courrier.txt*.

Attention lors de la procédure, il ne faut surtout pas oublier l'extension du fichier, sinon Windows ne reconnaîtra plus l'application à partir de laquelle le fichier a été créé. D'autre part, si l'on change l'extension d'un fichier, par exemple .txt vers .exe, cela ne fait pas de votre document un programme exécutable.

Supprimer des fichiers

La commande DEL permet de détruire des fichiers

DEL *.txt	supprime tous les fichiers .txt du répertoire courant.
DEL *.*	supprime tous les fichiers du répertoire courant Un message vous demande de confirmer.
DEL courrier.*	supprime tous les fichiers dont le nom est courrier.

Visualiser et modifier les attributs de fichiers

La commande ATTRIB permet de visualiser ou modifier les attributs de fichiers. Elle permet notamment de visualiser les fichiers cachés, système et lecture seule et de modifier les paramètres

Attrib -r msdos.sys	enlève l'attribut lecture seule du fichier.
Attrib +r msdos.sys	marque le fichier en lecture seule.
Attrib -h *.*	enlève l'attribut caché à tous les fichiers du répertoire courant.
Attrib +s autoexec.bat	marque le fichier comme fichier système.
Attrib command.com	affiche les attributs du fichier autoexec.bat.
Attrib c:*.* +h/s	cache tous les fichiers à la racine de C:.
Attrib c:\io.sys -s -h -r	enlève les trois attributs du fichier io.sys.

La préparation d'un disque dur

- *Le partitionnement*
- *Le formatage*
- *Le programme Fdisk*
- *Utilisation de la FAT*
- *La disquette de démarrage*

```
                          Options de FDISK
Disque dur actuel : 1

Choisissez parmi ce qui suit :

1. Création d'une partition DOS ou d'un lecteur logique DOS
2. Activation d'une partition
3. Suppression d'une partition ou d'un lecteur logique DOS
4. Affichage d'informations sur la partition
5. Change le lecteur courant du disque dur

Entrez votre choix : [1]



Appuyez sur ECHAP pour quitter FDISK
```

Le partitionnement

Lorsqu'un disque dur vient d'être installé, nous avons vu qu'il faut le préparer à son utilisation sous DOS, c'est ce que l'on appelle le partitionnement. Le programme prépare le secteur d'amorçage principal qui contient l'enregistrement de démarrage maître (le MBR). Celui-ci mémorise le code qui active les routines de chargement du système d'exploitation qui seront à leur tour lues par le fichier IO.SYS. Dans le même temps, ce programme crée la table de partition qui contient les éléments suivants :

- Le début et la fin de chaque partition (par numéro de cylindre).
- Un paramètre indiquant si la partition est amorçable ou non.
- Le type de système d'exploitation présent.

Un disque dur peut être divisé en plusieurs partitions. Notez que cela est nécessaire si l'on utilise un disque dur dont la taille est supérieure à 2 Go avec DOS ou Windows 95a. Ce système d'exploitation prend en charge deux types de partitions :

La partition principale

Elle doit être active et contient les fichiers d'amorçage du DOS. Vous devez obligatoirement créer une partition principale sur le disque dur. La partition principale d'un disque dur se voit affecter une lettre lecteur en premier (C: pour le premier disque dur).

La partition étendue

Une partition étendue est un conteneur dans lequel sont définis les lecteurs logiques (maximum vingt-trois unités logiques). Cependant, un lecteur logique peut constituer la totalité de la partition étendue.

Par défaut, lorsque l'on crée la partition principale en utilisant tout l'espace du disque dur, la partition étendue est créée en même temps. Par contre, si la partition principale est constituée d'une partie du disque dur, il faudra ensuite créer une partition étendue manuellement.

Utilisation de FDISK

Ce programme doit être lancé à partir de l'invite du DOS. Celui-ci est disponible sur le CD-Rom d'installation de Windows et peut être copié sur une disquette de boot. Si un disque dur est déjà installé et utilisé, FDISK pourra être lancé sous DOS. Une fois la commande lancée, un menu principal vous propose plusieurs options. Prenez garde à ce que vous faites, cette commande agit d'une manière physique sur vos disques et peut provoquer la perte totale des données dans certains cas.

Option 1

```
                    Créer une partition DOS ou un lecteur logique DOS

    Disque dur actuel : 1

    Choisissez parmi ce qui suit :

    1. Créer une partition DOS principale
    2. Créer une partition DOS étendue
    3. Créer un ou plusieurs lecteur(s) dans la partition DOS étendue



    Entrez votre choix : [1]




    Appuyez sur ECHAP pour retourner aux options de FDISK
```

Permet de créer les partitions ; trois choix vous sont proposés (partition principale, partition étendue et lecteur logique).

Option 2

```
                         Rend la partition active

    Disque dur actuel : 1

    Partition    Etat  Type     Nom de volume  Mo     Système   Utilisation
    C: 1         A     PRI DOS   IBMDOS_5       1032   FAT16     100%





    La seule partition démarrable sur le lecteur 1 est déjà activée.

    Appuyez sur ECHAP pour continuer
```

Permet de définir la partition active. Si plusieurs partitions existent, il faudra choisir celle qui contient les fichiers système. S'il n'y en a qu'une, elle sera active par défaut.

Option 3

```
                    Effacez la partition DOS ou le lecteur logique DOS

    Disque dur actuel : 1

    Choisissez parmi ce qui suit :

    1.  Effacez la partition principale DOS
    2.  Effacez la partition étendue DOS
    3.  Effacez le ou les lecteur(s) logique(s) dans la partition étendue
    4.  Suppression d'une partition non-DOS


    Entrez votre choix : [_]






    Appuyez sur ECHAP pour retourner aux options de FDISK
```

Attention : si vous supprimez une partition, toutes les données seront perdues. De plus, vous ne pouvez pas modifier directement la taille d'une partition. Il faudra d'abord la supprimer puis en créer une autre. Dans ce cas, il vous faudra réaliser une sauvegarde des données vers un autre disque ou une autre partition et les restaurer ensuite.

Option 4

```
                    Afficher les informations sur la partition

        Disque dur actuel : 1

        Partition    Etat   Type    Nom de volume  Mo    Système    Utilisation
           C: 1        A     PRI DOS  IBMDOS_5      1032  FAT16      100%




        L'espace disque total est   1034   Mo(1 Mo = 1048576 octets)








        Appuyez sur ECHAP pour continuer_
```

Cette option permet d'afficher les paramètres des différentes partitions.

Option 5

```
                        Changez le lecteur courant du disque dur

        Disque Lect   Moctets  Libre   Utilisation
           1            1034     2      100%
              C:        1032
           2             407     1      100%
              D:         406















        (1 Mo = 1048576 octets)
        Entrez le numéro du lecteur de disque (1-2)......................[1]

        Appuyez sur ECHAP pour retourner aux options de FDISK
```

Cette option est utilisée si votre système contient plusieurs disques durs. Elle permet de sélectionner le lecteur courant. Pour paramétrer des partitions sur plusieurs disques, il faudra sélectionner le premier et définir sa configuration, puis faire de même pour le second…

Formatage d'une partition

Formater une partition consiste préparer la surface du disque pour son utilisation. La commande FORMAT crée un répertoire racine et deux FAT (table d'allocation de fichiers). Elle détermine également la taille des clusters (unités d'allocation). En réalité, le disque est découpé en morceaux appelés des secteurs. La limite du nombre de secteurs pris en charge par le système d'exploitation est contournée par un principe de mise en commun de plusieurs secteurs. L'ensemble de ces secteurs constitue des clusters.

Il faudra cependant penser aux conséquences avant de se lancer dans une telle manœuvre. S'il s'agit d'un disque fraîchement installé et partitionné, il faudra démarrer l'ordinateur avec une disquette système contenant le fichier format.com et lancer la commande de formatage.

`Format C: /S`   Pour formater une partition principale. Les fichiers système seront alors copiés de la disquette vers le disque dur.

`Format D:`   Pour formater un autre lecteur.
             Aucun fichier système n'est copié.

Note : l'opération de formatage consiste en un tracé logique sur le disque. Le formatage de bas niveau se fait à l'aide d'un outil comme Norton. Attention, sur les disques IDE, EIDE et SCSI, le formatage de bas niveau risque d'endommager gravement la structure du disque. Cette opération est désormais réalisée en usine et n'a plus d'utilité pour l'utilisateur.

Utilisation de la FAT

MS-DOS utilise la FAT pour localiser les fichiers sur le disque dur. Un fichier enregistré sur disque utilisera un certain nombre de clusters qui peuvent être contigus ou non. La FAT contient les numéros de clusters définis pour ce fichier. Prenons un exemple :

- Nom de fichier :   lisezmoi.txt.
- Taille :   5 clusters.
- Unité d'allocation de début :   210.

Chaque entrée dans la FAT pointe vers le cluster suivant. L'information EOF indique à la FAT la fin du fichier. On pourrait schématiser cela ainsi :

Unité d'allocation	Entrée
210	215
215	216
216	320
320	322
322	EOF

Les options de la commande Format

Un disque déjà formaté peut faire l'objet d'un reformatage rapide. Il en résultera une opération plus rapide, et la commande effacera simplement le contenu de la FAT. Pour ce faire, utiliser la commande suivante :

`FORMAT C: /q`

Si l'on a besoin de formater un disque de manière sécurisée, autrement dit rendre la commande UNFORMAT ineffective, utiliser le paramètre suivant :

`FORMAT C: /u`

Pour effectuer un formatage complet avec un test du disque (utile si votre disque dur a des problèmes) et des secteurs défectueux de la FAT, employer les paramètres suivants :

`FORMAT C: /u/c/s`

Note : une restriction importante est à noter à propos du répertoire racine. Le DOS limite le nombre d'entrées sur la racine d'un disque en fonction de sa taille.

Type de disque	Nombre d'entrées
Disquette 360 Ko ou 720 Ko	112
Disquette 1,44 Mo	224 entrées ou 1,2 Mo
Disque dur toutes tailles	512 entrées

Afin de ne pas être gêné par cette limite, la méthode consiste à créer des sous-répertoires. Ceux-ci ne sont limités en nombre d'entrées que par la taille du disque.

Créer une disquette de démarrage

Une disquette de démarrage, que l'on nomme aussi disquette de boot, sert à faire démarrer le PC à partir des fichiers système qu'elle contient plutôt qu'à partir du disque dur. La configuration du setup par défaut désigne le lecteur A: comme premier lecteur au démarrage du PC.

Contenu

Suivant le système d'exploitation présent sur votre PC, ce contenu peut varier sensiblement. Soyez vigilant sur la version du DOS à partir duquel vous créez la disquette de boot. Le plus simple reste de créer une disquette pour un PC donné.

Vous devez formater votre disquette à l'aide de la commande

```
Format A: /s
```

Les fichiers système (io.sys, msdos.sys, command.com) seront copiés sur la disquette après le formatage. A partir de la version 6 du DOS, les fichiers Drvspace.bin ou Dblespace.bin seront également copiés afin de permettre l'accès aux disques compressés.

Une autre commande DOS vous permet de copier les fichiers système vers une disquette sans la formater.

```
Sys a:
```

Attention : une disquette système ne contient aucun pilote de périphérique et aucun paramètre. Vous n'aurez même pas le clavier français (imaginez que lorsque vous saisissez un "m" au clavier, c'est un ";" qui apparaît à l'écran). Pour remédier à ce problème, il faudra copier les fichiers Autoexec.bat et Config.sys sur cette disquette.

Si vous utilisez Windows 95/98, vous avez la possibilité de créer une disquette de secours. Celle-ci est spécifique à Windows 95/98 et comporte des outils de diagnostic.

Atelier

Exercice n° 1

Arrivé à cette étape, vous devez vous trouver avec un disque dur contenant le système d'exploitation. L'autre disque a été installé et reconnu par le programme de configuration CMOS.

Préparez le disque esclave (le second pour une future utilisation).

- Création de la partition principale et d'une partition étendue de 50 % chacune.
- Créez deux lecteurs logiques dans la partition étendue : l'un à 60 % de la capacité de la partition, l'autre pour le reste (ils s'appelleront D: et E:).
- Formatez les différentes partitions.

Exercice n° 2

Sur le disque maître (C:), créez une disquette système et sauvegardez dessus les fichiers Autoexec.bat et Config.sys.

Quiz

- *Série de
  questions/réponses*

Question n° 1

Quelle est la commande qui permet de gérer les partitions de disque ?

☐ Format

☐ Chkdsk

☐ Fdisk

Question n° 2

Pour formater un disque dur (le disque maître du PC), la commande est :

☐ Format C: /S

☐ Format C:

☐ Format c/ sys

Question n° 3

Le message d'erreur "erreur disque non système" annonce :

☐ Qu'il n'y a pas de disque dur dans le PC ou que celui-ci n'est pas correctement
     connecté

☐ Que le lecteur de démarrage ne contient pas les fichiers nécessaires au
     démarrage du système d'exploitation

☐ Que MS-DOS n'a pas été correctement installé

Question n° 4

La commande FORMAT crée : Attention, plusieurs réponses possibles.

☐ Un répertoire racine

❏ Des unités d'allocation

❏ Deux FAT

❏ Un master Boot Record

Question n° 5

Le système d'exploitation MS-DOS est :

❏ Monotâche et monoutilisateur

❏ Multitâche et multiutilisateur

❏ Monotâche et multiutilisateur

❏ Multitâche et monoutilisateur

Question n° 6

Quels sont les trois fichiers MS-DOS qui représentent le noyau du système d'exploitation ?

❏

❏

❏

Question n° 7

Quel est le rôle du fichier Config.sys ?

❏ Charger le système d'exploitation

❏ Charger les pilotes de périphériques

❏ Réaliser l'autotest

Question n° 8

Les programmes résidant en mémoire restent chargés constamment en mémoire.

❏ Vrai

❏ Faux

Question n° 9

Tapez les lignes de commande permettant de créer une disquette système.

❏

❏

Question n° 10

Quelle est la séquence de démarrage d'un système d'exploitation DOS ?

❑ IO.SYS – CONFIG.SYS – AUTOEXEC.BAT – MSDOS.SYS – COMMAND.COM

❑ IO.SYS – MSDOS.SYS – CONFIG.SYS – COMMAND.COM – AUTOEXEC.BAT

❑ IO.SYS – COMMANDE.COM - MSDOS.SYS – CONFIG.SYS – AUTOEXEC.BAT

❑ MSDOS.SYS - IO.SYS – COMMAND.COM – CONFIG.SYS – AUTOEXEC.BAT

- *Installation du système d'exploitation*
- *Processus de démarrage*
- *Architecture et traitement du multitâche*
- *PnP et l'ajout de périphériques*

9

Windows 98

Objectifs

Au fil du temps et des versions, Windows est devenu le système d'exploitation le plus utilisé dans le monde du PC. Au départ, ce logiciel d'interface graphique s'installait comme un logiciel classique sous DOS. Aujourd'hui encore, le DOS n'a pas encore totalement disparu du système d'exploitation qu'est devenu Windows. En effet, malgré les améliorations apportées au cours des différentes versions, Windows 98 travaille encore sur une couche de base DOS incontournable.

Dans ce chapitre, nous allons nous concentrer sur l'aspect installation et amorçage du système. Nous aborderons également la notion du Plug and Play, de la base de registres et du traitement des applications. Un autre chapitre sera consacré aux applications DOS, à l'optimisation de Windows et à différents outils et utilitaires.

Contenu

Installation de Windows 98.

Démarrage du système et réparation des erreurs.

Création d'une disquette de secours.

La mémoire virtuelle.

La base de registres.

Le processus Plug and Play.

L'ajout de périphériques.

L'ajout d'applications compatibles Windows ou de composants.

Installation de Windows 98

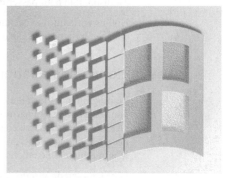

- *Le matériel requis*
- *Les versions de Windows*
- *Les options et les étapes d'installation*

Matériel requis

Tout comme ses prédécesseurs et ses concurrents, il existe une notion de matériel requis en termes de minimum vital et de confort. Même si le matériel minimum reste utilisable, nous vous conseillons vivement de vous orienter vers le matériel dit de confort, voire au-delà pour répondre également aux besoins des applications qui ne sont pas ici prises en compte. Notons qu'aujourd'hui, il n'existe pratiquement plus de matériel ne répondant pas aux critères de Windows 98.

Minimum vital

- Un PC de type 486 DX 66 Mhz.
- 24 Mo de RAM.
- Un espace disque libre de 150 à 300 Mo.
- Un lecteur de disquette HD ou un lecteur de Cd-Rom.
- Une carte graphique standard VGA.
- Une souris.

Minimum de confort

- Un PC de type Pentium 100.
- 32 ou 64 Mo de RAM.
- Un espace disque libre d'au moins 600 Mo.
- Un lecteur de CD-Rom et un lecteur de disquette HD.
- Une carte graphique SVGA avec 2 Mo de RAM intégrée compatible 3D ou DirectX.
- Une extension multimédia (son, modem…).
- Une souris.
- Une imprimante.

Le programme d'installation

Le CD-Rom d'installation est bootable et contient les fichiers système. Sur les PC d'aujourd'hui, il est possible de modifier les séquences d'amorçage permettant ainsi de lancer l'installation sans disquette d'amorçage. Il est également possible de lancer le programme d'installation à partir de la disquette de Boot qui charge automatiquement le gestionnaire de CD-Rom sous DOS. Une version de mise à jour est disponible pour passer de Windows 95 à Windows 98.

Notons enfin qu'il existe un service pack pour Windows 98 appelé SP1 permettant de corriger certains bugs de la première version.

Les options d'installation

Le programme d'installation est une application qui exécute Windows 3.1, elle peut donc être exécutée à partir de l'interface graphique. Si l'installation est lancée sous DOS, le programme va copier et exécuter une version minimale de Windows qui nécessite 600 Ko de RAM dont 470 Ko de mémoire conventionnelle. Une fois lancé, le programme d'installation s'exécute en mode protégé.

L'installation de Windows est un processus modulaire qui considère le PC comme un ensemble de périphériques. Il identifie et exécute les modules correspondant aux composants détectés. Les informations relatives au matériel détecté sont inscrites dans un fichier nommé DETLOG.TXT. Elles seront utilisées ultérieurement à chaque démarrage de Windows 98 pour vérifier la configuration et identifier de nouveaux périphériques ajoutés.

Le programme propose quatre modes d'installation que l'on peut identifier ainsi :

Mode d'installation	Spécificité
Par défaut	Le plus simple, l'utilisateur aura très peu à intervenir (choix du répertoire, nom d'utilisateur et d'ordinateur, création d'une disquette de démarrage). Il est rapide et sûr
Portable	Il est spécifique aux ordinateurs portables et installe notamment le porte-documents et l'utilitaire permettant la connexion directe par câble
Compacte	A utiliser si l'espace disque est limité. Certaines options ne seront pas installées
Personnalisée	Basé sur la sélection des composants par l'utilisateur, qui demande beaucoup d'informations et est obligatoire pour installer Exchange, fax et mail

Les étapes d'installation

Les étapes d'installation sont franchies en mode réel et en mode protégé. Voici un récapitulatif de ces étapes.

En mode réel

- Exécution du programme d'installation (install.exe).
- Lancement de Scandisk. Identification des problèmes de FAT, analyse de la structure des répertoires, du système de fichiers et du descripteur du support.
- Le programme scrute les disques locaux pour chercher une ancienne version de Windows. S'il en trouve une, il l'exécute et continue. S'il n'en trouve pas, il crée une version minimale.
- Vérification du système afin de contrôler qu'il répond au minimum vital (CPU, mémoire, capacité disque, carte graphique). Le programme s'arrête s'il ne trouve pas ce minimum.
- Recherche du gestionnaire XMS et du gestionnaire de mémoire cache. S'il ne les trouve pas, il installe les siens.

- Détection des TSR provoquant des conflits avec le programme d'installation. S'il en trouve, il les ferme en demandant une confirmation.
- Si l'installation est exécutée sous DOS, lancement de l'interface graphique.

Mode protégé

- Le programme d'installation commute le processeur en mode protégé.
- Détection du matériel et création d'une base de registres (system.dat).
- En cas d'échec lors de la détection, le programme demande à l'utilisateur de lui fournir certaines informations.
- Copie des fichiers sur le disque dur.
- Modification des enregistrements d'amorçage (secteur d'amorçage et fichiers de configuration).
- Relance du système et démarrage de Windows 98 et mise en place des fuseaux horaires.
- Redémarrage général si le système a subi des modifications.

Reprise et détection des défaillances

Si Windows se bloque lors de la détection du matériel, un fichier nommé DETCRASH.LOG est écrit. Il suffit d'éteindre le PC (ne faites pas <Ctrl> + <Alt> + <Suppr>), de le rallumer et de relancer le programme d'installation. Ce fichier sera lu et le programme ne tentera pas à nouveau de détecter le composant qui a provoqué le blocage du système.

Un journal d'installation SETUP.TXT trace l'historique du processus non repris dans DETLOG.TXT jusqu'au moment du blocage.

Attention, lorsque Windows ne peut identifier un périphérique, il utilise un de ses pilotes génériques pour le faire fonctionner. Il faudra vérifier tous les paramètres en fin d'installation. Cette question est traitée un peu plus loin dans ce chapitre.

Les commutateurs

La commande DOS de base pour exécuter le programme d'installation est la suivante :

`D:\>install` (où D: est le lecteur de Cd-Rom)

Elle peut être accompagnée de commutateurs qui peuvent être différents suivant que vous exécutez le programme sous DOS ou sous Windows.

Commutateur	Option activée
install /IS	Pas d'exécution de Scandisk et pas de vérification des routines système
install /ID	Pas de contrôle de l'espace disque
install /IM	Ignore le contrôle de la mémoire conventionnelle
install /IL	Installe le pilote de souris Logitec
install /IQ	Ignore la vérification des fichiers à liaisons croisées si l'option /IS est active
install /IE	Pas de création de disquette de démarrage
install /C	Ne charge pas le pilote smartdrive
install /T :<chemin>	Chemin d'accès où les fichiers temporaires seront stockés. S'efface après l'exécution d'install
<fichier batch>	Chemin d'accès et fichier regroupant différentes options

Installer une imprimante

Pour installer une imprimante, il vous suffit de suivre les étapes suivantes :

- Brancher l'imprimante sur le secteur.
- Connecter le câble fourni sur un connecteur libre du système ou le cas échéant connecter un câble réseau entre l'imprimante et une prise réseau disponible.
- Allumer l'imprimante.
- Si vous relancez Windows ou si l'ordinateur était éteint au moment où vous avez connecté l'imprimante, il est probable que l'assistant d'installation démarre automatiquement. Sinon aller dans le menu *Démarrer – Paramètres – Imprimantes*.
- Cliquer sur l'icône *Ajout d'une imprimante*.

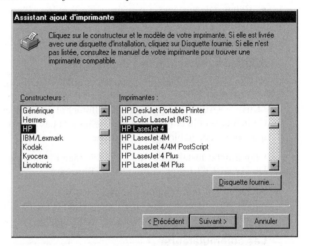

- Choisir parmi la liste proposée par Windows ou bien cliquer sur le bouton « Disquette fournie » pour installer le pilote fourni avec l'imprimante. Notez que vous pouvez avoir recours aux pilotes génériques si vous ne disposez pas de celui correspondant au modèle de l'imprimante.
- Sélectionner ensuite le port d'impression (parallèle, série, réseau…). Si vous installez une imprimante réseau, une boîte de dialogue vous laissera le choix réseau ou locale.

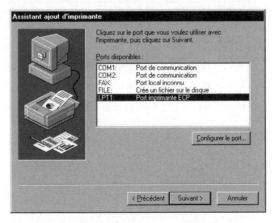

- La dernière étape consiste à lui donner un nom, à déclarer l'imprimante comme imprimante par défaut et à imprimer une page de test afin de vérifier que l'installation est correcte.

- Il est inutile de déclarer cette imprimante dans le Panneau de configuration des applications 32 bits, celles-ci passant par le gestionnaire d'impression de Windows.

- Pour les applications DOS, il est probable que l'imprimante ne sera pas directement utilisable. Il faudra pour cela utiliser un driver DOS.

Il est naturellement possible d'installer plusieurs imprimantes, mais seulement l'une d'entre elles sera déclarée comme imprimante par défaut. Le dossier *Imprimantes* vous permet de les visualiser.

Démarrage du système

- *La séquence d'amorçage*
- *Modification du fichier MSDOS.SYS*
- *Le dual boot*
- *La résolution des erreurs*
- *La disquette de secours*

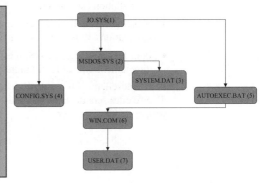

La séquence d'amorçage

Si le système est correctement installé, Windows 98 constitue votre système d'exploitation. La procédure d'amorçage du système est la suivante :

- A l'allumage du PC, exécution du POST.
- Initialisation des périphériques PnP par le Bios (s'il supporte la norme PnP).
- Localisation et lecture du secteur d'initialisation sur la partition principale.
- Un chargeur IO.SYS localise et charge en mémoire IO.SYS à partir du répertoire racine.
- IO.SYS vérifie les informations contenues dans MSDOS.SYS.
- Apparition du message *Démarrage de Windows 98* et de l'écran graphique d'ouverture.
- Chargement de SYSTEM.DAT si celui-ci ne contient pas d'erreurs.
- Le gestionnaire de configuration intégré à IO.SYS sélectionne un profil matériel ou en crée un s'il n'en existe pas.
- IO.SYS lit et exécute CONFIG.SYS et AUTOEXEC.BAT s'ils existent. Ces fichiers deviennent optionnels. Cependant, quelques lignes restent écrites, et certains périphériques les utiliseront toujours.
- Exécution de WIN.COM et chargement des éléments suivants :
  - Les pilotes de périphériques virtuels contenus dans VMM32.VXD
  - Les pilotes de périphériques virtuels contenus dans SYSTEM.INI
  - La partie résidente, le GDI, les bibliothèques utilisateurs (USER.EXE)
- Initialisation du Bureau, chargement de l'explorateur et du support réseau.
- Connexion au système et chargement des paramètres utilisateurs à partir de USER.DAT ou création d'un profil par défaut.
- Exécution des scripts de connexion s'ils existent.
- Exécution des programmes placés dans le groupe Démarrage.

Si les fichiers Autoexec.bat et Config.sys sont absents, les paramètres par défaut suivants sont appliqués :

DOS=HIGH, AUTO

Chargement de himem.sys

Chargement de IFSHLP.SYS

Chargement de SETVER.EXE

FILE=60

Lastdrive=Z

Buffer=30

Stacks=9,256

Shell=command.com /p

SET TEMP=c:\windows

SET TMP=c:\windows

Prompt=PG

path=c:\windows ;c:\windows\command

comspec=c:\windows\command.com

Modification du fichier Msdos.sys

A la différence du DOS, le fichier Msdos.sys est un fichier de type texte, éditable et modifiable. Ses attributs sont toujours système, lecture seule et caché à la racine du disque d'amorçage. Il contient des informations de démarrage ainsi que les chemins d'accès de différents éléments du système. Deux sections sont disponibles :

[chemin d'accès]

windir=c:\windows	Répertoire Windows choisi lors de l'installation
WinBootDir=c:\windows	Emplacement des fichiers de démarrage
HostWinBootDrv=C	Définit le répertoire racine du disque d'initialisation

[Options]

Cette rubrique permet de personnaliser le démarrage du système, elle contient des entrées diverses :

Entrée	Valeur	Description
BootDelay=	n	Nombre de secondes pendant lesquelles la touche F8 est active au démarrage. Valeur par défaut 2
BootKeys=	0 ou 1	Si la valeur 1 est définie, désactive les touches de fonction au démarrage. Valeur par défaut 0
BootFailSafe=	0 ou 1	Permet l'activation du mode sans échec. Valeur par défaut 1
BootGui=	0 ou 1	Active le démarrage automatique de l'interface graphique. Valeur par défaut 1
BootMenu=	0 ou 1	Active l'affichage automatique du menu de démarrage. Valeur par défaut 0
BootMenuDefault=	n	Identifie l'item actif du menu de démarrage par défaut

BootMenuDelay=	n	Définit le nombre de secondes pour faire un choix dans le menu de démarrage
BootMulti=	0 ou 1	Permet le double amorçage avec une ancienne version du DOS. Valeur par défaut 0
BootWin=	0 ou 1	Définit Windows 98 comme le système d'exploitation par défaut. Valeur par défaut 1
Drvspace=	0 ou 1	Charge automatiquement drvspace.bin pour la compression de disque
logo=	0 ou 1	Active l'affichage du logo. S'il n'est pas affiché, les messages du chargement de Windows seront visibles. Valeur par défaut 1
Network=	0 ou 1	Active le mode sans échec avec support réseau dans le menu de démarrage. Valeur par défaut 1

Exécution du dual Boot

Windows 98 autorise l'utilisation d'un autre système d'exploitation. Celui-ci peut être une ancienne version de DOS, mais aussi Windows NT, Linux ou encore OS/2. Attention, ces systèmes d'exploitation doivent être installés après Windows 98 pour qu'ils prennent en charge le multi-boot.

Résolution des erreurs

Lors du chargement du système d'exploitation, si un problème est rencontré la procédure sera modifiée. Il existe plusieurs solutions qui vont varier suivant la nature du problème. Si un problème survient au niveau de la base de registres, Windows essaiera de la reconstruire à partir de la copie de secours. Nous aborderons la question un peu plus loin.

Il se peut que Windows tente de démarrer en mode sans échec. Ce mode charge un minimum de pilotes nécessaires au démarrage de l'interface graphique. Il charge une configuration standard qui restreint le système. Il permet cependant de corriger l'erreur. Voici les éléments chargés en mode sans échec :

- Écran VGA standard.
- Souris standard.
- Pas de gestionnaire de CD-Rom.
- Pas de gestionnaire de réseau.
- Pas de gestionnaires de cartes d'extension optionnelles (son…).

Le menu de démarrage permet de choisir plusieurs options qui peuvent éventuellement vous aider dans un processus de résolution des erreurs. Pour afficher le menu, appuyer sur la touche <F8> ou <Ctrl> au démarrage de Windows 98.

Item	Touche de fonction	Description
1 – Normal		Windows démarrera normalement
2 – Création de Bootlog.txt		Permet de visualiser le journal de démarrage pour localiser le problème
3 – Mode sans échec	F5	Windows démarre dans ce mode s'il y parvient
4 – Sans échec avec support réseau	F6	Charge en plus du mode sans échec les pilotes et logiciels réseau
5 – Mode pas-à-pas	<MAJ>F8	Permet d'exécuter les commandes ligne à ligne et de les activer ou non. Utilisé si un problème de pilote est rencontré
6 – Ligne de commande uniquement	<MAJ>F5	Ne lance pas Windows. Permet de démarrer sous DOS
7 – Invite de commande en mode sans échec		Lance le système minimal sans traiter autoexec.bat ni config.sys en ligne de commande

Création d'une disquette de secours

Lors de la procédure d'installation, le programme propose de créer une disquette de démarrage. Si cela n'a pas été fait à ce moment-là, il est possible d'en créer une par le Panneau de configuration.

- Cliquer sur l'icône *Ajout/Suppression de programmes*.

- Choisir l'onglet *Disquette de démarrage*.
- Cliquer ensuite sur le bouton « Créer une disquette » et « OK ».

Une disquette de secours Windows 95 contient les fichiers suivants :

- Attrib.exe   Modifie les attributs de fichiers.
- Command.com   Interpréteur de commande.

- Drvspace.bin   Pilote de compression de disque.
- Ebd.sys   Identifie la disquette comme disque de démarrage Windows.
- Edit.com   Editeur de texte.
- Fdisk.exe   Utilitaire de partitionnement de disque.
- Format.com   Utilitaire de formatage de disque.
- Io.sys   Fichier système.
- Msdos.sys   Fichier d'option d'initialisation.
- Regedit.exe   Editeur de registre.
- Scandisk.exe   Utilitaire de vérification de disque.
- Scandisk.ini   Fichier d'initialisation de Scandisk.
- Sys.com   Utilitaire de copie de fichiers système.
- Uninstall.exe   Utilitaire de désinstallation de Windows.

La disquette de secours Windows 98 est organisée autrement et est plus complète. Certains fichiers ont été ajoutés. D'autres sont compressés et stockés dans le fichier EBD.SYS et peuvent être décompressés à l'aide de la commande Extract.

- Autoexec.bat   Exécution automatique au démarrage permettant notamment la prise en charge du CD-Rom sous DOS.
- Command.com   Interpréteur de commande.
- Config.sys   Exécution automatique au démarrage, charge des gestionnaires de périphériques sous DOS.
- Country.sys   Utilisé dans le fichier config.sys.
- Display.sys   Utilisé dans le fichier config.sys.
- Drvspace.bin   Pilote de compression de disque.
- Ebd.sys   Identifie la disquette de démarrage comme étant le disque de démarrage Windows.
- Ebd.cab   Permet d'extraire des utilitaires DOS supplémentaires (chkdsk.exe, debug.exe, edit.com, scandisk.exe, scandisk.ini, sys.com, mscdex.exe, attrib.exe, ext.exe, attrib.exe, format.com, restart.com et help.bat).
- Fdisk.exe   Utilitaire de partitionnement de disque.
- Io.sys   Fichier système.
- Msdos.sys   Fichier d'option d'initialisation.

La mémoire virtuelle

Windows 98 exploite la mémoire de manière linéaire et uniforme. Il exécute du code 32 bits tout comme le fait Windows NT.

Windows a la capacité de gérer sa mémoire virtuelle automatiquement. C'est-à-dire qu'il en crée au fur et à mesure de ses besoins et la détruit lorsqu'elle lui est inutile.

Le changement des paramètres de la mémoire virtuelle est à manipuler avec précaution. A priori, il n'y a pas lieu de le faire sauf si vous décidez de la mettre en place sur un autre disque dur.

Dans le Panneau de configuration, cliquer sur l'icône *Ajout/Suppression de programmes*.

- Choisir l'onglet *Performances*.
- Cliquer ensuite sur le bouton « Mémoire virtuelle ».

Valider les paramètres (unité, taille minimum, taille maximum). Dans la mesure du possible, ne pas utiliser l'option permettant de la désactiver.

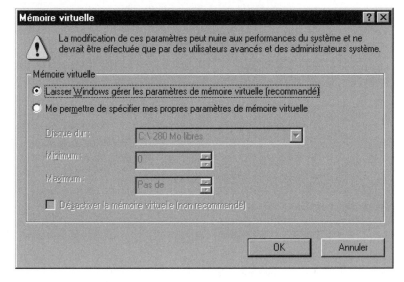

La base de registres

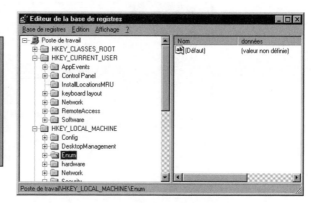

- *Description*
- *Edition du registre*
- *Sauvegarde de la base de registre*

Description

Dans l'ancienne version Windows 3.11, les informations concernant le système et les applications étaient écrites dans les fichiers .INI (win.ini, system.ini, control.ini…). Dans ce système, une base de données hiérarchique et centralisée a été mise au point, c'est ce que l'on appelle la base de registres.

Si les fichiers .ini qu'elle remplace continuent d'être présents et renseignés, c'est uniquement pour assurer la compatibilité avec les applications qui ne savent pas lire ou écrire dans la base de registres.

Cette base de registres permet de gérer des profils utilisateurs (une machine pourra mémoriser les paramètres de plusieurs utilisateurs), conservant ainsi les spécificités de chacun d'entre eux pour les raccourcis, les programmes du menu Démarrer, les préférences du Bureau telles que couleurs, papier peint ou image de fond.

Sa seconde particularité est qu'elle conserve les informations sur le matériel du système et la configuration Plug and Play. Le système va puiser les informations dans la base de registres lorsque l'on fait appel à une ressource. Les nouveaux périphériques Plug and Play installés seront automatiquement intégrés dedans.

Elle est composée de deux fichiers, SYSTEM.DAT et USER.DAT, qui se répartissent les informations. L'un concerne l'aspect matériel et l'autre l'aspect logiciel. Afin de les protéger, ils ont les attributs système, lecture seule et caché et sont situés dans le répertoire Windows.

Edition du registre

Dans des conditions normales de fonctionnement, il n'est pas utile de modifier manuellement la base de registres. La plupart du temps, les éléments du Panneau de configuration suffisent. Ce sont les manipulations dans Windows que vous faites qui affectent la base de registres et non le contraire.

Malgré tout, il se peut que vous ayez besoin d'aller effectuer certaines modifications. Windows met à votre disposition un éditeur de registres. Pour l'ouvrir, passer par le menu Démarrer, puis Exécuter et saisir `Regedit` puis valider sur « OK ».

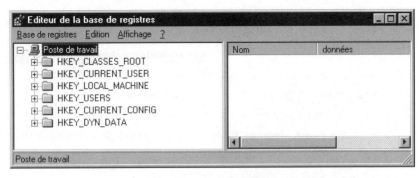

La base de registres est organisée en clés baptisées HKEY que l'on ne peut pas modifier. Elles renferment des sous-clés et des entrées. Voici un bref descriptif de ces clés :

Clés	Description
HKEY_CLASSES_ROOT	Identifie les fichiers en associant les extensions à un programme. Contient des informations concernant l'OLE2
HKEY_CURRENT_USER	Contient les informations concernant l'utilisateur connecté si des profils sont actifs. Ces informations sont copiées depuis la clé HKEY_USERS
HKEY_LOCAL_MACHINE	Contient des paramètres matériel de la station de travail et des paramètres communs à l'ensemble des utilisateurs
HKEY_USERS	Contient les profils utilisateurs de la machine, seul celui qui est connecté est actif
HKEY_CURRENT_CONFIG	Paramètres matériels et configuration du profil actuel. Les informations sont copiées depuis la clé HKEY_LOCAL_MACHINE
HKEY_DIN_DATA	Elle est créée dynamiquement et chargée en mémoire à chaque démarrage. Elle contient des informations sur les paramètres des périphériques et les caractéristiques du Plug and Play

Sauvegarde de la base de registres

Il existe différentes façons de réaliser une copie de sauvegarde de la base de registres. Cet élément est crucial et une sauvegarde régulière vous permettra de réparer les petits désastres provoqués par l'installation d'un périphérique ou d'un programme disgracieux.

Les fichiers de sauvegarde

Windows 98 crée automatiquement une copie de secours de la base de registres présentée sous deux fichiers : SYSTEM.DA0 et USER.DA0 (attention, c'est un zéro et pas un o) qui portent les mêmes attributs et se situent au même endroit que les originaux.

Cette copie est utilisée par Windows si la base de registres est endommagée lors du démarrage. Cette opération n'est malheureusement pas toujours possible, il vous faudra alors le faire vous-même. Soit à partir de Windows s'il démarre en mode sans échec soit sous DOS. La manipulation consiste à déprotéger les fichiers de registre à l'aide des commandes :

```
attrib -s -h -r c:\windows\system.dat
attrib -s -h -r c:\windows\system.da0
attrib -s -h -r c:\windows\user.dat
attrib -s -h -r c:\windows\user.da0
```

Puis de supprimer les deux originaux à l'aide de la commande Del :

```
del c:\windows\user.dat
del c:\windows\system.dat
```

Puis de renommer les copies de secours à l'aide de la commande Rename :

```
rename c:\windows\system.da0 c:\windows\system.dat
rename c:\windows\user.da0 c:\windows\user.dat
```

La commande Regedit

Elle peut être utilisée sous DOS pour créer une copie de secours dont l'extension est .txt. Cette même commande pourra être saisie pour restaurer les copies de secours.

```
c:\>regedit /E sos.txt        Crée une copie de sauvegarde
c:\>regedit /C sos.txt        Pour restaurer la copie de sauvegarde
```

Générer un fichier de registre

Sous Windows 98, Regedit peut être utilisé pour créer une copie de registre. Cette manipulation crée un fichier dont l'extension est .REG.

Dans Regedit, dérouler le menu Base de registres et choisir l'option Exporter le fichier de la base de registres.

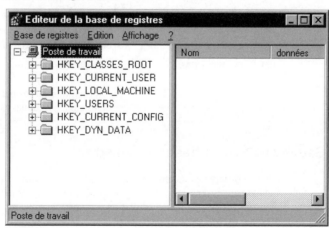

Choisir un nom et un emplacement. Une petite astuce : placer ce fichier dans le répertoire racine, ceci évite de préciser le chemin d'accès du fichier si vous devez le restaurer sous DOS.

Pour restaurer un fichier .REG, vous pouvez utiliser Regedit sous Windows en déroulant le même menu et en choisissant la commande Importer le fichier de la base de registres.

Si Windows refuse de démarrer, vous pouvez utiliser les commandes DOS suivantes :

`c:\>extract /c sos.reg sos.txt`   Permet de transformer le .reg en .txt

`c:\>regedit /c sos.txt`   Restaure le registre

Notez que la commande `Regedit` peut être directement utilisée avec le fichier .reg, mais sa restauration est beaucoup plus longue.

Le Plug and Play

- *Description*
- *Les composants Plug and Play*
- *Le processus Plug and Play*

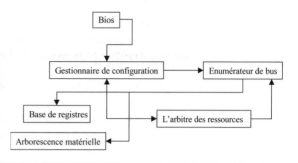

Description

Le système d'exploitation Plug and Play doit être capable de reconnaître et de configurer un nouveau composant sans intervention de la part de l'utilisateur. Les ressources du système (IRQ, adresse E/S, adresse mémoire de base, canal DMA) seront attribuées par Windows 98. Il doit également être en mesure de supporter la connexion et la déconnexion à chaud de périphériques PCMCIA ou encore USB comme les cartes réseau ou encore les modems.

Hormis le système d'exploitation, d'autres éléments du PC doivent répondre à la norme Plug and Play. Le Bios, les périphériques et les pilotes de périphériques devront être compatibles Plug and Play.

Dans le cas où l'un des composants n'est pas compatible, il devra être installé et configuré manuellement.

Les composants Plug and Play de Windows 98

Windows 98 comprend quatre composants de base pour prendre en charge le PnP :

Le gestionnaire de configuration

Il communique avec le Bios afin d'obtenir la liste de configuration des périphériques internes afin de leur affecter une ressource. Il offre une réponse lors d'un événement dynamique comme l'insertion d'un portable sur une station d'accueil. Il notifie aux périphériques et aux applications les éventuelles modifications de configuration.

Il coordonne la communication entre les divers éléments.

La base de registres et l'arborescence matérielle

Ces éléments contiennent les informations concernant la configuration active définie lors de l'exécution du processus Plug and Play. Une partie de l'arborescence matérielle est chargée en RAM afin d'accélérer la lecture des informations.

Énumérateurs de bus et de port

Ils sont responsables de la construction de l'arborescence matérielle et sont composés de pilotes de périphériques système. Il existe un pilote par type de bus activé sur le système. Windows 98 détermine automatiquement les énumérateurs à charger et peut reconnaître les types ISA, PCI, SCSI, VESA, USB, Série et Parallèle.

L'arbitre des ressources

Il est chargé d'affecter des ressources spécifiques aux périphériques. Ceux-ci déclarent leurs exigences et alternatives possibles, l'arbitre des ressources choisit la solution optimale en évitant les conflits.

Le processus Plug and Play

Au démarrage de Windows 98, le processus Plug and Play se met en route et exécute les opérations suivantes :

- Le gestionnaire de configuration ordonne aux énumérateurs de bus de mettre tous les périphériques en mode configuration.

- Mise en place d'une banque d'informations relatives aux périphériques par les énumérateurs de bus à partir de l'arborescence matérielle et de la base de registres.

- L'arbitre des ressources recueille les informations à partir du gestionnaire de configuration et alloue les ressources aux périphériques en évitant les conflits. Les plus exigeants seront les premiers servis et ainsi de suite.

- Ces informations sont renvoyées aux énumérateurs de bus qui se chargeront de les transmettre aux périphériques eux-mêmes.

- Les cartes d'extension sont ensuite activées par l'énumérateur de bus avec leurs nouveaux paramètres.

L'ajout de périphériques

- *L'assistant ajout de matériel*
- *Modification des paramètres existants*

Lorsqu'un nouveau périphérique est inséré dans l'unité centrale, Windows détecte sa présence dans le processus Plug and Play et vous propose de le configurer à l'aide de l'assistant. La grande majorité des périphériques du commerce sont Plug and Play. Il est cependant possible que le programme d'installation vous demande d'insérer une disquette ou un CD-Rom pour mettre à jour les pilotes Windows.

L'assistant Ajout de matériel

S'il ne se lance pas, passez par le Panneau de configuration et cliquez sur l'icône *Ajout de matériel*. Laissez toujours Windows détecter votre matériel ; en cas d'échec, tentez de l'installer à l'aide d'un programme d'installation fourni avec le périphérique.

Une fois la détection terminée, le bouton « Détails » permet d'obtenir des informations concernant le matériel. Si au cours de la procédure l'ordinateur se bloque, éteignez-le et rallumez-le ensuite. Windows n'essaiera plus de détecter le périphérique en question. Il vous faudra alors utiliser la procédure manuelle.

Si vous avez choisi de ne pas laisser Windows détecter votre nouveau périphérique, vous devrez intervenir dans la procédure d'installation.

Choisir le périphérique dans la liste.

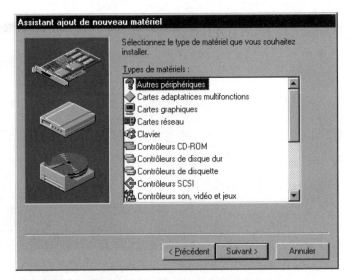

Puis procéder aux étapes suivantes.

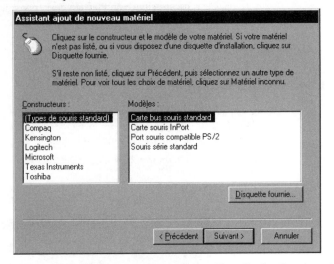

Le bouton « Disquette fournie » peut vous permettre d'installer le pilote à partir d'un CD-Rom, d'une disquette ou encore d'un lecteur réseau.

Modification des paramètres existants

C'est le Gestionnaire de périphériques qui vous permet de modifier la configuration existante. Cet utilitaire se trouve dans le Panneau de configuration et est accessible par l'icône *Système*.

La fenêtre de dialogue est organisée en plusieurs onglets. L'onglet *Gestionnaire de périphériques* présente la liste des périphériques de l'ordinateur et leurs paramètres de configuration.

Pour visualiser les paramètres d'un périphérique, cliquer sur l'arbre à l'aide du bouton
« + » puis double-cliquer sur le périphérique pour afficher ses propriétés.

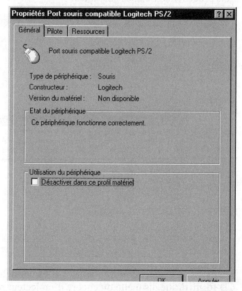

Suivant les périphériques, vous pourrez changer de pilote, modifier les ressources ou
encore le désactiver du profil matériel actif.

Notez bien que quelquefois, il ne suffit pas de modifier un paramètre dans le
Gestionnaire de périphériques lorsque l'un d'entre eux ne fonctionne pas
correctement. Il est souvent nécessaire de déplacer un cavalier ou de régler un
commutateur sur le périphérique lui-même lorsque celui-ci ne répond pas à la norme
Plug and Play.

Gestion des programmes sous Windows

- *Le traitement multi-tâche*
- *Les machines virtuelles*
- *Le support des noms longs*
- *Le gestionnaire de tâches*
- *Ajout et suppression de programmes et de composants Windows*

Les processeurs x86 comportent quatre niveaux de protection quand les programmes s'exécutent. Ce sont les anneaux. Les transitions entre ces anneaux consomment beaucoup de cycles CPU et de mémoire système. Pour augmenter la vitesse et réduire les erreurs d'adressage mémoire, Windows 98 utilise seulement deux anneaux :

Le ring 0

Il fournit un haut niveau de protection et l'accès rapide et privilégié à la mémoire et aux périphériques. Il est utilisé par Windows 98 pour charger le noyau du système.

Le kernel, le GDI et le user interface.

Le ring 3

Pas de protection processeur. Les programmes devront fournir les protections des ressources. Leurs privilèges sur les périphériques sont limités. Si un programme plante en anneau 3, il ne pourra pas affecter ceux tournant en anneau 0, évitant ainsi de paralyser le système. Certains composants Windows sont chargés en anneau 3, ainsi que les applications utilisateurs.

Le traitement du multitâche

Windows 98 intègre deux types de traitement multitâche qui lui permettent de gérer trois sortes d'applications, les applications 32 bits, les applications 16 bits provenant de Windows 3.11 et les applications DOS .

Le multitâche coopératif

Dans un but de compatibilité avec les applications 16 bits, ce type de fonctionnement est utilisable sous Windows 98. Le principe est qu'un seul thread s'exécutera jusqu'à ce qu'il rende la main au processeur.

Le multitâche préemptif

Concerne toutes les applications 32 bits et le noyau de Windows. Chaque thread obtient une quantité de temps CPU. Il existe une notion de priorité. Lorsque plusieurs threads s'exécutent, ces priorités sont gérées par le séquenceur.

Décomposition et explications du système multitâche

Les process

Un process représente schématiquement une application qui s'exécute. Un process est composé de :

- Le code initial et les données.
- Un espace d'adressage mémoire dans lequel le code et les données sont stockés et au moins un thread d'exécution.

Les threads

C'est une unité d'exécution. Il est composé d'une pile de registre (stack) pour l'utilisation en mode user, une pile de registre pour l'utilisation en mode kernel et un état du processeur incluant les instructions présentes dans les registres.

Les unités d'exécution indiquent aux différents composants de Windows 98 ce qu'ils doivent faire. Windows 98 est multithread pour les applications 32 bits.

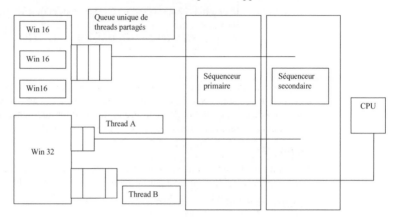

Les programmes 16 bits partagent une queue unique de threads partagés. Le séquenceur (le scheduler) utilise le multitâche préemptif pour déterminer quel thread obtient une tranche de temps.

Les machines virtuelles

A l'époque du multitâche, les applications sont appelées à partager les ressources du système. Des conflits peuvent survenir quand deux applications font appel à une même ressource. Les machines virtuelles ont été conçues pour laisser croire au programme qu'il a l'usage exclusif des ressources du système. Elles s'exécutent en anneau 3 et utilisent une technique de passage de message pour accéder à la mémoire et au matériel. Windows 98 utilise des messages pour appeler les différents composants dans la machine virtuelle où ceux-ci sont supposés être.

Il existe deux types de machine virtuelle :

La machine virtuelle système

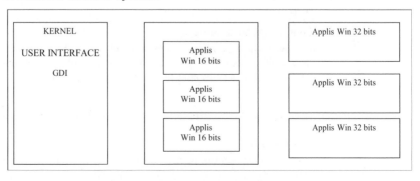

Elle est composée de :

- Un espace adressable réservé aux composants système. Aucune application utilisateur ne se chargera ici. Cela garantit une meilleure stabilité du système.

- Un espace unique adressable pour l'ensemble des applications Windows 16 bits (en général les applications Windows 3.11). Si une application bloque, toutes les applications présentes dans cet espace peuvent se bloquer.

- Un espace unique adressable pour chaque application Windows 32 bits exécutée. Une application ne pourra pas en bloquer une autre.

Les machines virtuelles DOS

Windows 98 crée une machine virtuelle DOS par application DOS présente en mémoire. Ceci permet d'autonomiser les applications DOS, d'en ouvrir plusieurs et de continuer à travailler en mode multitâche MS-DOS.

Le support des noms longs

Windows 98 supporte des noms de fichiers longs pouvant contenir jusqu'à 255 caractères mais ne prend toujours pas en compte la différence entre les minuscules et les majuscules. On peut utiliser les points dans un nom de fichier, par exemple un fichier nommé test.applications.doc est valide. Certains caractères sont interdits dans les noms de fichiers. En voici la liste :

```
/ \ [ ] : * ? " <> |
```

Les applications DOS et Windows 16 bits ne pouvant pas supporter les noms longs, Windows 98 assure la transformation des noms de fichiers en format 8.3. La FAT d'un disque dur sur lequel Windows 98 est installé a été étendue de manière à ce qu'elle puisse écrire des noms de fichiers longs. En revanche, si l'on ouvre une application 16 bits, seuls les noms de fichiers au format 8.3 seront exploitables.

Réécriture des noms de fichiers

Windows 98 crée automatiquement une version 8.3 du fichier et utilise la technique suivante pour leur attribuer un nom :

`unnomdefichierlong.doc` est transformé en `unnomd~1.doc`

Windows récupère les six premiers caractères sans prendre les espaces s'il y en a et les complète par le caractère « ~ » suivi d'un numéro. Ceci afin d'éviter que deux noms de fichiers commençant par six premiers caractères identiques ne soient réécrits dans un fichier unique au format 8.3. Il est inutile de s'occuper de l'extension, celle-ci est automatiquement réécrite.

Le Gestionnaire des tâches

Le Gestionnaire des tâches peut être utilisé lorsqu'une application ne répond plus et que l'on a besoin de la fermer. Il reste malgré tout préférable de fermer les applications dans les règles de l'art, c'est-à-dire d'utiliser le menu Fichier et la commande Quitter. Malgré tout, si cela est impossible, on pourra utiliser la procédure suivante : appuyer sur les touches <Ctrl>+<Alt>+<Suppr> pour afficher la liste des tâches actives.

Le bouton « Fin de tâche » permet de fermer une application qui ne répond plus. La mention *Pas de réponse* figure sur la ligne qui décrit l'application. Par mesure de prudence, il est conseillé de fermer les applications qui tournent correctement par l'intermédiaire de leurs menus respectifs et ensuite d'essayer de revenir sur celle qui bloque. Il arrive quelquefois que l'application puisse reprendre une activité après lui avoir accordé quelques secondes supplémentaires pendant lesquelles elle disposera des ressources du système.

Si le système est complètement bloqué, le fait de refaire <Ctrl>+<Alt>+<Suppr> redémarre Windows. Cette mesure ne doit être prise que lorsque aucune autre ne fonctionne ; elle devient très rare.

Ajout et suppression de programmes Windows

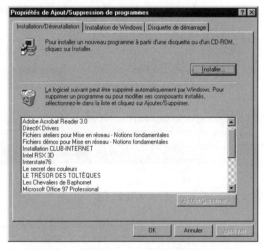

Le moyen le plus simple pour installer des programmes Windows consiste à utiliser l'icône *Ajout/Suppression de programmes*. Vous avez malgré tout toujours le choix d'utiliser directement la commande *Exécuter* du menu *Démarrer*.

Le bouton « Installer » vous permet de réaliser les installations de tout type de programme.

Windows recherche alors sur une disquette ou sur un CD-Rom la présence d'un programme d'installation. Vous pouvez également utiliser le bouton « Parcourir » pour rechercher de tels programmes sur les disques durs locaux ou encore sur le réseau.

De nombreuses applications 32 bits intègrent maintenant un programme de désinstallation. Choisir systématiquement cette option pour obtenir « un ménage propre » dans le répertoire Windows et la base de registres. S'il est disponible, il suffit de le sélectionner dans la liste et de cliquer sur le bouton « Ajouter/Supprimer ». Certains programmes, comme par exemple le Pack Office, vous permettent de personnaliser l'installation en ajoutant et en supprimant certains composants.

Ajout et suppression de composants Windows

En passant toujours par l'icône *Ajout/Suppression de programmes* du Panneau de configuration, cliquer sur l'onglet *Installation de Windows*.

Utiliser les cases à cocher et le bouton « Détails » pour valider ou invalider certaines options de Windows 98. Le bouton « Disquette fournie » vous sera nécessaire pour ajouter des composants se trouvant dans un répertoire différent de celui de Windows 98 sur le CD-Rom. Par exemple, si vous désirez installer l'utilitaire POLEDIT (permettant de définir des profils utilisateurs et machine), vous devrez aller chercher les éléments dans le répertoire *Admin\apptools\Poledit* du CD-Rom.

Windows vous demandera d'insérer le CD-Rom si des options supplémentaires sont installées. Là encore, c'est la seule garantie que vous ayez pour que les composants se désinstallent correctement dans le système.

La mise en réseau

- *Installation du réseau*
- *Paramétrage des éléments*
- *Personnalisation*

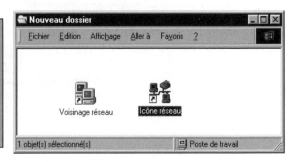

Installation du logiciel réseau

Sous Windows 98, on peut installer l'ensemble du réseau en utilisant une seule icône. Dans le Panneau de configuration, cliquer sur l'icône *Réseau* dans l'onglet *Configuration*.

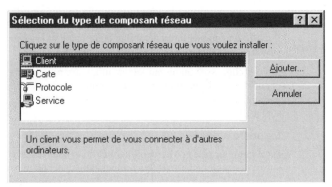

Si, lors de l'installation, le poste de travail est en réseau, vous pouvez également visualiser les paramètres installés par un clic sur le bouton droit de la souris sur l'icône *Voisinage réseau* du Bureau.

Les composants réseau sont divisés en quatre catégories :

- Le client
- La carte réseau
- Le protocole
- Les services

Le client

C'est le logiciel qui vous permet de vous connecter à d'autres ordinateurs.

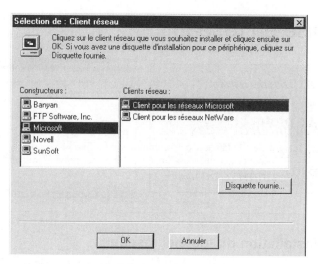

Choisir dans la liste un client et installer le logiciel avec le CD-Rom d'installation de Windows 98 ou bien avec le programme d'installation spécifique au client en utilisant le bouton « Disquette fournie ».

Le client/serveur

Il existe une grande interopérabilité entre le client Windows 98 et les différents systèmes serveurs que l'on trouve sur le marché.

Si vous choisissez un réseau secondaire, votre réseau fonctionnera en mode client/serveur. Cela signifie que le contrôle du réseau (en termes de sécurité, de partage des ressources réseau…) se fera depuis le serveur. Le poste de travail connecté sera le client.

Le poste à poste

Le client pour réseau Microsoft permet de valider le réseau Windows 98 sans aucun autre réseau secondaire. Il fonctionnera alors suivant le principe du partage des ressources. C'est-à-dire que chaque ordinateur connecté aura le contrôle du partage de ses ressources (accès, protection des données, partage…).

La carte réseau

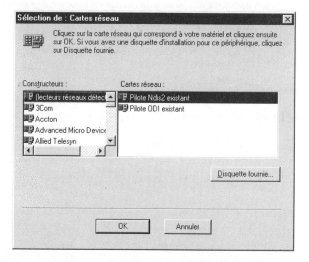

Si le pilote de carte réseau n'a pas encore été installé, utiliser cette option. Ceci sera alors une installation manuelle du pilote. Il est cependant conseillé et plus pratique de laisser Windows 98 détecter la carte réseau.

Si vous utilisez un modem pour une connexion Internet, celui-ci sera pris en charge par la carte d'accès à distance qui est considérée comme une carte réseau.

Le protocole

C'est le langage de communication utilisé par les ordinateurs lors des échanges de données. Tous les ordinateurs connectés doivent utiliser un protocole commun au moins.

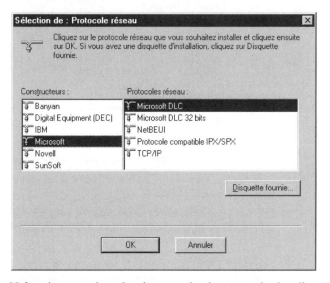

Windows 98 fournit un grand nombre de protocoles de communication. Ils sont classés par constructeurs.

Si vous utilisez le client réseau pour Microsoft, le protocole le mieux adapté est le Netbeui. Attention, celui-ci est non routable, donc utilisable uniquement sur un réseau LAN.

Le protocole utilisé pour les connexions Internet par l'intermédiaire d'un modem est le TCP/IP. Celui-ci est routable et sera choisi dans le cadre d'un réseau WAN.

Le protocole IPX/SPX est utilisé par les réseaux Novell Netware. Il existe deux versions de ce protocole, l'un édité par Novell et l'autre par Microsoft.

Les services

Les services permettent d'accéder au partage des ressources, agents de sauvegarde, gestionnaires d'impression... Au moins un service est nécessaire pour pouvoir activer les partages des ressources.

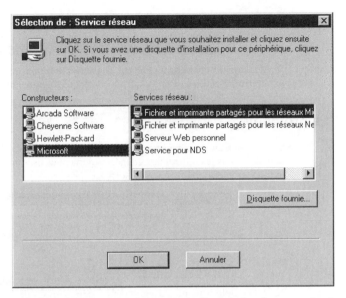

Là encore plusieurs services vous sont proposés. Ils sont classés par constructeur.

Si vous utilisez un client pour réseau Microsoft, utilisez le service *Fichier et imprimante partagés pour les réseaux Microsoft* dans la liste.

Vous pouvez aussi utiliser un programme d'installation spécifique en cliquant sur le bouton « Disquette fournie ».

Une fois l'ensemble des éléments installés, vous devrez redémarrer l'ordinateur. La suite de ce chapitre revient sur la personnalisation du réseau.

Les paramètres du réseau sont visibles par un clic droit sur le Voisinage réseau et la commande *Propriétés* ou par l'icône *Réseau* du Panneau de configuration. Cette fenêtre affiche tous les paramètres que vous avez définis lors de l'installation du réseau. Vous pouvez vérifier chaque élément en utilisant le bouton « Propriétés », en supprimer ou en ajouter.

L'onglet Configuration

Ouverture de session

Permet de définir sur quel réseau Windows doit démarrer. Vous pouvez choisir entre *Ouverture d'une session Windows* ou *Client pour les réseaux Microsoft* ou encore tout autre client réseau correctement installé.

Sélectionner le client et cliquer sur le bouton « Propriétés » pour afficher les éléments relatifs au client.

Autoriser le partage des ressources

Cliquer sur le bouton « Partage des fichiers et imprimantes ».

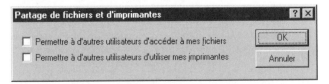

Valider les options de votre choix pour permettre ou non le partage des ressources.

L'onglet Identification

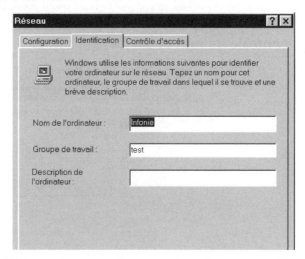

Permet de définir un nom d'ordinateur. Ce nom sera utilisé pour identifier votre poste de travail dans le Voisinage réseau et est déclaré lors de l'installation de Windows. Ensuite, saisissez le nom du groupe de travail auquel sera rattaché votre ordinateur.

L'onglet Contrôle d'accès

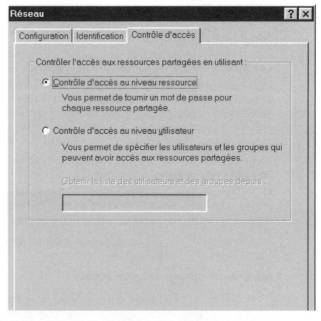

Permet de définir si le contrôle d'accès se fera au niveau des ressources ou au niveau des utilisateurs. Chacune de ces deux options possède ces particularités. L'option par défaut est *Contrôle d'accès au niveau des ressources*, c'est-à-dire que chaque utilisateur gère le partage de ses ressources.

Si vous choisissez l'option *Contrôle d'accès au niveau utilisateur*, vous devrez alors indiquer le nom du domaine ou de l'ordinateur qui contient la liste principale des utilisateurs et des mots de passe. Il s'agit souvent d'un serveur réseau.

Si vous utilisez Windows en réseau poste à poste, le seul paramètre de sécurité que vous pouvez définir sera un mot de passe pour l'accès en lecture et en écriture.

Le contrôle du mot de passe

Il se fait par l'intermédiaire de l'icône *Mot de passe* du Panneau de configuration.

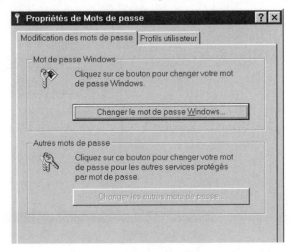

Cliquer sur l'un des deux boutons suivant le cas et changer le mot de passe après avoir déclaré l'ancien.

Les profils utilisateurs

Les profils dans un environnement réseau

La notion de profils utilisateurs s'apparente à une personnalisation du réseau. Il faut considérer cet aspect de configuration dans la mesure où un ordinateur serait utilisé par plusieurs personnes. Bien que de nombreux systèmes d'exploitation réseau permettent de gérer les profils, il paraît intéressant dans un environnement poste à poste de pouvoir retrouver la personnalisation du Bureau en fonction d'un profil.

Au niveau de la boîte de dialogue *Mot de passe*, cliquer sur l'onglet *Profils*. Cocher ensuite les options que vous avez choisies.

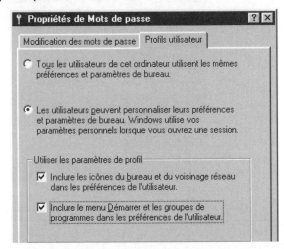

Les profils dans un environnement monoposte

Windows 98 permet de personnaliser l'environnement de travail dans un contexte monoposte. Cette option peut par exemple, permettre de définir des options différentes en fonction de l'utilisation de l'ordinateur. Nous pourrions par exemple mettre en place un profil *travail* et un profil *jeux* dans le cadre d'une utilisation familiale du PC. A partir du moment où le profil est actif, toute modification effectuée est stockée dans le profil.

Voici comment procéder. Ouvrir le Panneau de configuration et cliquer sur l'icône *Utilisateurs*.

Suivre ensuite les différentes étapes pour créer le profil et choisir les éléments qui interviendront dans la personnalisation.

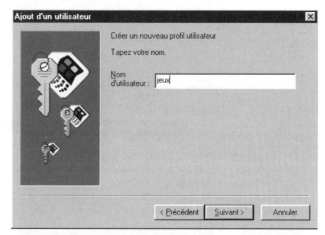

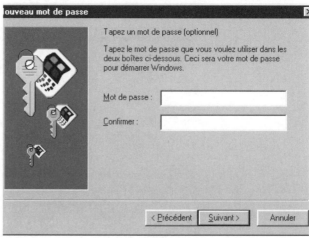

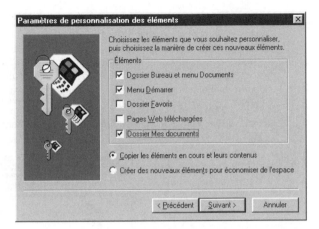

Cliquer ensuite sur le bouton « Terminer » et valider lorsque le système vous demande de redémarrer. Avant de charger le Bureau, il vous suffira de renseigner les paramètres de votre profil.

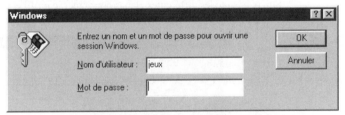

Pour changer de profil actif, passer par le menu *Démarrer–Déconnexion*

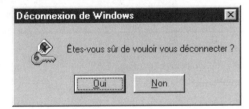

Atelier

- *Installation de Windows 98*
- *Personnalisation de l'interface*
- *Installation d'une imprimante*
- *Installation du support réseau*

Exercice n° 1

Réalisez l'installation de Windows 98 en respectant les éléments suivants :

- Procédez à l'installation en bootant sur le CD-Rom ou sur la disquette de démarrage.
- Prenez l'option d'installation personnalisée et vérifiez les périphériques détectés par Windows.
- N'installez pas pour l'instant le support réseau, nous le ferons plus tard.

Exercice n° 2

Une fois l'installation terminée, personnalisez votre environnement de travail par le Panneau de configuration :

- Résolution graphique.
- Papier peint et couleurs.
- Pointeur de la souris.
- Mise en place d'une mise en veille avec un mot de passe

Installez une imprimante locale (sur le poste qui recevra l'imprimante sur LPT1).

Visualisez vos fichiers système par l'utilitaire SYSEDIT. Modifiez le fichier *msdos.sys* de façon à ce que le menu de démarrage s'affiche automatiquement.

Testez le démarrage en mode ligne de commande.

Exercice n° 3

Installation du support réseau.

- Carte.
- Protocole.
- Service.
- Client.

Activation du partage de fichiers et d'imprimante.

Installation d'une imprimante réseau (pour les autres postes).

Sauvegarde de la base de registres par :

- Le Regedit sous Windows (création d'un fichier .REG).
- Sous DOS à l'aide de la commande Regedit (création d'un fichier .TXT).

Quiz

- *Série de questions/réponses*

Question n° 1

Quel est le minimum matériel nécessaire à l'installation de Windows 95 ?

❑ 24 Mo de mémoire vive et 150 Mo d'espace disque libre

❑ 16 Mo de mémoire vive et 80 Mo d'espace disque libre

❑ 32 Mo de mémoire vive et 400 Mo d'espace disque libre

❑ 24 Mo de mémoire vive et 100 Mo d'espace disque libre

Question n° 2

Pour installer Windows 98, il est obligatoire d'installer MS-DOS 6.22.

❑ Vrai

❑ Faux

Question n° 3

Parmi cette liste, quelle est l'information que vous devez obligatoirement fournir lors de l'installation de Windows 98 ?

❑ Le nom de l'utilisateur

❑ Le nom de l'ordinateur

❑ Le nom du groupe de travail

❑ Le type de carte mère

Question n° 4

Que faire lorsque le programme d'installation se bloque lors de la procédure ?

❑ Appuyer sur les touches <Ctrl> + >Alt> + <Suppr>

❑ Eteindre l'ordinateur et réexécuter le programme d'installation

❑ Eteindre l'ordinateur et exécuter Scandisk

❑ Eteindre l'ordinateur et exécuter Defrag

Question n° 5

Quel est le nom du fichier permettant de visualiser les étapes d'installation franchies ?

❑ BOOTLOG.TXT

❑ SETUPLOG.BIN

❑ SETUPLOG.TXT

❑ DETLOG.TXT

Question n° 6

Pour installer Windows 98 avec un autre système d'exploitation, celui-ci doit être installé en premier.

❑ Vrai

❑ Faux

Question n° 7

Lorsqu'un problème d'impression se présente, le plus pratique reste d'envoyer un fichier au format RAW au lieu du format EMF.

❑ Vrai

❑ Faux

Question n° 8

Lesquelles des affirmations suivantes sont valides à propos des raccourcis ? Attention, plusieurs réponses possibles.

❑ Ils peuvent être placés sur le Bureau

❑ Ils correspondent à l'original d'un programme

❑ Ils correspondent à un pointeur vers le programme d'origine

❑ Ils ne peuvent pas être placés sur le Bureau

Question n° 9

Quelle est la combinaison de touches permettant de passer d'une application ouverte à une autre ?

❑   <Ctrl> + <Alt> + <Suppr>

❑   <Ctrl> + <Echap>

❑   <Ctrl> + <Tab>

❑   <Alt> + <Tab>

Question n° 10

Quels sont les éléments qui peuvent être enregistrés dans un profil utilisateur ? Attention, plusieurs réponses possibles.

❑   Les programmes du menu Démarrer

❑   Les raccourcis

❑   Les paramètres matériels

❑   Les couleurs et les papiers peints du Bureau

❑   Les partages de dossiers

Question n° 11

Quels sont les fichiers représentant la base de registres ?

❑   SYSTEM.DAT et SYSTEM.DA0

❑   USER.DAT et USER.DA0

❑   SYSTEM.DAT et USER.DAT

❑   Aucune de ces réponses

Question n° 12

Dans Windows 98, les extensions de fichiers n'existent plus.

❑   Vrai

❑   Faux

Question n° 13

Quelle est la séquence de démarrage de Windows 98 ?

❑   IO.SYS – CONFIG.SYS – COMMAND.COM – AUTOEXEC.BAT – WIN.COM – SYSTEM.DAT – USER.DAT

❑   IO.SYS – CONFIG.SYS - MSDOS.SYS – AUTOEXEC.BAT – WIN.COM – SYSTEM.DAT – USER.DAT

❏ IO.SYS – CONFIG.SYS – COMMAND.COM – AUTOEXEC.BAT – WIN.COM – MSDOS.SYS – USER.DAT

❏ IO.SYS – MSDOS.SYS – SYSTEM.DAT –CONFIG.SYS –AUTOEXEC.BAT – WIN.COM –USER.DAT

Question n° 14

Quelle est la touche de raccourci permettant de démarrer Windows 98 en mode sans échec ?

❏ <F4>

❏ <F5>

❏ <MAJ> <F5>

Question n° 15

Dans le fichier MSDOS.SYS, la ligne BOOTMENU=N désactive les touches de raccourci <F4>, <F5> et <F8>.

❏ Vrai

❏ Faux

Question n° 16

Quels sont les pilotes chargés lors du démarrage de Windows 98 en mode sans échec ? Attention, plusieurs réponses possibles.

❏ Écran standard VGA

❏ Souris

❏ Lecteur de CD-Rom

❏ Pilote de carte son

❏ Pilote réseau

Question n° 17

Avec Windows 98, le pilote HIMEM.SYS n'est plus nécessaire.

❏ Vrai

❏ Faux

Question n° 18

Quelle est la commande DOS permettant de sauvegarder la base de registres vers un fichier texte ?

❏ REGEDIT /C NOMFICHIER.TXT

❏ REGEDIT /E NOMFICHIER.TXT

❑   REGEDIT NOMFICHIER.TXT /C

❑   REGEDIT NOMFICHIER.TXT /E

Question n° 19

Lorsqu'un périphérique PnP ne fonctionne pas correctement, quel est l'utilitaire Windows qui permet de modifier les paramètres ?

❑   MSD

❑   Le gestionnaire de périphérique

❑   L'assistant Ajout de matériel

❑   La base de registres

Question n° 20

Dans quel répertoire se trouvent les fichiers de base de registres ?

❑   C:\

❑   C:\WINDOWS

❑   C:\WINDOWS\SYSTEM

❑   C:\WINDOWS\REGISTRY

Question n° 21

Quel est le composant réseau qui permet le partage des fichiers et des imprimantes dans Windows 98 ?

❑   Le nom d'ordinateur

❑   Le protocole réseau

❑   Le client pour réseau Microsoft

❑   Le partage de fichiers et d'imprimantes pour les réseaux Microsoft

Question n° 22

Quel est l'élément qui ne fait pas partie des composants réseau ?

❑   Le protocole

❑   La carte réseau

❑   Le client pour les réseaux Microsoft

❑   Le gestionnaire de connexion

Question n° 23

Lorsqu'une ressource est partagée dans un Workgroup, quel paramètre de sécurité peut-on appliquer ?

❑   Contrôler le partage par mot de passe

❑   Sélectionner le groupe de partage

❑   Sélectionner les utilisateurs avec lesquels on désire partager sa ressource

❑   Aucun paramètre de sécurité n'est applicable

Question n° 24

Le protocole TCP/IP est nécessaire pour activer le partage des fichiers et des imprimantes.

❑   Vrai

❑   Faux

- *Optimiser la mémoire*
- *Optimiser la vitesse*
- *Les applications DOS sous Windows 98*
- *Les utilitaires disque*
- *Outils de Windows 98*

10

Optimiser MS-DOS et Windows 98

Objectifs

Ce module concerne la maintenance d'ordinateurs anciens qui fonctionnent encore avec les système MS-DOS ou Windows 95/98. Dans ce module, nous allons voir comment procéder pour optimiser ces systèmes. Ceci n'est pas une mince affaire, car ce que l'on fait d'un côté aura des incidences sur une autre facette du système, il n'y a pas de recette miracle. L'optimisation consiste en :

- La personnalisation du système pour permettre l'utilisation la plus efficace possible des ressources disponibles.
- La recherche d'équilibre entre vitesse et mémoire. Libérer de la mémoire pour exécuter des programmes gourmands au détriment de la vitesse, augmenter la vitesse en conservant le minimum de mémoire pour l'exécution des programmes.

Nous aborderons également les outils logiciels qui permettent de gérer les données et d'entretenir les disques durs.

Contenu

Descriptif des différentes mémoires.

Optimisation de la mémoire et de la vitesse sous DOS.

Applications DOS sous Windows 98.

Les utilitaires disques.

Les outils de Windows 98.

La mémoire

- *Conventionnelle*
- *Supérieure*
- *HMA*
- *Etendue*
- *Paginée*

Description

Nous avons déjà largement parlé de la mémoire dans cet ouvrage. Selon l'âge du PC, le système d'exploitation et la nature des applications, le système fait appel à différents types de mémoire que nous résumons maintenant.

La mémoire conventionnelle

La mémoire conventionnelle représente les 640 premiers Ko de la mémoire RAM du système. Le DOS utilise une partie de cette mémoire au démarrage en chargeant les gestionnaires de périphériques et les commandes listées dans le config.sys et l'autoexec.bat. Le reste est disponible pour exécuter les programmes.

La mémoire supérieure

Appelée aussi mémoire réservée ou encore bloc de mémoire supérieure, elle représente la mémoire laissée libre au-delà de 640 Ko jusqu'à 1024 Ko. Elle est utilisée pour les programmes liés au matériel (moniteur, carte vidéo, CD-Rom...). Elle libère de la mémoire conventionnelle en accueillant des programmes.

La HMA (High Memory Area)

Représente les 64 premiers Ko de la mémoire étendue. DOS s'exécute pour une partie dans cette zone très rapide d'accès.

La mémoire étendue (XMS)

Ce sont les barrettes de mémoire qui sont connectées sur la carte mère. La taille de cette mémoire peut varier en fonction de la configuration du PC. Elle nécessite l'installation d'un gestionnaire de mémoire en règle générale automatique lors de l'installation de Windows (HIMEM.SYS). Elle est utilisée pour le chargement des programmes en vue de leur utilisation.

La mémoire paginée

De moins en moins utilisée, elle est ajoutée au moyen d'une carte dans un slot de la carte mère et nécessite l'installation d'un gestionnaire spécifique qui crée une fenêtre de pagination dans la mémoire supérieure (page de 16 Ko). Néanmoins Windows peut émuler de la mémoire paginée à partir de la mémoire étendue par le gestionnaire EMM386.EXE.

La mémoire virtuelle

Windows utilise le disque dur comme mémoire supplémentaire. Son accès est plus lent mais elle permet de disposer de beaucoup de mémoire sous Windows. Elle s'installe et se configure sous Windows. Pour plus d'informations, reportez-vous au chapitre précédent.

Mémoire cache machine

Activée par le gestionnaire SMARTDRV.EXE. Crée un tampon en mémoire vive pour les données souvent utilisées. Celles-ci seront alors chargées plus rapidement.

Schéma des différentes mémoires (RAM)

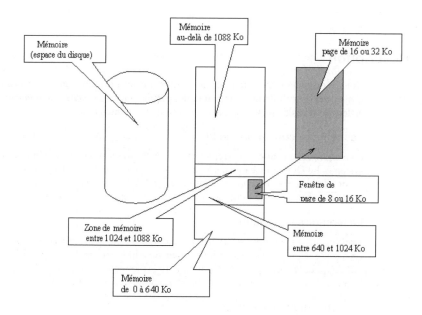

Optimiser la mémoire sous DOS

- *Prise en charge de la mémoire*
- *Libérer de la mémoire conventionnelle*

Optimisation

La libération de mémoire permettra à des programmes gourmands de pouvoir fonctionner normalement. C'est souvent le cas de programmes DOS. Avant toute chose, afficher les paramètres de la mémoire actuelle en tapant la commande mem. Cette commande affiche le type et la taille des mémoires existantes en machine et celles qui sont utilisées.

Mémoire	Totale	Utilisée	Libre
conventionnelle	640 Ko	22 Ko	618 Ko
supérieure	155 Ko	42 Ko	112 Ko
réservée	384 Ko	384 Ko	0 Ko
étendue	2917 Ko	1241 Ko	1676 Ko
totale	4096 Ko	1690 Ko	2406 Ko
totale sous 1 Mo	795 Ko	64 Ko	730 Ko

Taille maximale du programme exécutable   618 Ko

Bloc maximal de mémoire supérieure libre   112 Ko

MS-DOS résident en mémoire haute (HMA)

Avec la commande mem /c (ou mem/classify)

On voit les modules utilisant la mémoire sous 1 Mo

	Conventionnelle	Supérieure
MS-DOS	15 Ko	0 Ko
himem	1 Ko	0 Ko
emm386	3 Ko	0 Ko
command	3 Ko	0 Ko
setver	0 Ko	1 Ko
display	0 Ko	8 Ko
smartdrv	0 Ko	27 Ko
keyb	0 Ko	7 Ko
libre	618 Ko	112 Ko

Utiliser le gestionnaire himem.sys

Installer le gestionnaire pour :

- accéder à la mémoire étendue
- éviter les conflits de mémoire entre les programmes

Dans le fichier Config.sys, taper la commande Device correspondante. Notez que lors de l'installation de Windows, cette ligne est automatiquement ajoutée.

```
device = [path]\himem.sys
```

Utilisation de emm386.exe

Si l'on veut utiliser le gestionnaire emm386.exe, placer la commande Device correspondante juste après celle de himem.sys. Cela est nécessaire pour utiliser une partie de la zone supérieure de mémoire.

- Installé comme gestionnaire de mémoire supérieure

```
device=c:\dos\emm386.exe noems
```

- Installé comme gestionnaire de mémoire supérieure et comme émulateur de mémoire paginée

```
device=c:\dos\emm386.exe ram
```

```
device=c:\dos\emm386.exe 1024 ram
```

Libérer de la mémoire conventionnelle

C'est ce que l'on fait le plus souvent car les programmes DOS ont besoin de celle-ci. Cela revient à limiter la quantité d'utilisation de cette mémoire par DOS, les gestionnaires de périphériques et les programmes résidents.

Exécuter DOS en mémoire haute

C'est-à-dire utiliser les 64 premiers Ko de la mémoire étendue que l'on appelle zone de mémoire haute (HMA).

- Une ligne contenant le `device himem.sys`
- Une ligne contenant le `device emm386.exe`
- Une autre : `dos=high`

Utiliser la zone de mémoire supérieure

En utilisant les commandes :

- `Devicehigh` dans le fichier Config.sys
- `Loadhigh` dans le fichier Autoexec.bat

Optimiser la vitesse

> * *Le gestionnaire d'antémémoire*
> * *Les disques virtuels*

Les utilitaires DOS

Rappelons tout d'abord qu'augmenter la vitesse de votre système se fait au détriment de la mémoire.

Il existe une grande variété de TSR qui peuvent être chargés dans l'autoexec.bat. Certains d'entre eux permettent de travailler plus vite, dont le SMARTDRIVE et le RAMDRIVE.

Le Smartdrive

Lance ou configure SMARTDrive, qui crée une antémémoire en mémoire étendue. Une antémémoire peut améliorer considérablement la rapidité des opérations sur un disque de MS-DOS. Utilisé comme antémémoire, SMARTDrive est chargé à l'aide de la commande SMARTDRV dans votre fichier AUTOEXEC.BAT ou à l'invite MS-DOS.

* `smardrv`   lors de saisies de nouvelles données, celles-ci seront réécrites dans le fichier au moment où le système est libre
* `smartdrv /x`   permet la réécriture des données de suite
* `smartdrv /c`   permet de définir un cache lecture et enregistrement
* `smartdrv /s`   comme commande indique le taux de réussite
* `/a`   installe l'antémémoire cache en mémoire paginée
* `/e`   installe l'antémémoire cache en mémoire étendue

La taille maximale de l'antémémoire sera de 2 Mo, sa taille minimale est de 256 Ko.

Le Ramdrive

Permet d'utiliser une partie de la mémoire vive comme s'il s'agissait d'un disque dur. Ce gestionnaire doit être chargé à l'aide des commandes Device ou Devicehigh dans votre fichier CONFIG.SYS.

On appelle cette zone disque virtuel car elle se trouve en mémoire vive (RAM), qui fonctionne plus rapidement qu'un disque dur car l'ordinateur y accède beaucoup plus vite. Un disque virtuel ressemble à un lecteur de disque dur normal et s'utilise de la même façon. La principale différence entre les deux est que vous perdez les données contenues dans le disque virtuel lorsque vous éteignez ou relancez l'ordinateur, car il ne s'agit pas d'un disque physique. Vous pouvez définir autant de disques virtuels que vous le souhaitez, dans la limite de la mémoire disponible. Pour ce faire, ajoutez une ligne RAMDRIVE.SYS au fichier CONFIG.SYS pour chaque disque virtuel à créer.

A propos du ramdrive, il est important de signaler que le disque virtuel créé aura une dénomination analogue à celle de n'importe quel disque. Si votre dernière unité est C:, le disque virtuel s'appellera alors D:. Les paramètres sont pratiquement identiques à ceux du smartdrive. On doit préciser sa taille et la mémoire dans laquelle il se créera (souvent la même que pour smartdrive). Il est aussi important de préciser que lors de l'arrêt de l'ordinateur, les informations placées sur ce disque disparaissent.

/E   Crée le disque virtuel en mémoire étendue

RAMDrive ne peut utiliser la mémoire étendue que si cette dernière est disponible sur votre système et qu'une commande DEVICE concernant le gestionnaire de mémoire étendue (HIMEM.SYS, par exemple) est placée avant celle qui concerne RAMDrive dans le fichier CONFIG.SYS. Si votre système dispose de la mémoire étendue, il est généralement préférable d'y créer votre disque virtuel.

/A   Crée le disque virtuel en mémoire paginée

RAMDrive ne peut utiliser la mémoire paginée que si cette dernière est disponible sur votre système et qu'une commande DEVICE concernant le gestionnaire de mémoire paginée (EMM386, 386MAX, CEMM ou QEMM, par exemple) est placée avant celle qui concerne RAMDRIVE.SYS dans le fichier CONFIG.SYS. . La gestion du disque virtuelle se réalise ainsi :

Dans le config.sys

```
devicehigh=c:\dos\ramdrive.sys 1024 /e
```

Dans l'autoexec.bat

```
Set temp=D:\temp

copy c:\excel\excel.exe D:\

Path=D:\; C:\
```

Les applications DOS sous Windows 98

> • *Gestion des paramètres de l'application DOS*
> • *Les paramètres de la mémoire*

Paramétrer une application DOS

Sous Windows 98, il existe plusieurs modes d'exécution d'une application DOS. Par défaut, Windows lance une application DOS en suggérant le meilleur mode DOS et la mémoire à utiliser. Les paramètres automatiques fonctionnent dans la plupart des cas. Cependant certaines applications nécessiteront un paramétrage plus fin.

Créer un raccourci vers le fichier exécutable

- A partir du Bureau, cliquer sur le bouton droit de la souris et choisir *Nouveau* puis *Raccourci*.

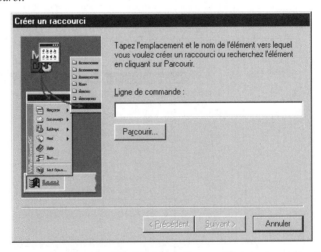

- Sélectionner le fichier exécutable à l'aide du bouton « Parcourir », puis cliquer sur « Suivant » et donner un nom au raccourci. La dernière étape consiste à choisir une icône pour le raccourci.

- A partir de l'icône, cliquer sur le bouton droit de la souris, puis sélectionner la commande *Propriétés*. Différents onglets vous permettent d'indiquer des paramètres particuliers à votre application, comme la quantité de mémoire utilisée, l'affichage écran...

Exécution en mode MS-DOS

Certaines applications DOS ne pourront pas fonctionner sous l'environnement Windows, il faudra alors paramétrer son icône pour qu'elle s'exécute en mode MS-DOS. Ceci revient en fait à quitter Windows, redémarrer en mode ligne de commande et lancer l'application sous DOS. Windows ne sera alors pas chargé.

L'astuce de Windows 98 réside dans le fait que l'on peut paramétrer toutes ces options à partir du raccourci. Son lancement aura alors pour effet de quitter Windows et de réaliser les autres étapes automatiquement. Lorsque vous quitterez cette application, Windows redémarrera normalement.

- Pour régler le mode MS-DOS, à partir des propriétés de l'icône, cliquer sur le bouton « Paramètres avancés ».

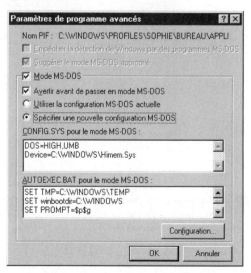

- Activer l'option *mode MS-DOS*. Ensuite vous devrez choisir entre deux autres options :

Utiliser la configuration DOS actuelle

Le redémarrage en mode DOS se fera en fonction des paramètres inscrits dans les fichiers Autoexec.bat et Config.sys.

Spécifier une nouvelle configuration MS-DOS

Cette option permet d'ajouter les lignes de commandes nécessaires à l'exécution de l'application sans toutefois affecter la configuration générale du PC. En effet, ces lignes ne seront lues que lors du lancement de cette application.

Le bouton « Configuration » vous apportera de l'aide pour le faire.

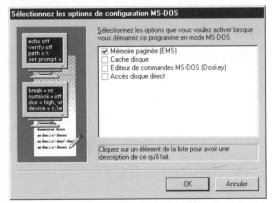

Les utilitaires disques

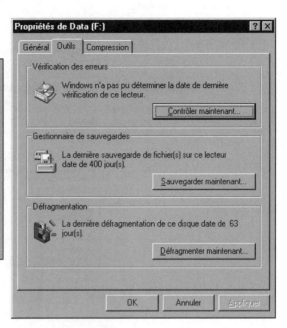

- *La défragmentation et la vérification des disques durs*
- *La sauvegarde des données*
- *La connexion directe par câble*

Defrag sous Windows 98

Windows comporte un utilitaire qui permet de défragmenter le disque dur, c'est-à-dire de regrouper toutes les données du disque, ce qui permettra d'utiliser tout le reste de l'espace disponible plus rapidement et d'une manière plus rationnelle.

Pour lancer Defrag

- Cliquer sur *Démarrer – Programme – Accessoires – Outils système – Défragmenteur* de disque. Vous pouvez aussi ouvrir le poste de travail et faire un clic droit sur le lecteur puis sélectionner « Propriétés ». Choisir ensuite l'onglet « Outils ».
- Cliquer ensuite sur le bouton « Défragmenter maintenant ».

Une information s'affiche à l'écran qui peut varier suivant l'état du disque.

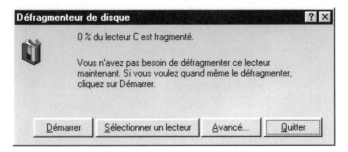

- Cliquer ensuite sur le bouton « Démarrer » puis éventuellement sur le bouton « Détails ». Suivre les messages à l'écran.

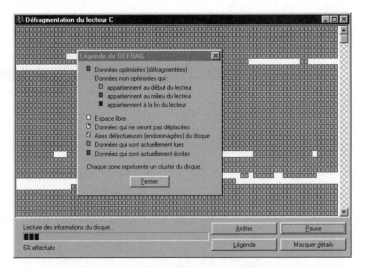

Le bouton « Avancés » permet quelques réglages sur l'opération.

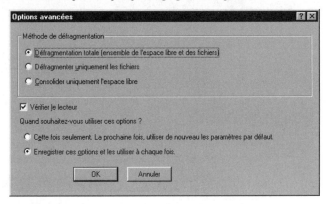

Scandisk sous Windows 98

Scandisk est un outil qui permet de vérifier vos disques durs par la recherche d'erreurs sur le disque, dans les fichiers ou les dossiers et sur la surface du disque.

Problèmes résolus par Scandisk

Scandisk vérifie et résout les problèmes décelés dans les zones suivantes :

- Table d'allocation des fichiers (FAT).
- Structure du système de fichiers (clusters perdus, fichiers croisés).
- Arborescence des répertoires.
- Surface physique du lecteur (clusters défectueux).
- En-tête du volume DoubleSpace (MDBPB).
- Structure du fichier de volume DoubleSpace (MDFAT).
- Structure de compression DoubleSpace.
- Signatures du volume DoubleSpace.
- Secteur d'amorçage MS-DOS.

Pour lancer Scandisk

- Bouton Démarrer – Programmes – Accessoires – Outils système – Scandisk ou encore passer comme pour `Defrag` par un clic droit sur le Poste de travail.

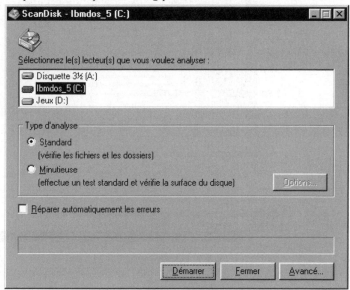

- Sélectionner le lecteur, le type d'analyse, puis cliquer sur le bouton « Démarrer ».

Attention : choisissez ou non de réparer automatiquement les erreurs à l'aide de l'option de validation.

Les options de configuration de Scandisk

- Cliquer sur le bouton « Avancé ». Valider les options de votre choix.

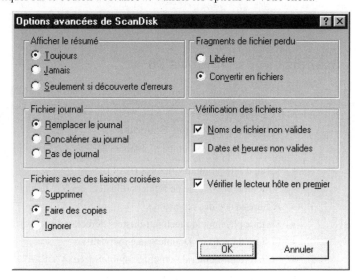

Backup/Restore sous Windows 98

La sauvegarde des données est un élément essentiel du travail. Il existe un grand nombre d'utilitaires de sauvegarde capables d'utiliser différents supports.

`Backup` et `Restore` sont des outils de sauvegarde et de restauration des données. Suivant la version Windows, il existe plusieurs outils. Sachez que pour restaurer des données, vous devrez utiliser le logiciel issu de la même version que celle utilisée pour le backup.

La sauvegarde des données

- Cliquer sur Démarrer – Programmes – Accessoires – Outils système – Backup.

Par défaut un jeu de fichiers sans titre s'affiche à l'écran.

Faire une sauvegarde complète du poste

Un jeu de fichiers prêt à l'emploi est configuré dans MSBACKUP.

- Menu Fichier – Ouvrir un jeu de fichiers.
- Sélectionner Sauvegarde complète du système.set.

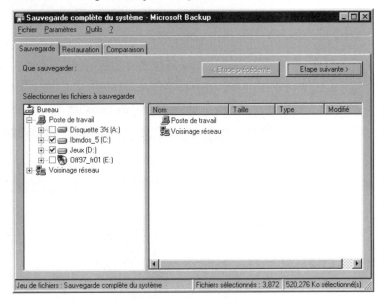

- Puis cliquer sur le bouton « Etape suivante », sélectionner l'unité cible (lecteur de disquette, unité de sauvegarde, lecteur réseau…) et cliquer sur le bouton « Sauvegarder ».

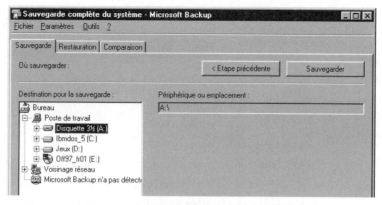

La dernière étape :

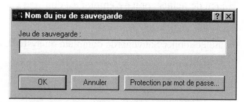

- Donner un nom à votre jeu de sauvegarde (extension .QIC).
- Suivre les étapes (changement de disquettes, message d'information…).

Sauvegarde des fichiers contenus dans un répertoire de travail

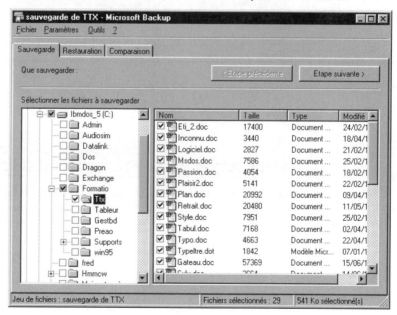

- Valider le répertoire sur la gauche, puis valider les fichiers sur la droite.
- Procéder ensuite comme pour la sauvegarde complète.

Note : vous pouvez enregistrer ce jeu de fichiers pour un usage ultérieur.

- Avant de cliquer sur le bouton « Sauvegarder », aller dans le menu *Fichier –
enregistrer sous* et donner un nom (extension de fichiers .SET).

La restauration des fichiers

Pour restaurer des fichiers, cliquer sur l'onglet *Restaurer* et sélectionner le jeu de
sauvegarde (le fichier .QIC).

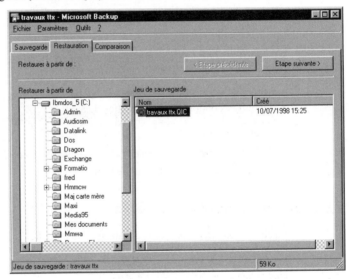

- Puis cliquer sur le bouton « Etape suivante » et sélectionner les fichiers à restaurer.

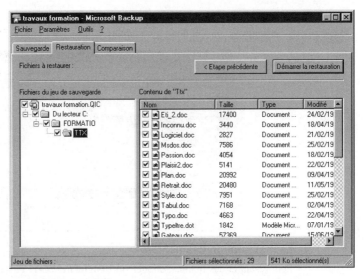

- Cliquer ensuite sur le bouton « Restaurer ».
- Suivre les étapes (changement de disquettes, messages d'information…).

Le menu Paramètres

- Permet d'exclure certains fichiers (Par type) d'une sauvegarde.
- Permet de paramétrer les conditions de démarrage de MSBACKUP lorsqu'un ensemble de fichiers a été glissé sur son icône.
- Définit des options de configuration de MSBACKUP.

Le menu Outils

- Permet de formater ou d'effacer le contenu d'une bande de sauvegarde.
- Détecte et configure le lecteur de bande.

La connexion directe par câble

La connexion directe par câble est utilisée à la place de l'utilitaire Interlnk de MS-DOS. Son rôle est de relier un ordinateur portable à un ordinateur de bureau (ou bien deux ordinateurs de bureau) pour transférer des données, utiliser une imprimante ou encore lancer un programme à distance.

Lorsque aucun réseau n'est installé, cette liaison est possible par l'intermédiaire d'un câble :

- Série   9 broches
- Série   25 broches
- Parallèle 25 broches (bidirectionnel)

Il faut bien entendu un port identique de libre sur chacun des postes. En principe le portable est le poste invité qui contrôle le système (celui à partir duquel on lance un programme ou le transfert des données). Le PC de bureau remplira alors la fonction d'hôte et n'affichera que l'état des connexions.

Il faut procéder ensuite à l'installation des postes invités et hôtes. La connexion directe par câble est un composant Windows qui s'installe par le Panneau de configuration, l'icône *Ajout/suppression de programmes* et l'onglet *Installation Windows*. Ce composant se trouve dans la catégorie *Communication*.

Configuration de l'hôte

- Pour installer le poste hôte, c'est-à-dire celui qui détient les données à récupérer, passer par le menu *Démarrer – Programmes – Accessoires – Communication – Connexion directe par câble*.

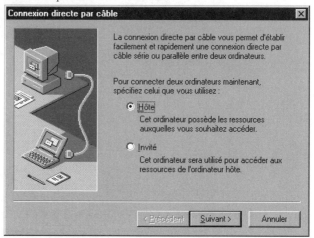

- Vérifier que l'option correspond à hôte et cliquer sur « Suivant » pour choisir le port de communication utilisé.

Note : la connexion directe par câble utilise le partage de fichiers et d'imprimante pour transférer les données. Même si le poste hôte n'est pas relié à un réseau, l'assistant vous proposera de valider les options réseaux si celles-ci ne sont pas actives. A partir de maintenant, connecter le câble sur le port sélectionné.

- Cliquer de nouveau sur le bouton « Suivant ».

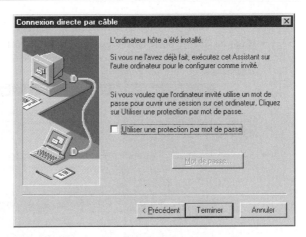

Vous pouvez sécuriser l'accès à la connexion directe par câble par un mot de passe.

Configuration du poste invité

- Procéder de la même manière que pour l'hôte en vérifiant l'option au départ.

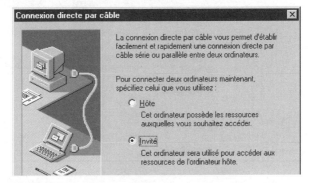

Établissement de la connexion

- Elle se fait au niveau du poste invité par le menu Démarrer – Programmes – Accessoires – Communication – Connexion directe par câble.

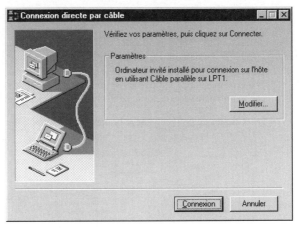

- Cliquer sur le bouton « Connexion ».

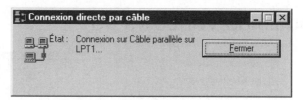

Vous accédez ensuite aux données de l'autre ordinateur par le *Voisinage réseau* dans l'explorateur Windows.

- Du côté de l'hôte, seules les ressources partagées sont accessibles à l'invité. L'icône *Connexion directe par câble* du côté de l'hôte sert à vérifier et maintenir la connexion.

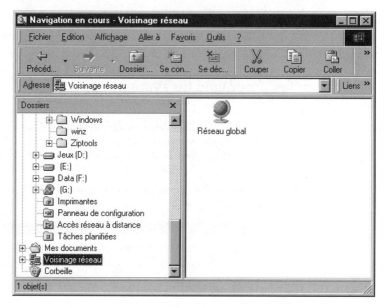

Les outils de Windows 98

Afficher les propriétés du système

Windows 98 vous permet de visualiser les ressources du système. Cet outil comporte de nombreux avantages. En effet, à partir de ce programme, on peut contrôler le système (périphériques installés, affichage du statut des IRQ, pilotes installés…), mais aussi régler certains problèmes (notamment les conflits IRQ ou les pilotes mal configurés).

Ce programme se trouve dans le Panneau de configuration. Faire un double-clic sur l'icône *Système*.

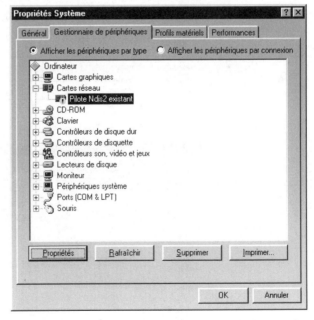

Dans cette fenêtre, on peut visualiser tous les périphériques, le bouton « Propriétés » vous permet de visualiser le détail d'un périphérique donné.

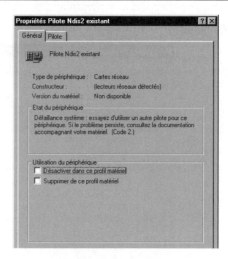

- Pour visualiser les ressources de type matériel, faites un double-clic sur l'icône *Ordinateur*.

Affichage de l'état des IRQ

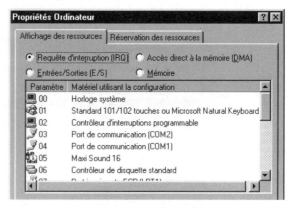

Affichage des ports entrées/sorties

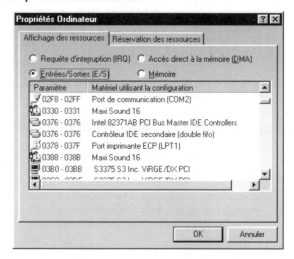

Affichage de l'adresse mémoire

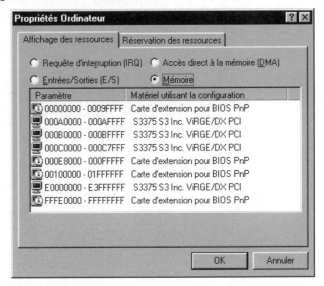

Affichage des canaux DMA

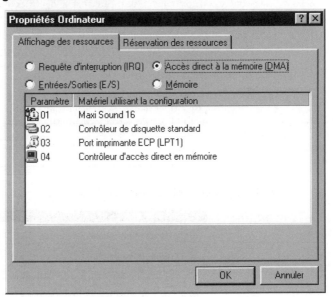

Les Informations système Windows 98

Les Informations système collectent les informations relatives à la configuration de votre système et fournissent un menu permettant d'afficher les rubriques système associées. Les Informations système affichent une vue détaillée de votre matériel, des composants système et de l'environnement logiciel. Ces informations sont regroupées en trois catégories : Ressources, Composants et Environnement logiciel. Selon la rubrique, vous avez le choix entre des données système élémentaires, avancées ou historiques.

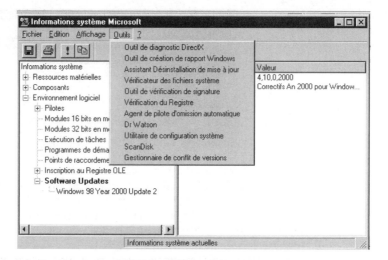

- La catégorie *Ressources matérielles* affiche des paramètres spécifiques au matériel, notamment les adresses d'E/S, DMA et IRQ, ainsi que les adresses mémoire. L'affichage *Conflits/Partage* identifie les périphériques qui partagent des ressources ou sont en conflit. Il contribue à identifier plus facilement les problèmes liés à un périphérique.

- La catégorie *Composants* affiche des informations relatives à votre configuration Windows. Elle permet de déterminer l'état des pilotes de vos périphériques, de la gestion de réseau et du logiciel multimédia. Elle comprend aussi un historique détaillé des pilotes qui consigne toutes les modifications apportées à vos composants.

- La catégorie *Environnement logiciel* affiche un instantané du logiciel chargé dans la mémoire de l'ordinateur. Ces informations permettent de déterminer si un processus est toujours en cours d'exécution ou de vérifier les informations relatives à la version.

Le menu *Outils* permet d'exécuter les opérations principales de configuration et de dépannage du système.

Le traitement des disques

Windows 98 propose deux principaux outils de traitement des disques durs en dehors de Defrag et Scandisk que nous avons vus précédemment. Ces outils agissent sur la structure du système de fichier du disque dur et doivent être utilisés dans un cadre précis.

Le convertisseur FAT16/FAT32

Un disque dur déjà formaté en FAT16 peut être converti en FAT32 sans perte de données.

- Passer par le menu *Démarrer – Programmes – Accessoires – Outils système – Convertisseur de lecteur*. Un assistant démarre et vous propose de cliquer sur le bouton « Suivant ».

Après une vérification des programmes présents sur le disque afin de garantir leur compatibilité, cliquer à nouveau sur le bouton « Suivant » pour démarrer la conversion.

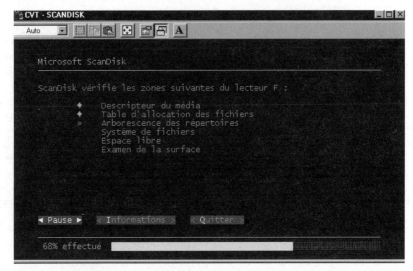

L'exécution de Scandisk est automatique puis la conversion démarre. Un message final vous demande ensuite de redémarrer l'ordinateur.

Note : attention, ce programme de conversion, contrairement à d'autres que l'on trouve sur le marché, ne permet pas de faire machine arrière. Autrement dit, vous ne pourrez pas convertir le disque en FAT16 à moins de détruire toutes les données en le reformatant au format FAT16.

L'agent de compression

Un lecteur compressé n'est pas un vrai lecteur de disque. Le contenu d'un fichier compressé est stocké dans un fichier unique, appelé (CVF), qui se trouve sur un lecteur non compressé, connu sous le nom de « lecteur hôte ». Par exemple, lorsque vous compressez votre disque dur (lecteur C), DriveSpace 3 lui affecte une autre lettre de lecteur, telle que H. Le lecteur H devient donc l'hôte du lecteur C. DriveSpace 3 compresse ensuite votre disque dur pour créer un fichier de volume compressé stocké sur le lecteur H. Le fichier de volume compressé sur le lecteur H ressemble à votre lecteur C d'origine, mais le lecteur C comporte plus d'espace disque disponible qu'avant la compression.

Lorsque vous affichez le contenu de votre ordinateur en utilisant le poste de travail ou l'explorateur Windows, le lecteur hôte est masqué, sauf s'il comporte plus de 2 Mo d'espace disponible. Dans ce cas, le lecteur est visible et vous pouvez l'utiliser de la même façon que n'importe quel autre lecteur.

Vous pouvez en outre utiliser la gamme complète des fonctionnalités de compression avancées de DriveSpace 3 pour gérer la compression de votre disque. Vous pouvez par exemple :

- Utiliser l'Agent de compression pour recompresser un lecteur lorsque vous n'utilisez pas votre ordinateur.

- Utiliser la compression UltraPack pour obtenir une compression maximale des fichiers que vous n'utilisez pas souvent.

- Créer des lecteurs compressés d'une taille supérieure à 512 Mo. Les lecteurs compressés à l'aide de DriveSpace 3 peuvent atteindre une taille de 2 Go.

- Utiliser la totalité de l'espace disponible sur votre lecteur, même si celui-ci est fragmenté pour créer un lecteur compressé.

Une fois l'outil de compression installé, le plus simple est de passer par le *Poste de travail* et d'afficher les propriétés du disque. Activer ensuite l'onglet *Compression*.

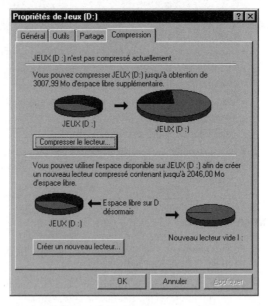

Laissez-vous ensuite guider à travers les étapes.

Attention, il faut noter qu'un lecteur compressé est plus lent d'accès qu'un lecteur qui ne l'est pas. Souvenez-vous que l'exercice difficile de l'optimisation du système se fait souvent au détriment de quelque chose. Dans ce cas, l'espace disque est optimisé au détriment de la vitesse du système. D'autre part, certaines applications récalcitrantes ne s'exécutent pas sur les lecteurs compressés.

Atelier

Exercice n° 1

Optimisez votre disque dur en utilisant les utilitaires :

- `Defrag.`
- `Scandisk.`

Exercice n° 2

- Regroupez tous vos fichiers de travail dans un répertoire unique.
- Faites une sauvegarde par `backup` sur disquette de vos documents ainsi que du répertoire Windows.
- Supprimez certains fichiers de votre disque dur.
- Restaurez ensuite votre sauvegarde en choisissant de ne restaurer que les fichiers que vous avez précédemment effacés.
- Réalisez une sauvegarde complète de votre poste C: vers le second disque dur que vous avez précédemment installé puis préparé à son utilisation lors d'ateliers précédents.

Exercice n° 3

Procurez-vous un câble bidirectionnel et dans la mesure du possible un second PC. Exercice réalisable en salle de cours.

- Testez le transfert de données et la connexion directe par câble

Exercice n° 4

- Créez un raccourci sous Windows 98 pour lancer le programme DOS edit.com
- Faites en sorte que celui-ci s'exécute en mode fenêtré. Créez ensuite deux autres raccourcis sous Windows 98 et paramétrez-les de façon à ce que l'application s'exécute en mode MS-DOS. L'une avec la configuration actuelle, l'autre fera

l'objet d'une configuration spécifique (économie de mémoire conventionnelle et utilisation de mémoire paginée)

Exercice n° 5

Faites appel à votre mémoire et complétez le schéma ci-dessous :

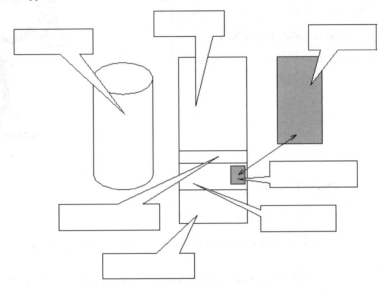

Quiz

- *Série de questions/réponses*

Question n° 1

Optimiser le système consiste à :

☐ Rechercher l'équilibre entre la vitesse et la mémoire ainsi que la personnalisation du système

☐ Ajouter des éléments plus récents et rajouter des barrettes de mémoire

☐ Formater le disque dur et réinstaller toutes les applications du système

Question n° 2

Pour optimiser la gestion de la mémoire sous DOS, on dispose de trois outils de gestion de mémoire, lesquels ?

☐

☐

☐

Question n° 3

La ligne de commande `device=c:\dos\emm386.exe ram` signifie que :

☐ emm386.exe n'émule pas de mémoire paginée

☐ emm386.exe émule de la mémoire paginée

☐ emm386.exe est inactif sous Windows

Question n° 4

Pour libérer de la mémoire conventionnelle, on peut – Attention plusieurs réponses possibles

❑ Exécuter DOS en mémoire haute

❑ Supprimer le prompt

❑ Installer vsafe dans l'autoexec.bat

❑ Charger les drivers de périphériques du fichier Config.sys en zone de mémoire supérieure

❑ Limiter le nombre de TSR dans l'autoexec.bat

❑ Charger des programmes de l'autoexec.bat en zone de mémoire supérieure

Question n° 5

Le `smartdrv` est un TSR utilisé dans l'autoèxec.bat pour :

❑ Libérer de la mémoire conventionnelle

❑ Créer une antémémoire en mémoire étendue

❑ Activer la zone de mémoire supérieure

❑ Doubler l'espace disque

Question n° 6

Le mode DOS exécuté et les ressources mémoire d'une application DOS lancée sous Windows 98 sont paramétrés à partir de :

❑ L'invite du DOS

❑ De l'icône *Système* du *Panneau de configuration*

❑ Du raccourci du programme DOS

Question n° 7

Une application DOS se trouve dans un dossier `C:\APP\Goodapp.exe`. Lorsque vous fabriquez un raccourci pour l'exécuter, où se trouvera le fichier .pif et comment s'appellera-t-il ?

❑ Msdos.pif dans le dossier \Windows

❑ Appdos.pif dans le dossier \APP

❑ Goodapp.pif dans le dossier \Windows

❑ Goodapp.pif dans le dossier \APP

Question n° 8

Une application DOS exécutée sous Windows n'affiche pas correctement les informations à l'écran. Que pouvez-vous faire ?

❑ Exécuter l'application en mode plein écran

❑ Exécuter l'application sous DOS

❑   Changer les paramètres de la mémoire virtuelle

❑   Utiliser Memmaker

Question n° 9

Quel est le fichier qui contient les paramètres de Scandisk ?

❑   Scandisk.ini

❑   Scandisk.txt

❑   Scandisk.exe

Question n° 10

Dans le programme Scandisk de Windows 98, le bouton Avancé permet :

❑   De régler les options de Scandisk

❑   De lancer Scandisk au démarrage de Windows

❑   De désinstaller Scandisk

Question n° 11

Backup et restore sont des outils qui permettent :

❑   De récupérer des données accidentellement effacées

❑   De mettre de l'ordre dans les fichiers du disque dur et de réorganiser les répertoires

❑   De faire des sauvegardes et des restaurations de fichiers

Question n° 12

Quelle que soit la version de Windows, backup et restore sont des utilitaires qui se lancent sous DOS.

❑   Vrai

❑   Faux

Question n° 13

L'utilitaire backup sous Windows 98 permet de faire des sauvegardes partielles, replacez les étapes successives dans le bon ordre :

❑   Sélection du lecteur cible

❑   Sélection du lecteur source

❑   Sélection des fichiers (sélection partielle)

❑   Démarrer la sauvegarde

Question n° 14

Pour faire une sauvegarde complète du poste sous Windows 98, quel est le nom du fichier à ouvrir ?

❑ Sauvegarde complète du système.set

❑ Sauvegarde complète du système.qic

❑ Défaut.set

Question n° 15

La restauration d'une sauvegarde sous Windows 98 se fait à partir d'un fichier dont l'extension est :

❑ .set

❑ .qic

❑ .txt

Question n° 16

Pour réaliser un transfert de données, il faut que les deux PC soient :

❑ De même type

❑ Connectés à un serveur réseau

❑ Connectés entre eux seulement

Windows Me

Objectifs

Ce chapitre est consacré à Windows Me. Cette version sortie en 2000 est un intermédiaire entre Windows 98 SE et la dernière mouture, Windows XP.

On trouvera Windows Me uniquement dans le grand public et dans une proportion limitée. Elle présente à la fois des similitudes et des différences avec Windows 98. Nous vous proposons ici une synthèse, notez que tous les aspects similaires à Windows 98 sont traités dans le chapitre précédent. Celui-ci traite plus particulièrement des différences et des nouveautés.

Contenu

Présentation de Windows Me.

L'installation.

L'environnement.

Le multimédia.

La connexion à l'Internet.

Le réseau domestique.

Présentation

Sorti en septembre 2000, Windows Millenium Edition est présenté comme l'évolution des versions 95 et 98 de Windows. Tout comme ces prédécesseurs, ce nouveau système d'exploitation est proposé en plusieurs packages :

- Version mise à jour des précédentes versions vers Windows Me.
- Version complète.
- Version OEM livrée et installée sur un nouveau PC.

Ces différentes versions vous proposent une installation simplifiée, une interface plus simple et malgré tout proche des versions précédentes. Nous reviendrons plus en détail dans ce chapitre sur les nouveautés et les améliorations apportées par Windows Me.

Comparatif Windows Me et Windows 98

Plus les systèmes d'exploitation évoluent et plus il paraît difficile de faire la différence entre chacun d'eux. En effet, chaque nouvelle version apporte son lot de nouveautés, d'améliorations et de constantes.

Afin de synthétiser les différentes fonctionnalités de ces deux systèmes d'exploitation, nous vous proposons ce tableau récapitulatif qui vous permettra de visualiser rapidement les spécificités de chacun d'eux. Nous étudierons bien sûr plus loin dans ce chapitre les caractéristiques de Windows Me dans le détail.

Fonctions	Windows Me	Windows 98
Windows Movie Maker		
Appareils photo, caméscopes numériques et analogiques	Oui	Oui
Détection et configuration automatique des accessoires	Oui	Oui
Acquisition d'images ou de vidéos	Oui	Non
Montage audio et vidéo	Oui	Non
Création de vidéo au format Windows Media	Oui	Non
Lecteur Windows Media 7		
Lecture de fichiers audio et vidéo	Oui	Non
Equalizer sonore	Oui	Non
Personnalisation de l'apparence	Oui	Non
Gestion simplifiée des fichiers son, vidéo et image	Oui	Non
Création de listes de lecture personnalisées	Oui	Non
Support lecteurs multimédias portables	Oui	Non
Gravure directe des CD audio	Oui	Non

Assistant réseau domestique		
Mise en réseau simplifiée et partages simplifiés	Oui	Non
Directx 7		
Affichage 3D plus rapide	Oui	Oui
Dialogue en direct avec d'autres joueurs	Oui	Non
Internet		
Partage de connexion	Oui	Oui
Internet Explorer 5.5 aperçu avant impression	Oui	Non
Outlook Express 5	Oui	Oui
Netmeeting 3.11	Oui	Oui
MSN Messenger 2.0	Oui	Oui
Fonctionnement du PC		
Protection des fichiers système	Oui	Non
Restauration du système	Oui	Oui
Suppression du DOS en mode réel	Oui	Non
Windows update	Oui	Oui
Signature des pilotes	Oui	Non
Pilotes au format WDM commun à 98, Me et 2000	Oui	Oui

Bénéfices

Le meilleur du multimédia numérique : Les nouvelles technologies et fonctionnalités facilitent grandement le partage de photos, et de fichiers vidéo et musicaux numériques. Windows Millenium Edition inclut Windows Movie Maker, un outil de montage vidéo, le Lecteur Windows Media 7 ainsi qu'une nouvelle technologie graphique pour les appareils photos et scanners numériques. Il prend également en charge les graphiques 3D et les données sonores.

Une nouvelle expérience des jeux vidéo : Avec Windows Millenium Edition, découvrez les jeux en réseau. Vous pouvez affronter en même temps plusieurs adversaires et même leur parler en direct. Tout le paramétrage du réseau s'effectue en quelques clics de souris grâce à l'Assistant Réseau Domestique.

Internet au cœur du système : Windows Millenium Edition vous fournit tous les outils indispensables pour communiquer avec le monde entier. Surfez avec Internet Explorer 5.5, envoyez des e-mails avec Outlook Express, dialoguez en direct par écrit avec MSN Messenger 2.0 et faites de la vidéoconférence avec NetMeeting.

Installation

Maintenant que les présentations sont faites et que le choix d'un système d'exploitation doit vous paraître clair, nous allons nous attarder un peu sur Windows Me.

Il est important de comprendre que comme dans toute évolution des produits Microsoft, les exigences en matière de matériel sont importantes. Ainsi, pour installer Windows Me, la configuration matérielle devra être la suivante :

Minimum requis	Minimum conseillé
Processeur type Pentium 150 Mhz	Processeur type Pentium II
32 Mo de RAM	64 Mo de RAM
Écran VGA standard 640 x480	Écran SVGA standard 800 x 600
500 Mo d'espace libre sur un disque dur	1 Go d'espace libre sur un disque dur
Souris	
Modem 56 K	
Équipement multimédia (son, vidéo, …)	
Un lecteur de Cd-rom ou DVD	

Avant d'installer Windows Me, il faut prendre un certain nombre de précautions et vérifier certaines choses. Voici une liste des éléments à contrôler :

- Vérifier que le matériel fait bien partie de la HCL, pour cela, visualiser le fichier HCL.TXT sur le CD-Rom ou consulter la liste sur le site Internet de Microsoft France.
- S'assurer de la version possédée (mise à niveau ou version complète).
- Si vous partez d'un poste équipé de Windows 98, créez une disquette de démarrage.
- Par mesure de prudence, passer un antivirus avant d'installer.
- Préparer tous les pilotes de vos périphériques au cas où ceux-ci ne seraient pas disponibles sur le CD-Rom de Windows Me.
- Désactivez tous les programmes résidents en mémoire, les applications lancées au démarrage et déconnectez l'Internet.
- Faites une sauvegarde de vos données, on ne sait jamais…

Exécution du programme d'installation

Exécuter le programme `Install.exe`, l'assistant démarre.

Si le programme est exécuté à partir de Windows 95/98, la mise à niveau de vos paramètres personnels et l'installation se réalisent automatiquement, tous les logiciels compatibles avec Windows Me fonctionneront au redémarrage sans avoir à les réinstaller et les pilotes de périphériques spécifiques seront mis à jour s'ils font partie de la HCL.

Si le programme d'installation est exécuté sous DOS à partir d'un disque vide, des questions supplémentaires vous seront posées lors de l'installation suivant le même principe que ses prédécesseurs. L'avantage d'opter pour cette solution est d'obtenir un système sain et de partir sur de bonnes bases. Il faudra penser à préparer votre disque dur (partitionnement et formatage) avant de lancer le programme d'installation.

Ce qui est nouveau, c'est la possibilité d'installer une mise à jour à partir d'un disque dur vide sans avoir à installer l'ancienne version auparavant. Au cours de l'installation, le programme vous demandera le CD-Rom de l'ancienne version afin de vérifier que celle-ci est bien en votre possession.

D'une manière générale, il vaut mieux copier les sources sur disque dur, l'exécution de l'installation sera plus rapide et la mise à jour de pilotes spécifiques plus facile.

Après une première étape de détection des composants, de vérification du système et du disque dur, le programme d'installation vous propose de conserver les fichiers système de l'ancienne version.

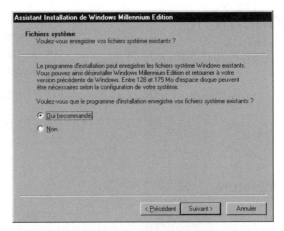

Ceci vous permettra de revenir en arrière en cas de problème.

Les questions sur le choix des composants ne seront posées qu'en cas d'installation complète.

Créer ensuite une disquette de démarrage, elle peut être très utile.

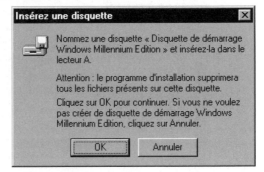

Une fois la disquette créée, la retirer du lecteur, et cliquer sur le bouton « Terminer », le reste de l'installation consiste en la copie des fichiers, plusieurs redémarrages et la configuration des périphériques.

Environnement

- *L'architecture*
- *Les nouveautés et amélioration*
- *Le multimédia*

Architecture

Windows Me est assez proche de ses prédécesseurs en termes d'interface graphique. La simplification de l'environnement et les assistants généralisés permettront aux débutants de se lancer facilement. En installant les composants principaux, l'affichage du bureau se fait « comme une page Web », les fichiers système sont protégés et les bulles d'aide sont plus visibles.

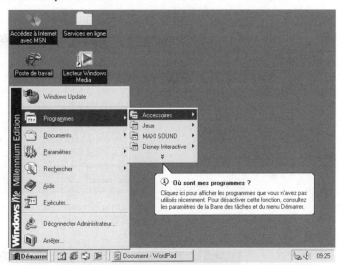

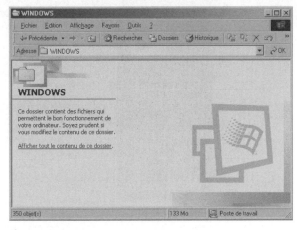

Plus de DOS en mode réel

DOS ne se charge plus au démarrage du PC en mode réel, le système d'exploitation se lance directement. En revanche une émulation est toujours présente pour assurer la compatibilité avec les applications pour DOS. Attention, les applications DOS non compatibles 32 bits Windows ne pourront pas s'exécuter.

Ainsi, lorsque l'interface est chargée, le menu *Démarrer – commande Arrêter* propose trois options :

- Arrêter le système.
- Redémarrer.
- Mise en veille.

Les menus intelligents

Ils réduisent l'encombrement du bureau et s'adaptent aux habitudes de travail des utilisateurs en affichant uniquement les fonctions et les programmes les plus souvent utilisés. Voici par exemple l'affichage du *Panneau de configuration*.

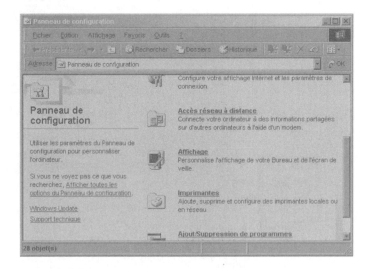

Une aide encore plus guidée

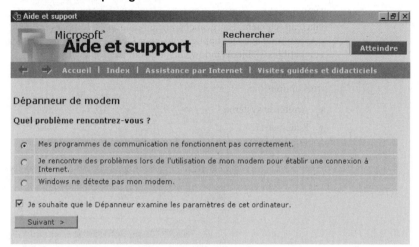

Un dépanneur vous aidera à résoudre la plupart des problèmes de configuration étape par étape.

Windows update

Avec une connexion Internet, la mise à jour du système d'exploitation se réalise à distance, l'utilitaire *Autoupdate* permet même de planifier des mises à jour régulières de votre ordinateur.

Les nouveautés et les améliorations

Beaucoup d'éléments nouveaux sont proposés dans ce système d'exploitation. Nous allons les décrire brièvement, l'utilisation de Windows Me vous les fera découvrir dans le détail.

La restauration du système

Cet utilitaire doté d'un assistant intéressant vous permet de restaurer le système en cas de problème de configuration suivant deux possibilités. Avant de pouvoir utiliser cet outil en restauration, vous devez d'abord créer un point de restauration lorsque le système fonctionne normalement. Notez cependant que Windows réalise cette opération à intervalles réguliers.

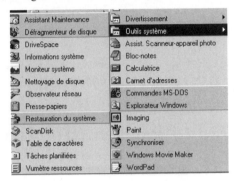

Cet assistant vous propose de créer ou de restaurer votre système à l'aide de points de restauration ou en utilisant les restaurations enregistrées par Windows Me. Visualiser les captures d'écran suivantes, elles montrent successivement la création et l'utilisation de points de restauration.

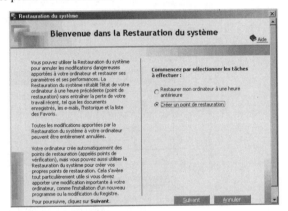

- Cliquer sur le bouton « Suivant ».

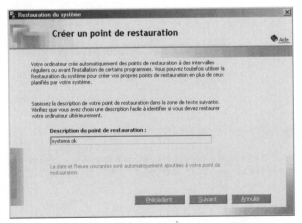

- Cliquer sur le bouton « Suivant ».

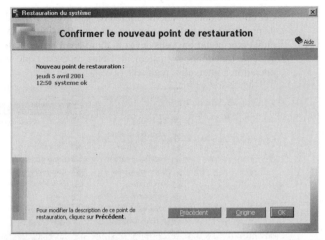

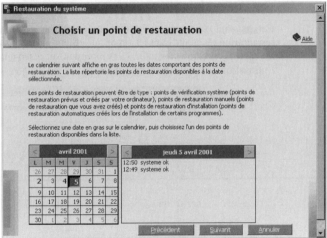

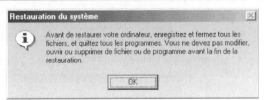

Restauration du système avec la disquette de démarrage

- Démarrer l'ordinateur à l'aide de la disquette créée lors de l'installation de Windows Me.
- Quitter le fichier d'aide après avoir choisi l'option 1 du menu de démarrage.
- A l'invite de commande, taper.

```
Scanreg /restore
```

- Une interface propose de choisir un fichier de sauvegarde. En fin de restauration, redémarrer l'ordinateur en retirant la disquette de boot.

Les autres nouveautés et améliorations

Windows Movie Maker : créer, modifier et partager facilement des vidéos sur Internet en utilisant le contenu provenant de caméscopes, cassettes vidéo et appareils photos numériques.

Windows Media Player 7 : télécharger vos fichiers de musique préférée sur Internet ou enregistrez de la musique à partir de vos CD. Créer des listes de programmation personnalisées, transférer de la musique sur des périphériques portables et écouter la radio sur Internet.

Windows Image Acquisition (WIA) : l'architecture WIA prend en charge la nouvelle génération de périphériques graphiques pour Windows. Vous pouvez ainsi obtenir des photos à partir d'appareils photos et de scanners, et effectuer des opérations simples sur ces photos en quelques clics de souris, sans installer de logiciel supplémentaire.

MSN Messenger Service : vous savez à tout instant lesquels de vos contacts sont en ligne, et recevez et envoyez des messages instantanés avec MSN Messenger Service.

Suite d'outils pour la communication sur Internet : ces outils incluent Outlook Express (client de messagerie et de News), Microsoft NetMeeting (vidéo-conférence sur Internet), le lecteur Windows Media (Lecteur multimédia), etc.

DirectX : DirectX donne plus de réalisme et confère une meilleure qualité aux données multimédias et aux jeux. Vous profitez ainsi de graphiques améliorés, et de la prise en charge des technologies AGP (Accelerated Graphics Port) et MMX. Vous pouvez également utiliser des contrôleurs à retour de force.

Dépannage : plus de vingt outils de dépannage facilitent l'apprentissage des procédures et la résolution des problèmes rencontrés. Parmi les outils de dépannage (nouveaux ou améliorés), utiliser Installation, Démarrage et Fermeture, Connexions Internet, Réseau domestique, Impression, Jeux et Multimédia, et Matériel.

Assistant Maintenance Windows : cet assistant planifie l'exécution automatique des opérations de réglage. Votre PC se charge ainsi de la maintenance de façon plus autonome. Il permet de supprimer des fichiers inutiles et de veiller à l'optimisation et au bon fonctionnement du disque dur. Il inclut les fonctions de défragmentation, d'analyse et de nettoyage du disque.

Microsoft WebTV pour Windows : avec une carte tuner TV, votre PC peut recevoir des émissions télévisées. Vous pouvez ainsi regarder des émissions télévisées et des programmes interactifs qui proposent des informations complémentaires, et recevoir bien d'autres informations sur votre PC.

Prise en charge du client pour réseau privé virtuel : le réseau privé virtuel permet à des utilisateurs itinérants d'accéder à leur réseau d'entreprise à l'aide d'une connexion sécurisée. Il utilise le protocole PPTP (Point-to-Point Tunneling Protocol). Ce service est pris en charge par Windows Me.

Prise en charge de plusieurs moniteurs : vous pouvez désormais utiliser plusieurs moniteurs et/ou adaptateurs graphiques sur un seul PC. En affichant votre environnement de travail sur plusieurs moniteurs, vous pouvez prendre vos aises et passer plus facilement d'un document à un autre, ou d'une application à une autre.

Agent ASD (Automatic Skip Driver Agent) : l'agent ASD (Automatic Skip Driver) identifie les périphériques qui ne répondent plus, affiche une boîte de dialogue pour indiquer la défaillance détectée, et vous invite à ignorer cette action lors des démarrages suivants.

Prise en charge du réseau domestique : Windows Millenium Edition prend en charge plusieurs technologies pour la création d'un réseau domestique, notamment Ethernet, HomePNA et RF.

Jeux en ligne : jouez sur la version en ligne des jeux classiques comme le Backgammon, la Dame de Pique, le Reversi, les Piques et les Dames avec un accès facile aux adversaires connectés de votre niveau.

Améliorations de la gestion de l'alimentation : la gestion de l'alimentation par le biais de l'interface ACPI (Advanced Configuration and Power Interface) vous permet d'allumer et d'éteindre votre PC comme s'il s'agissait d'une simple télévision. En outre, Windows Me prend en charge la mise en veille prolongée, qui permet d'enregistrer l'état exact du PC lors de son arrêt et de rétablir rapidement la configuration lorsqu'il est à nouveau mis sous tension. (Ces fonctionnalités sont disponibles uniquement sur des PC neufs dotés de la configuration matérielle appropriée.)

Amélioration des utilitaires ScanDisk et du défragmenteur de disque : ces deux utilitaires ont été améliorés de manière à prendre en charge les nouveaux disques durs de plus grande taille qui équipent les nouveaux PC. Les performances du défragmenteur de disque ont été améliorées, réduisant ainsi sa durée d'exécution.

Améliorations de l'accessibilité : notamment l'intégration des fonctionnalités de souris Intellipoint dans Windows Me, des améliorations de la calculatrice, la prise en charge système permettant de changer la largeur du curseur et une prise en charge de Microsoft Accessibility Architecture 1.3.

Nouvelle pile TCP/IP : une nouvelle version du protocole réseau TCP/IP est incluse pour une meilleure sécurité et une plus grande fiabilité sur Internet.

Messages d'erreur avancés : messages d'erreur améliorés qui décrivent les problèmes et exposent les solutions possibles sous une forme compréhensible par les utilisateurs novices.

Le multimédia

La prise en charge des périphériques multimédias a été facilitée. De plus en plus de périphériques USB sont automatiquement détectés et installés. Les applications multimédias s'intégreront parfaitement à l'environnement de Windows Me.

Les outils livrés avec Windows Me vous permettront d'exploiter toutes sortes de données multimédias comme les images, les photos, les vidéos, la musique ou la radio sur Internet.

Installation d'un appareil photo numérique / webcam

Si vous disposez d'un périphérique numérique équipé d'un connecteur USB, il suffit de le connecter au PC. Certains périphériques sont automatiquement reconnus et installés alors que d'autres nécessiteront que vous exécutiez le programme d'installation livré avec le matériel.

Voici ce qui se passe après avoir connecté l'appareil photo.

Dans un premier temps, nous allons laisser Windows rechercher le meilleur pilote
pour le périphérique.

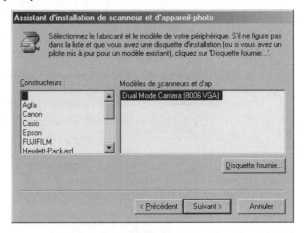

Cliquer à ce moment la sur le bouton « Suivant ». Si le pilote de périphérique est
connu de Windows Me, il vous sera demandé le CD-Rom d'installation pour finaliser
l'installation. C'est tout, vous n'aurez même pas besoin de redémarrer l'ordinateur.

Tous les périphériques numériques USB sont connectables à chaud. Pour visualiser les
paramètres du périphérique :

- Passer par le Panneau de configuration et cliquer sur l'icône *Scanner et appareils
  photos*.

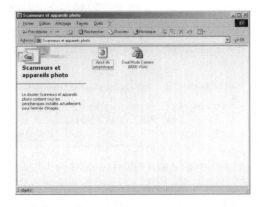

- Faire ensuite un clic droit sur le périphérique et choisir *Propriétés*.

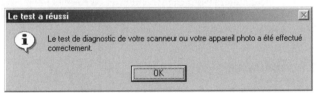

- Cliquer sur le bouton « Tester le scanner ou l'appareil photo ».

- Passer ensuite sur l'onglet *Evénements* pour visualiser les applications à partir desquels vous pourrez utiliser les données.

- Le dernier onglet permet de gérer les définitions de couleurs.

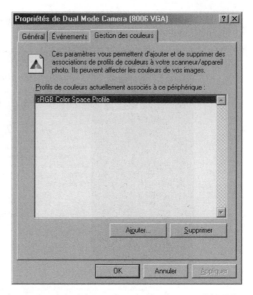

Notez que de nombreuses mises à jours des applications multimédias sont disponibles sur le site Windows Update. L'installation de services pack pour les systèmes d'exploitation Windows met également à jour les types de fichiers multimédias que peut traiter le système. N'hésitez pas à consulter et télécharger périodiquement les mises à jour, cela vous aidera à régler de nombreux problèmes potentiels d'applications.

Le réseau domestique

Le principe du réseau domestique déjà présent sous Windows 98 SE a été repris sous Windows Me et intégré dans un outil pratique qui vous configurera le réseau et le partage de connexion Internet.

Pour mettre en place votre réseau, il faudra que l'un des deux postes possède une connexion Internet via un modem et un fournisseur d'accès correctement configuré.

Installation du réseau

La mise en place du réseau domestique implique un certain nombre d'étapes. Vous avez le choix entre l'utilisation de l'assistant ou la configuration manuelle. Nous avons traité de cette installation plus haut dans cet ouvrage. Nous vous rappelons pour mémoire les éléments nécessaires :

- Une carte réseau dans chaque ordinateur qui compose le réseau.
- Un hub si vous avez plus de deux ordinateurs.
- Un câble qui relie chaque ordinateur au Hub.
- Un modem connecté sur une ligne téléphonique et l'un des ordinateurs.

Assistant réseau domestique

L'assistant Gestion du réseau domestique vous guidera dans la configuration des partages. Le principe repose sur un poste qui fait office de serveur de connexion alors que les autres font office de clients. La création d'une disquette de configuration des clients permet d'utiliser cette option sur les ordinateurs exécutant des systèmes

d'exploitation plus anciens. Dans cet exemple, nous exécutons le programme
d'installation depuis le serveur de connexion.

Cliquer sur le bouton « Suivant ».

- Choisir l'option *Oui* pour mettre en œuvre le partage de connexion et la gestion du
  réseau. Sélectionner ensuite la carte réseau.

- Cliquer sur « Suivant ».

Cette étape permet de paramétrer la méthode de connexion des autres utilisateurs du réseau. Choisir l'option oui et vérifier les paramètres de votre connexion. De cette façon, lorsqu'un ordinateur souhaite se connecter à l'Internet, l'utilisateur n'aura pas besoin d'entrer des informations, la connexion se fera automatiquement.

- Cliquer ensuite sur le bouton « Suivant ».

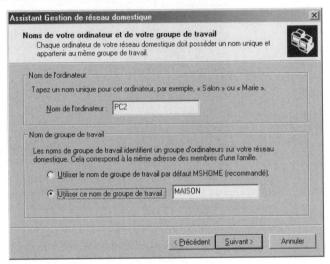

Ici, les paramètres du réseau sont configurés, nom de l'ordinateur et groupe de travail. Les autres ordinateurs devront appartenir au même groupe de travail et porter un nom unique sur le réseau.

- Cliquer ensuite sur le bouton « Suivant ».

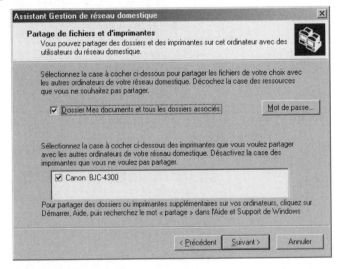

Ici, l'assistant vous propose de réaliser un partage du dossier *Mes documents* et un autre de l'imprimante.

- Cliquer sur le bouton « Suivant ».

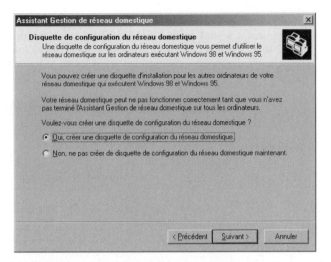

Maintenant, vous allez créer une disquette pour installer la partie cliente sur les autres ordinateurs du réseau. Ceci est la dernière étape. Il ne vous reste plus qu'à exécuter le programme d'installation copié sur la disquette sur les autres ordinateurs.

- Cliquer sur le bouton « Suivant ».

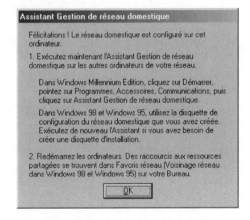

Atelier

Exercice n° 1

Si cela vous est possible, procurez-vous Windows Me, installez-le en remplacement de Windows 98 en prenant soin d'activer l'option de désinstallation.

Si vous disposez d'un périphérique numérique, installez-le.

Exercice 2

Désinstallez ensuite Windows Me

- Démarrage à l'aide de la disquette de démarrage – option 1 du menu.
- Quittez le fichier d'aide.
- Exécutez le smartdrive à l'aide de la commande SMARTDRV.
- Exécution de c:\windows\command\uninstal.exe et confirmez avec « Ok ».

Quiz

- *Série de questions/réponses*

Question n° 1

Que l'on soit un utilisateur particulier ou un utilisateur de l'entreprise, Windows Me couvre tous les besoins.

❑ Vrai

❑ Faux

Question n° 2

Windows Millenium permet le partage :

❑ Des fichiers

❑ Des imprimantes

❑ Des connexions Internet

❑ Toutes ces réponses

Question n° 3

Quel est l'utilitaire permettant de créer ses programmations musicales personnalisées ?

❑ Windows Media Player 7

❑ Directx 7

❑ Gestion du réseau domestique

Question n° 4

Windows Movie Maker est un utilitaire permettant de créer des vidéos sur Internet en utilisant le contenu provenant de périphériques numériques.

❑ Vrai

❑ Faux

Question n° 5

Quelle est la commande en mode ligne de commande permettant de restaurer le registre Windows Me ?

❑   Scanreg /go

❑   Scanreg /restore

❑   Scanreg /Windows

Question n° 6

Windows Me prend en charge des pilotes unifiés pour Windows 9x, Windows NT.

❑   Vrai

❑   Faux

Question n° 7

Quelle option doit-on choisir lors de l'installation de Windows Me afin qu'il soit possible de le désinstaller par la suite ?

❑   Installation complète

❑   Enregistrer vos fichiers système existants

❑   Mise à niveau de l'ancien système

- *Présentation*
- *Installation et configuration*
- *Administration*
- *Gestion des ressources disques*
- *Dépannage et sécurité*

12

Windows 2000 Pro

Objectifs

Dans ce module, nous abordons maintenant la gamme des produits Windows 2000, et nous traiteront dans le détail Windows 2000 Pro, présenté comme le système d'exploitation qui remplace Windows NT4.

Windows 2000 est riche en nouvelles fonctionnalités et répond aux besoins de l'entreprise en termes de réseau, de gestion de ressources externes et de sécurité.

Contenu

Présentation des versions Windows 2000.

Les fonctionnalités de base de Windows 2000.

Installation et paramétrage du système.

Gestion des ressources disque.

Gestion des utilisateurs et des groupes.

Sécurité et dépannage de Windows 2000.

Présentation

- *Windows 2000 Pro*
- *Windows 2000 serveur*
- *Fonctionnalités*

Tout d'abord, il est primordial de bien comprendre que ces versions répondent à des besoins bien précis. En effet, il ne s'agit pas d'un mais de plusieurs produits qui ont tous des particularités.

Windows 2000 Pro

Ce système d'exploitation constitue l'évolution de Windows NT4 Workstation. Windows 2000 Pro représente un client idéal dans un environnement réseau d'entreprise. En effet, il est important de ne pas confondre Windows 2000 Pro et Windows Me. Bien que l'interface soit la même, l'architecture et l'orientation de ces deux produits sont radicalement différents.

Les points forts de ce système d'exploitation sont le Plug and Play et la prise en charge du système de fichiers FAT 32 jusqu'ici inexistants sous Windows NT4.

Bénéfices

Windows 2000 Pro est basé sur la technologie Windows NT, ce qui en fait un système d'exploitation bien plus fiable que Windows 98. Ce système d'exploitation offre ainsi une disponibilité élevée, une configuration dynamique du système et une maîtrise de la défaillance des applications.

Les différents niveaux de sécurité proposés dans Windows 2000 Pro assurent la protection des données d'entreprise dans les environnements autonomes aussi bien que sur les réseaux. Il propose également un ensemble d'outils intégrés qui facilitent grandement le déploiement et l'administration.

Windows 2000 Pro étend les capacités des ordinateurs portables grâce à la prise en charge d'une interface de configuration avancée de la gestion de l'alimentation (ACPI, Advanced Configuration and Power Interface), de Smart Battery et des réseaux privés virtuels (VPN). Cela permet aux utilisateurs de travailler n'importe où et à tout moment sur des fichiers et des dossiers hors connexion. Windows 2000 Pro prend également en charge un plus grand nombre de périphériques, notamment grâce aux technologies USB.

Windows 2000 famille serveur

Présentation

Microsoft Windows 2000 Server est conçu pour répondre aux attentes des entreprises de toutes tailles, des petites entreprises centralisées aux grandes entreprises internationales. Windows 2000 Server intègre des services d'annuaires, services Web, services d'applications, services de réseau et services de fichiers et d'impression. Il garantit une gestion puissante de bout en bout et une grande fiabilité pour proposer les meilleures bases de façon à intégrer votre entreprise sur Internet.

La famille Windows 2000 Server est conçue sur les points forts de Windows NT et propose trois produits performants :

- *Windows 2000 Server* est la nouvelle version de Windows NT Server 4.0. Ce système d'exploitation réseau multi-usage est destiné aux entreprises de taille moyenne.

- *Windows 2000 Advanced Server* est la nouvelle version de Windows NT Server, édition Entreprise. Ce système d'exploitation est idéal pour concevoir des applications de commerce électronique et s'adapte aux entreprises de taille importante.

- *Windows 2000 Datacenter Server* est le nouveau membre de la famille Windows Server. Ce système d'exploitation est destiné à créer des solutions d'entreprise nécessitant un haut degré d'évolutivité. Celle-ci est particulièrement adaptée aux organisations multinationales.

Bénéfices

Des fonctions Web, de sécurité et de communication complètes sont intégrées. De plus, l'évolutivité et les performances proposées pour faire face aux exigences du trafic Internet font de Windows 2000 Server la plate-forme idéale pour développer vos activités sur Internet.

Windows 2000 Server permet aux entreprises de réduire les interruptions du réseau affectant les utilisateurs. Des améliorations ont été apportées à l'architecture du système pour garantir un niveau de disponibilité plus élevé. De plus, la tolérance de panne et la duplication des systèmes réduisent considérablement la durée d'indisponibilité. Avec les fonctions de configuration et de maintenance en ligne, vous êtes sûr que vos serveurs fonctionnent correctement et que votre entreprise est en mesure de faire face à la demande.

Le service d'annuaires Active Directory permet d'assurer une administration centralisée. L'interopérabilité avec les systèmes déjà en place est assurée. Windows 2000 Server vous permet ainsi d'augmenter la productivité des membres du service informatique, des utilisateurs et des systèmes.

Windows 2000 Server prend en charge le matériel de technologie récente (réseau et périphériques), notamment les périphériques USB, les dispositifs à large bande passante et de gestion d'annuaires. La plate-forme que vous concevez aujourd'hui peut ainsi tirer parti des dernières avancées technologiques et prendre en charge les produits dont vous ferez l'acquisition dans le futur.

Les fonctionnalités de Windows 2000

Windows 2000 est basé sur une technologie NT qui lui apporte une grande stabilité et une sécurité aussi bien locale qu'au niveau du réseau. Il apporte en plus des fonctionnalités héritées de Windows 98, constituant ainsi un système d'exploitation fiable, convivial et souple. Voici quelques-unes de ces fonctionnalités clés de Windows 2000 :

- *Intégration complète d'Internet* : une interface unique propose à l'utilisateur d'accéder à l'Internet ou à un Intranet en local ou via le réseau.

- *Outils d'administrations personnalisables* : les outils d'administrations peuvent être personnalisés au moyen d'une console dans laquelle des composants enfichables seront insérés ou retirés selon les besoins. Cette technique apporte la souplesse et la personnalisation de l'utilisation des outils de Windows 2000.

- *Support matériel* : la prise en charge de l'USB, la gestion d'économie d'énergie et le processus Plug and Play qui manquaient à Windows NT4 ont été intégrés.

- *Support de plusieurs systèmes de fichiers* : cette prise en charge inclut à la fois les systèmes liés à Windows 98 et ceux de Windows NT4 (FAT, FAT32, NTFS, CDFS, DVD).

- *Options de sauvegarde* : l'utilitaire de sauvegarde prend maintenant en charge plusieurs supports et de nouveaux types de médias. L'interface a été améliorée, rendant ainsi la sauvegarde des données plus souple et plus facile à paramétrer.

- *La sécurité* : des protocoles de sécurité comme Kerberos ont été implémentés, l'utilisation possible de cartes à puces à l'ouverture de session rend le système plus sécurisé en réseau. Au niveau des données, le chiffrement, le cryptage et la notion de certificats apportent encore plus de sécurité.

- *Le planificateur de tâche* : hérité lui aussi de Windows 98, il permet de programmer des tâches à des fréquences et des horaires paramétrables, facilitant ainsi l'administration des machines.

- *Le support des utilisateurs mobiles* : les services de routage et d'accès distant ont été améliorés, permettant ainsi la prise en charge plus facile des utilisateurs mobiles. Divers protocoles sont pris en charge, l'assistant pour les réseaux VPN et l'appel direct rend la configuration plus facile.

- *Support d'impression Internet* : les utilisateurs peuvent se connecter aux imprimantes du réseau directement par l'Internet ou en utilisant une URL.

- *Impression couleur améliorée* : la gestion des couleurs d'image (ICM) fournit une qualité d'impression améliorée, rapprochant encore l'apparence des couleurs à l'impression de celle des couleurs à l'écran.

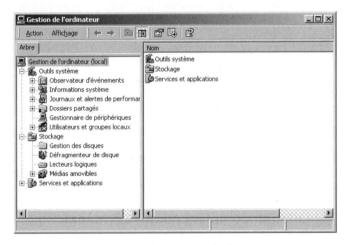

Installation de Windows 2000 Pro

- *Choix d'une installation*
- *Les étapes d'installation*
- *Le processus de démarrage*
- *Les options de démarrage*

Tout comme son prédécesseur Windows NT4, l'installation de Windows 2000 Pro s'exécute suivant la plate-forme processeur de la machine. La notion de la HCL répond aux mêmes principes, à savoir que le matériel doit être compatible pour que le système puisse s'installer normalement.

Il existe également une notion très importante de minimum matériel dont Windows 2000 Pro besoin pour fonctionner dans de bonnes conditions.

Minimum requis	Minimum conseillé
Processeur Pentium 200	Processeur PII
64 Mo de RAM	128 Mo de RAM
Espace disque disponible 1 Go	Espace disque disponible 2 Go
Carte réseau 10 Mb/s	Carte réseau 100 Mb/s
Ecran SVGA 800 x 600	Ecran SVGA 800 x 600
Un lecteur CD-ROM ou DVD Équipement multimédia optionnel	

Installation complète ou mise à niveau

Pour installer Windows 2000 Pro, deux possibilités s'offrent à vous en fonction de deux situations distinctes :

Installation complète

On choisira ce type d'installation si l'on souhaite installer Windows 2000 sur un disque dur vide ou si l'on veut conserver son ancien système d'exploitation et prendre en charge le double amorçage.

Poste équipé de Windows NT4 ou Windows 98

La migration d'un système Windows NT4 ou Windows 98 vers Windows 2000 Pro est réalisable sans désinstaller l'ancien système d'exploitation. L'avantage principal est que les applications seront automatiquement récupérées dans le nouveau système. Attention, cependant à la compatibilité de certaines applications, notamment les plus anciennes.

Migration des applications

En fonction du budget dont l'entreprise dispose, il est conseillé de migrer également les applications vers des versions écrites spécifiquement pour Windows 2000. En effet, il sera possible de tirer pleinement parti des fonctionnalités disponibles sur les versions serveur de Windows 2000 comme le déploiement ou la distribution d'applications automatisés vers les stations Windows 2000 Pro.

Les étapes d'installation

Les étapes d'installation sont assez similaires à celles de Windows NT4 bien que la partie graphique ait été modifiée. Le principe repose sur la technologie NT. Une première phase se déroule en mode texte et inclut les étapes suivantes :

- Exécution du programme `winnt.exe`.
- Choix d'effectuer une nouvelle installation ou réparer une installation existante.
- Acceptation des termes du contrat de licence.
- Choix de la partition sur laquelle installer Windows, ou encore création de la partition.
- Choix du système de fichiers FAT, NTFS ou laisser tel quel si la partition existe déjà et qu'elle est déjà formatée.
- Copie des fichiers sources vers le disque dur sur deux répertoires temporaires.
- Redémarrage de l'ordinateur.

Après un premier redémarrage, on passe en mode graphique. L'assistant d'installation vous propose de personnaliser votre installation et vous demande les informations suivantes :

- Paramètres régionaux permettant de sélectionner le type de clavier.
- Nom et organisation pour information.

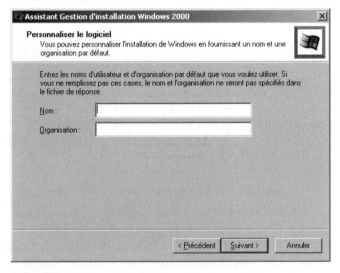

- Nom de l'ordinateur
- Le mot de passe pour le compte d'administrateur de la machine. Le nom d'ordinateur doit être unique sur un domaine ou un groupe de travail (Workgroup).

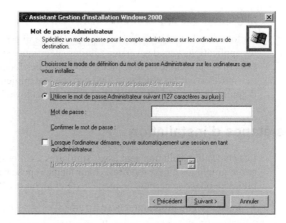

- Composants à installer, comme les accessoires, les outils, les modèles… Cette étape est similaire aux autres versions. Puis, cliquer sur « Suivant ».

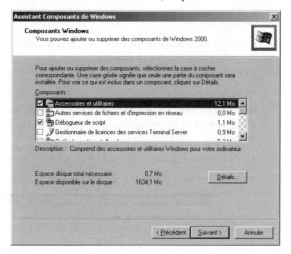

- Choisir les options de mise en réseau (par défaut ou personnalisé). Attention, les options par défaut en termes de protocoles et de clients réseau ne sont pas toujours conformes à la réalité. Notamment pour TCP/IP, la recherche d'un serveur DHCP fait partie des paramètres standard. Puis, cliquer sur « Suivant »

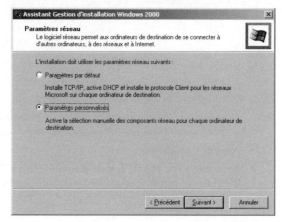

- Choisir le mode *Groupe de travail* ou *Domaine* pour la mise en réseau.

- Copie des fichiers sur le disque dur.
- Application des paramètres de configuration dans intervention de l'utilisateur.
- Sauvegarde des paramètres.
- Suppression des répertoires temporaires.
- Redémarrage final.

Les programmes d'installations

Pour une installation complète à partir de l'invite de commande, exécuter le programme winnt.exe. Celui-ci peut être complété d'options :

- `/A` active l'option accessibilité.
- `/S:chemin` spécifie le chemin source.
- `/E:commande` exécute une commande avant la phase finale d'installation.
- `/U:fichier réponse` nom et chemin d'accès du fichier réponse généré par le gestionnaire d'installation Setup Manager.

Pour une mise à niveau ou une installation complète réalisée à partir de Windows 98 ou Windows NT4, utiliser le programme winnt32.exe. Il faut noter que le processus d'installation est le même qu'à partir d'une invite de commande. Ce programme peut utiliser trois options en plus ce celles supportées par winnt.exe :

- `/cmdcons` installe les fichiers consoles de réparation et récupération.
- `/UDF:id,diff (fichier)` spécifie le nom et l'emplacement de la base de données des différences contenant les paramétrages uniques pour plusieurs ordinateurs installés avec un fichier réponse unique.
- `/checkuprage noly` Procédure de vérification de la compatiblité du matériel avec la HCL Windows 2000.

Lancement du programme d'installation

Le programme peut être exécuté en utilisant plusieurs méthodes. Les besoins de l'entreprise en termes de déploiement ont été pris en compte. Plusieurs possibilités sont proposées :

- La méthode la plus simple consiste à démarrer l'ordinateur à partir de CD-Rom, le programme d'installation se lance automatiquement. Cette méthode s'avère pratique sur un poste unique dont le disque dur est vide.

- Démarrer à partir des disquettes d'installation numérotées de 1 à 4. Si vous ne disposez pas de ces disquettes, deux utilitaires se trouvent sur le CD-Rom dans le répertoire BOOTDISK (makebt32.exe et makeboot.exe) pour les créer.

- La dernière solution, plus adaptée à l'entreprise consiste à créer un serveur de distribution contenant les fichiers d'installation pour Windows 2000 sur une ressource partagée du réseau. Un utilitaire situé dans le dossier SUPPORT\TOOLS du CD-Rom appelé le Gestionnaire d'installation vous fournira des outils facilitant la mise en place du serveur de distribution. Cet outil permet également de créer des fichiers réponses.

Le processus de démarrage

Le processus de démarrage de Windows 2000 est très proche de celui de Windows NT4. Ce processus se décompose en deux étapes

- La procédure d'initialisation : exécution du POST, exécution du ou des Post propres aux adaptateurs (par exemple périphériques SCSI), exécution des instructions à l'interruption logicielle INT19h (sur un système Intel), lecture du premier secteur d'amorçage du disque (MBR) et chargement du secteur d'amorçage depuis la partition active.

- La procédure de chargement du système d'exploitation qui s'exécute suivant la le processus suivant :

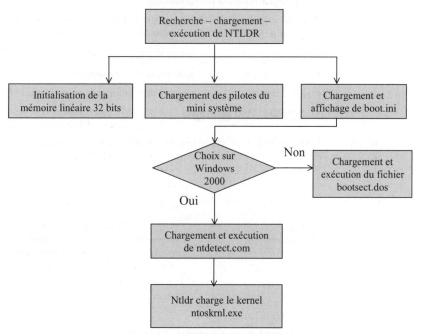

Enfin on termine par la séquence de chargement de Windows 2000 Pro :

- La liste du matériel est construite par le fichier ntdetect.com puis est passée au kernel.

- Le fichier hal.dll est chargé et initialisé.

- Le registre est scruté pour déterminer les pilotes de périphérique à charger.

- Initialisation de ntoskrnl.exe.

- Chargement d'autres pilotes de périphérique via le registre.

- Chargement et exécution du gestionnaire de session via le fichier smss.exe qui se charge de la création du fichier d'échange et du chargement de l'interface Windows.
- Chargement de Winlogon qui affiche la boîte de dialogue d'ouverture de session permettant à l'utilisateur de remplir ces informations.

Les fichiers noyau du démarrage

Lors de la séquence de démarrage, nous avons vu quels sont les fichiers lus et dans quel ordre. Voici un récapitulatif de leur nom, emplacement et fonction.

Fichier	Description et emplacement
NTLDR	Fichier de chargement NT Répertoire racine de la partition active
BOOT.INI	Menu de démarrage Répertoire racine de la partition active
NTDETECT.COM	Détection et reconnaissance du matériel Répertoire racine de la partition active
BOOTSECT.DOS	Chargeur du secteur d'amorçage alternatif Répertoire racine de la partition active
NTBOOTDD.SYS	Pilote de disque SCSI Répertoire racine de la partition active
NTOSKRNL.EXE	Noyau de Windows NT4 %systemroot%\system32
Essaim système	Zone de base de registres contrôlant la séquence de démarrage %systemroot%\system32\config
Pilotes de périphériques	Fonctionnement des périphériques %systemroot%\system32

Les options de démarrage

Tout comme les autres systèmes d'exploitation étudiés jusqu'ici, Windows 2000 Pro propose un menu de démarrage permettant de choisir entre plusieurs options. Ce menu apparaît en appuyant sur la touche F8 juste après avoir choisi une option à partir du fichier boot.ini au démarrage de la machine.

Ce menu comporte les options décrites ici :

Option	Description
Mode sans échec	Charge le minimum de périphériques. Similaire au mode sans échec de Windows 98
Mode sans échec avec réseau	Identique au précédant mais charge les pilotes et les services nécessaires pour l'accès au réseau
Mode sans échec et invite de commande	Identique au mode sans échec mais ne charge pas l'interface graphique
Active le journal de démarrage	Démarre Windows normalement et crée un journal se situant dans %systemroot%\ntbtlog.txt
Active le mode VGA	En cas de problème vidéo, active une résolution graphique de base 640 x 480 et 16 couleurs
Dernière bonne configuration connue	Utile lorsque Windows ne redémarre pas correctement après une modification lors de la dernière session
Mode restauration des services d'annuaire	Réservé au contrôleur de domaine uniquement. Permet de restaurer et compacter la base de

Option	Description
	données *ntds.dit*
Mode déboguage	Correspond au mode pas à pas de Windows 98 et permet le déboguage

Utilisation de la dernière bonne configuration connue

Cette option de démarrage doit être utilisée lorsque l'utilisateur a provoqué une erreur de démarrage de Windows après avoir modifié le système. Cela peut se produire lorsqu'un pilote de périphérique a été installé ou modifié ou encore si un service est incorrectement paramétré.

Cet outil crée une copie de sauvegarde de la configuration de la machine au moment où les modifications sont apportées. Il ne fonctionnera que s'il est utilisé de suite. Si l'on ouvre une session avant d'éteindre la machine et de choisir cette option, cela ne fonctionnera pas. En effet, lors de l'ouverture de session, le système modifie la dernière bonne configuration connue.

Utilisation de la console de récupération

Les options de démarrage tels que le *Mode sans échec* ou la *Dernière bonne configuration connue* permet de réparer des problèmes courants et de faible incidence. Parfois, ces options de suffiront pas à reconstruire le système.

Un outil plus puissant est disponible et permet de récupérer le système si les autres options ont été inefficaces. Il n'est disponible que s'il a été installé au départ.

Si cela n'est pas le cas, il est possible de le faire lorsque le système fonctionne correctement en utilisant la commande

```
Winnt32.exe /cmdcons
```

Au prochain redémarrage du système l'option sera disponible dans le menu activé par la touche « F8 ». La console vous proposera différentes possibilités pour vérifier et configurer certains aspects du système comme des services, des pilotes, les fichiers d'amorçage ou encore la gestion des disques.

Si l'outil n'a pas été installé et qu'un problème n'a pas été résolu avec les autres options, il est toujours possible de démarrer à partir du CD-Rom et de choisir l'option *Réparer une installation*. Un second choix vous sera proposé entre la réparation du système ou l'accès à la console de récupération.

Paramétrage du système

- *Le mode console*
- *Le Panneau de configuration*
- *Paramétrage du système*
- *Gestion du réseau*

C'est dans cet aspect que Windows 2000 Pro présente le plus de changements par rapport à Windows NT4. Dans ce module, nous traitons l'ensemble des outils permettant le paramétrage du système. Certains d'entre eux sont hérités de Windows 98 alors que d'autres ont été mis au point pour Windows 2000 Pro, comme la notion de console et de composants enfichables.

Le mode console

Cet outil a été mis au point dans le but de faciliter et d'assouplir la gestion du système et des ressources. Une console est constituée de composants logiciels enfichables et d'extensions. Chacun d'entre eux est utilisé pour configurer un aspect du système. Un certain nombre de ces consoles sont disponibles dans les outils d'administration communs, et l'administrateur peut en construire d'autres, choisir les éléments qui y seront disponibles et éventuellement il pourra déléguer sa gestion à d'autres utilisateurs.

Création d'une console

Le programme MMC.EXE sert à créer une console vide, un fichier *.msc* sera généré après sauvegarde. Au lancement du programme via le menu *Démarrer – Exécuter – MMC* une console vide apparaît.

A partir du menu Console, sélectionner la commande *Ajouter/supprimer un composant logiciel enfichable*. Cliquer sur le bouton « Ajouter » et choisir le ou les composants.

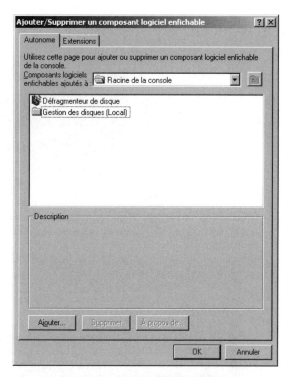

Chaque composant peut être géré en local ou via le réseau. Le nombre de composants disponibles et les options de configuration varient en fonction de la version de Windows 2000 et la configuration du réseau.

Une fois les composants installés, il faut enregistrer la console, lui donner un nom et un emplacement.

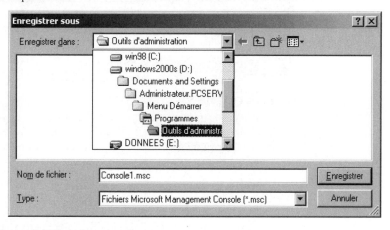

Disponibilité de la console

Une console peut être rendue disponible pour d'autres utilisateurs en la plaçant dans le dossier Outils d'administration communs à partir du menu *Démarrer*. Ces outils sont disponibles mais cachés par défaut. Pour les rendre visibles lancer la commande :

Démarrer–Paramètres–Barre des tâches et menu *Démarrer* – onglet *Avancées* et cocher la case *Afficher les outils d'administration*.

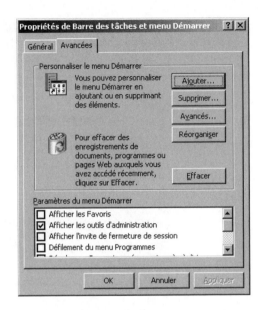

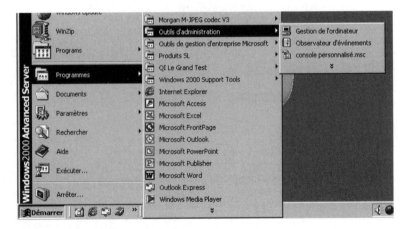

Les modes console

Plusieurs modes sont disponibles pour chaque console créée. Le mode *Auteur* permet à l'utilisateur de modifier les outils. Si l'outil est distribué via le réseau, il peut être intéressant de limiter l'utilisateur dans ses possibilités de modification de l'outil. Dans ce cas, choisir le *mode utilisateur* approprié suivant votre choix :

- *Accès total* : l'utilisateur dispose d'un contrôle total sur les outils et l'accès à toutes les fenêtres. La seule limite imposée dans ce mode est l'impossibilité d'ajouter ou de supprimer des composants dans la console.

- *Accès limité, fenêtre multiple* : limite l'utilisateur à l'objet sélectionné dans l'arborescence au moment où la console est créée.

- *Accès limité, fenêtre unique* : empêche l'utilisateur d'ouvrir une autre fenêtre.

Configuration du système

Le Panneau de configuration de Windows 2000 Pro ressemble beaucoup à celui de Windows 98. Même s'il existe quelques éléments en plus, le principe de son utilisation est exactement le même. Plutôt que de modifier la base de registres, utilisez le *Panneau de configuration* pour modifier des paramètres du système.

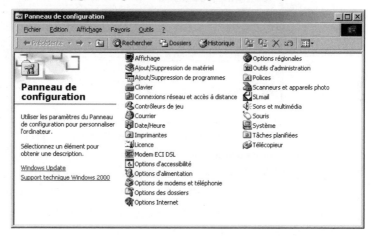

Voici un récapitulatif des éléments que vous trouverez dans le *Panneau de configuration.*

Applets	Description
Outils d'administration	Correspond à ce qui se trouve dans démarrer – programmes – outils d'administrations communs
Options d'accessibilité	Identique à Windows 98
Ajout de nouveau matériel	L'administrateur peut ajouter des éléments matériels
Date et heure	Réglages des date et heure du système

Affichage	Paramétrage de la résolution graphique – identique à Windows 98
Fax	Gestion du matériel fax
Options des dossiers	Paramétrage de l'affichage des dossiers dans l'explorateur et dans les dossiers
Polices	Ajout et suppression de polices
Manette de jeu	Réglage de la manette de jeux
Internet	Configure les options Internet telles que le Proxy et les paramètres Internet explorer
Clavier	Configuration du clavier
Souris	Paramètres matériels et réglages logiciels
Téléphone et modem	Gestion des périphériques d'appel distant
Options d'alimentation	Gestion de l'économie d'énergie
Imprimantes	Crée et gère les imprimantes locales
Options régionales	Gestion de paramètres comme la monnaie, les formats…
Scanners et appareils photos numériques	Prise en charge de périphériques numériques et paramétrage
Tâches planifiées	Gère les tâches programmées
Sons et multimédia	Gestion du son et des périphériques multimédia
Options du système	Visualisation et gestion des paramètres de démarrage, performance et récupération
Utilisateurs et mot de passe	Gestion des comptes locaux

Les propriétés système

Les paramètres du système représentent la partie la plus importante des réglages de Windows 2000 Pro. Véritable centre nerveux du système, les réglages concernent :

- Les paramètres du réseau.
- Les profils matériels et les informations de pilotes.
- Les profils utilisateur.
- Les options de performances et de récupération.

Onglet Général

Donne des informations sur le système comme le type de processeur, les informations de licences et utilisateurs et la version utilisée.

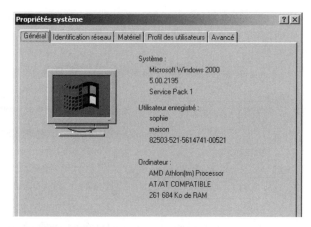

Onglet Identification réseau

Permet de modifier le nom d'ordinateur et l'appartenance à un groupe de travail ou un domaine. Le bouton « Propriétés » ouvre une fenêtre pour modifier les valeurs.

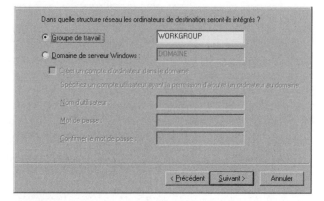

Onglet Matériel

Cet onglet permet à l'administrateur local de modifier un certain nombre de paramètres et ajouter des périphériques. Cet onglet est également utilisé pour créer des profils matériels.

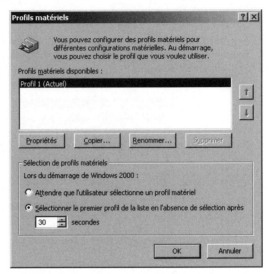

La notion de signature des pilotes apporte une sécurité supplémentaire. Le principe consiste à n'autoriser l'installation d'un pilote uniquement si celui-ci est signé, c'est-à-dire spécifiquement écrit pour Windows 2000 Pro.

Le Gestionnaire de périphériques affiche l'état des périphériques, les conflits et permet de modifier les paramètres.

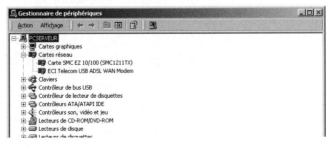

L'assistant *Ajout de matériel* correspond exactement à l'icône *Ajout et suppression de matériel* du Panneau de configuration. Le processus Plug and Play est similaire à celui de Windows 98.

Onglet Profils des utilisateurs

Les profils utilisateurs permettent de garder l'environnement du bureau de chaque utilisateur se connectant à la machine. Il existe une notion de profils distants dans une architecture de domaine. Si Windows 2000 pro est installé en monoposte ou en groupe de travail, on ne peut utiliser que les profils locaux.

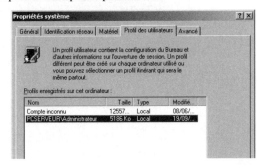

Onglet Avancé

Permet à l'administrateur de régler les variables d'environnement, les paramètres du fichier boot.ini, les performances des applications et la mémoire virtuelle comme Windows NT4.

Installation de matériel

Nous avons vu au début de ce module que Windows 2000 Pro intègre maintenant la norme Plug and Play au même titre que Windows 98. L'icône *Ajout/Suppression de matériel* dans le *Panneau de configuration* exécute un assistant qui tentera de détecter tout nouveau matériel installé.

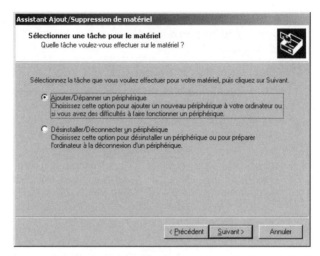

Cet assistant permet également de dépanner ou de supprimer des périphériques de votre environnement de travail. En cas d'échec du processus d'installation automatique, il est toujours possible d'installer manuellement un périphérique. Dans ce cas, il faudra s'assurer que l'on dispose d'un pilote fourni par le constructeur et compatible avec Windows 2000 Pro.

Il est possible que Windows 2000 Pro détecte un nouveau matériel mais qu'il ne dispose pas du pilote. Il faudra à ce moment là indiquer le chemin d'accès par lequel y accéder.

Configuration du réseau

Le paramétrage du réseau est bien plus souple que dans les versions précédentes. L'icône *Réseau* du *Panneau de configuration* ou un clic avec le bouton droit de la souris vous permet d'accéder aux *propriétés* du réseau. Les éléments du réseau local et l'accès réseau à distance ont été regroupés dans une même fenêtre.

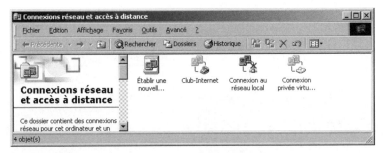

Pour visualiser les paramètres d'une connexion, il suffit de faire un clic droit sur l'icône correspondante puis *Propriétés*. Ainsi, il est tout à fait possible de configurer le protocole TCP/IP manuellement pour le réseau local et automatiquement pour l'accès à l'Internet très facilement. Une occurrence du protocole est implémentée dans chaque fenêtre de propriété.

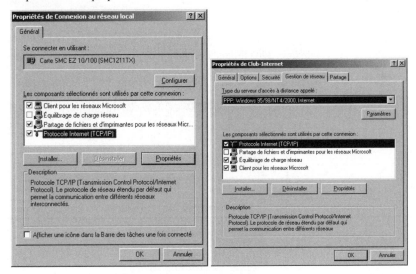

Pour supprimer une connexion réseau, il suffit de cliquer sur son icône avec le bouton droit de la souris et choisir la commande *Supprimer*.

Gestion des disques et des volumes

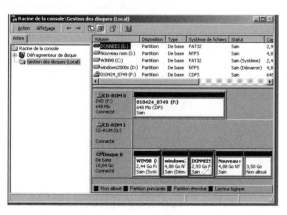

- *Archivage classique et dynamique*
- *Les volumes Windows 2000*
- *La gestion des données*

Windows 2000 Pro intègre un outil de gestion des unités de disques sous la forme d'une console MMC nommée *Gestion de l'ordinateur*. Cette console regroupe plusieurs outils parmi lesquels la gestion des unités de stockage.

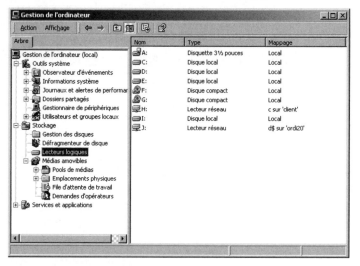

Ce système d'exploitation apporte une nouveauté en introduisant deux types de disques. Les disques d'archivage classique et les disques d'archivage dynamique. Les notions de partitions et de lecteurs logiques, quant à elles restent inchangées par rapport à Windows NT4.

Archivage classique et dynamique

Le stockage classique s'apparente à celui de Windows NT4 à la différence qu'il prend en charge les partitions de type FAT32. Sous Windows 2000 Pro le nombre de partitions principales sur un disque de base est limité à quatre.

La notion de stockage étendue permet de contourner cette limite dans la mesure ou l'on gère des volumes. Nous récapitulons ci-après la correspondance entre un stockage de base (classique) et un stockage dynamique.

Stockage de base	Stockage dynamique
Partition	Volume
Partition système ou de démarrage	Volume système ou de démarrage
Partition active	Volume actif
Partition étendue	Volume ou espace non alloué
Lecteur logique	Volume simple
Volume, agrégat par bande ou ensemble miroir	Volume, agrégat par bandes ou volume miroir
Agrégat par bandes avec parité	Volume RAID 5

Convertir un disque de base en disque dynamique

Il faut tenir compte du fait que seul Windows 2000 Pro aura accès au disque dynamique. Si un autre système d'exploitation est installé sur le disque, il sera impossible d'y accéder. Cette opération nécessite un certain nombre de conditions :

- Il doit y avoir un espace libre non alloué sur le disque d'au moins 1 Mo à la fin du disque nécessaire aux routines de gestion de disques.

- Un média d'archivage mobile est uniquement un archivage classique.

- Si le disque mis à jour fait partie d'un agrégat de bande avec ou sans parité, tous les disques de l'ensemble doivent être mis à jour.

- Les disques avec une taille de clusters supérieure à 512 Ko ne peuvent être mis à jour.

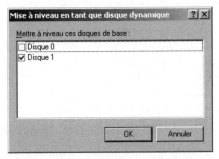

A partir de la console MMC Gestion de l'ordinateur, faire un clic avec le bouton droit de la souris sur le disque à mettre à jour et choisir la commande *Mettre à niveau en tant que disque dynamique*.

Cliquer ensuite sur le bouton « Mettre à jour ».

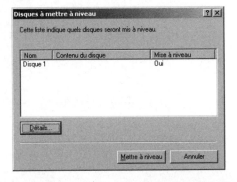

Un message vous demande de confirmer.

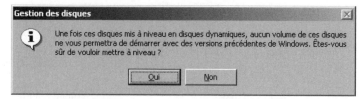

Si le disque qui est mis à niveau contient la partition d'amorçage et les fichiers systèmes de Windows 2000 vous devrez redémarrer l'ordinateur. En dehors de ce cas, les modifications sont prises en compte automatiquement.

Notez également qu'il est possible de procéder à l'opération inverse et revenir sur un système d'archivage classique. Vous devrez cependant retirer tous les volumes de ce disque avant de lancer la conversion. De ce fait, toutes les données stockées sur les volumes seront définitivement perdues.

Les volumes Windows 2000 Pro

Un volume est une unité d'archivage dynamique utilisée par Windows 2000 Pro. Il peut inclure tout ou une partie de un ou plusieurs disques.

Windows 2000 Pro propose trois types de volumes :

- *Volume simple* : qui correspond à une partition sous Windows NT4.
- *Volume réparti* : correspond à un ensemble de volumes sous Windows NT4 pouvant être étendue à tout moment.
- *Volume entrelacé* : qui peut être constitué de 2 à 32 volumes. Celui-ci est créé depuis plusieurs disques. On peut utiliser n'importe quel système de fichiers sur un tel volume. La performance en écriture constitue le principal avantage des volumes entrelacés, l'écriture s'effectuant de manière simultanée sur les disques.

Les volumes miroirs/duplex et RAID 5 offrant une tolérance aux pannes sont utilisables uniquement sous Windows 2000 server.

Pour créer un volume sur un disque dynamique, cliquer avec le bouton droit de la souris sur un espace libre puis choisir la commande *Créer un volume*.

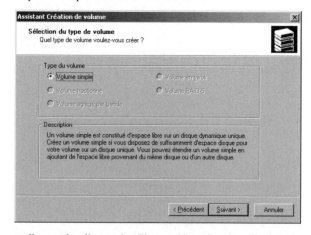

Choisir éventuellement les disques à utiliser et déterminer la taille du volume.

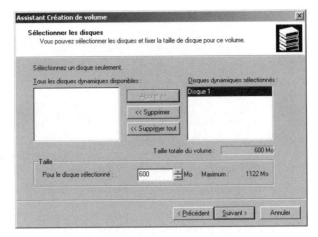

Attribuer ensuite une lettre au volume.

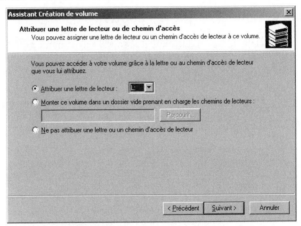

La dernière étape consiste à formater le volume.

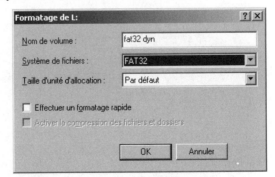

Contrairement à une partition, un volume devenu trop petit peut être étendu sans perte de données. Pour étendre un volume, cliquer avec le bouton droit de la souris sur le volume et choisir la commande *étendre un volume*.

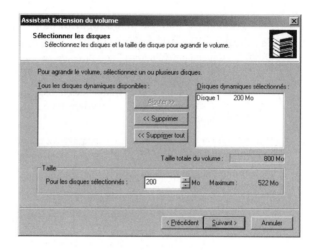

Gestion des données

Windows 2000 Pro dispose tout comme Windows NT4 d'une sécurité accrue sur les partitions ou volumes NTFS. D'autres éléments comme les quotas de disques ou le cryptage des données ont été ajoutées, formant ainsi une boîte à outil complète pour assurer la sécurité des données.

La plupart de ces outils ne sont opérationnels que sur les partitions ou volumes NTFS. Il est naturellement possible de convertir une partition ou un volume FAT16 ou FAT32 vers un système de fichier NTFS.

Convertir un système de fichiers

Ouvrir une fenêtre en mode ligne de commande par le menu Démarrer – Exécuter et CMD.

Lancer ensuite la commande :

`convert L: /fs:ntfs /v` et répondre au message

```
D:\WINN2000\System32\cmd.exe                              _ □ ×
Microsoft Windows 2000 [Version 5.00.2195]
(C) Copyright 1985-2000 Microsoft Corp.

D:\>convert l: /fs:ntfs /v
Le type du système de fichiers est FAT32.
Entrez le nom de volume en cours pour le lecteur L: fat 32 dyn
Un nom de volume incorrect a été entré pour ce lecteur.

D:\>convert l: /fs:ntfs /v
Le type du système de fichiers est FAT32.
Entrez le nom de volume en cours pour le lecteur L: fat32 dyn
Détermination de l'espace disque requis pour la conversion du système
de fichiers...
Espace disque total :              819200 Ko
Espace libre sur le volume :       817580 Ko
Espace requis pour la conversion :   7355 Ko
Conversion du système de fichiers
La conversion est terminée

D:\>
```

Si la partition système doit être convertie, il vous sera demandé de redémarrer l'ordinateur pour réaliser la conversion après avoir lancé la commande.

Compresser les fichiers et les répertoires

La compression des fichiers et des dossiers se fait suivant le même procédé que sous Dos 6.22. Cependant, Windows 2000 Pro ne peut compresser des données que sur un volume NTFS. Le rapport de compression se situe en moyenne à 2:1.

Il est possible de compresser un fichier, des fichiers, des répertoires ainsi que les sous répertoires qu'ils contiennent. Tout fichier ajouté à un dossier compressé l'est à son tour automatiquement.

Les dossiers ou fichiers compressés apparaissent en bleu dans l'arborescence si l'option a été activée dans les paramètres d'affichage.

Pour compresser un dossier ou un fichier, cliquer sur le bouton « Avancé » de la fenêtre de *propriétés*.

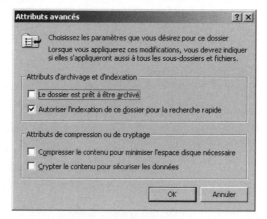

S'il s'agit d'un dossier, sélectionner une des deux options pour compresser les sous dossier ou non.

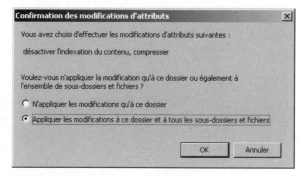

Déplacement et copie de fichiers compressés

Tant que la copie ou le déplacement se réalise d'un volume NTFS à un autre ou à l'intérieur d'un volume, la compression est héritée ou maintenue, à savoir :

- Lorsqu'un fichier est copié d'un dossier à l'autre, l'attribut de compression du répertoire cible prime. Dans ce cas, la compression est héritée.

- Lorsqu'un fichier est déplacé d'un dossier à l'autre, le statut de compression du fichier est conservé.

- Si les fichiers ou les dossiers sont copiés ou déplacés d'un volume vers un autre, les attributs du dossier cible sont hérités.

- Si les fichiers sont déplacés ou copiés à partir d'un autre système que NTFS, les attributs de compression du répertoire cible sont hérités.

Note : il faut éviter de placer des fichiers compressés (comme les .zip) sur des dossiers compressés car Windows 2000 perd du temps à essayer de les compresser.

La gestion des quotas de disque

Le principe des quotas de disque consiste à limiter l'espace disque aux utilisateurs. Lorsque la limite est atteinte, un message d'erreur est reçu par l'utilisateur. Il est possible de fixer des quotas différents suivant l'utilisateur tout comme un seul utilisateur peut recevoir plusieurs entrées de quotas.

La mise en place de quotas n'est possible que sur les volumes NTFS et par l'administrateur local seulement.

Pour mettre en place les quotas, faire un clic avec le bouton droit de la souris sur le volume puis choisir la commande *Propriétés* et activer l'onglet *Quotas*.

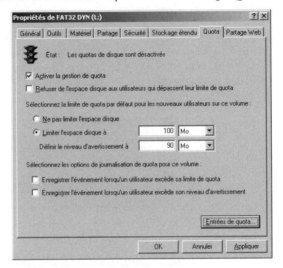

Cliquer ensuite sur le bouton « Entrées de quota ».

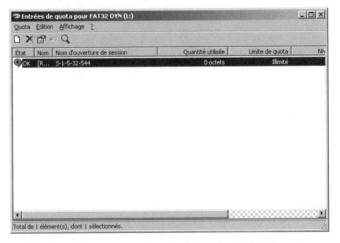

Un message d'information concernant la mise à jour des statistiques, cliquer sur « OK ».

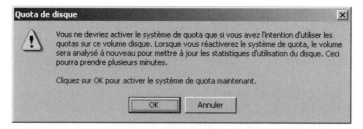

Le cryptage des fichiers et des dossiers

Tout comme la compression, le cryptage n'est réalisable que sur les volumes NTFS. Il se réalise par un processus complètement transparent à l'utilisateur, les clés de cryptage ainsi qu'une clé de récupération sont écrits en en-tête de fichier. Lorsque le fichier est ouvert, le système utilise la clé privée pour le décrypter avec peu d'intervention du processeur.

En cas de copie ou de déplacement, les fichiers cryptés conservent leurs attributs. Si un autre utilisateur tente de l'ouvrir, de le copier ou de le déplacer, le cryptage fera échouer la commande.

On accède à la boîte de dialogue de cryptage exactement comme pour la compression.

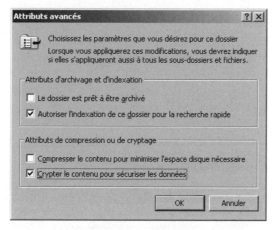

Note : Le cryptage et la compression sont incompatibles entre eux, c'est-à-dire que l'on ne peut pas crypter un fichier compressé et que l'on ne peut pas compresser un fichier crypté. De plus, le dossier contenant les fichiers systèmes et le répertoire WINNT ne doivent être cryptés sinon le système deviendrait inaccessible.

Gestion des utilisateurs et groupes

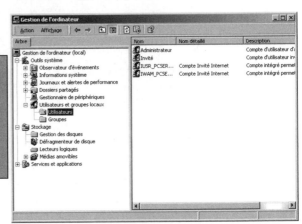

- *Gestion des comptes utilisateur*
- *La gestion des groupes*

La notion de compte utilisateur repose sur les mêmes principes que sous Windows NT4. Lorsque Windows 2000 Pro est installé comme client d'un domaine, la base de compte est stockée sur le contrôleur de domaine. Si son installation est organisée sur un poste seul ou autour d'un Groupe de travail, la base de compte est stockée localement sur chaque ordinateur dans le répertoire contenant le système (la base SAM).

En d'autres termes, un compte en Groupe de travail ne peut être utilisé que sur une machine en local. Si un utilisateur est appelé à se connecter sur plusieurs ordinateurs, son compte devra être créé sur chaque machine.

Par défaut, Windows 2000 Pro crée deux comptes utilisateurs à l'installation.

Compte administrateur

Ce compte donne tous les droits sur la machine, comme l'installation de périphériques, la création d'autres comptes ou la modification des stratégies de sécurité. Les droits sur les objets, les répertoires et les fichiers sont illimités. Lors de l'installation de Windows 2000 Pro, il est demandé un mot de passe pour ce compte.

Compte invité

En principe, ce compte est désactivé par défaut et n'offre pratiquement aucun droit à l'utilisateur qui se connecte avec. Il est quelquefois utilisé lorsque l'on souhaite qu'une personne se connecte une fois de temps en temps sur une machine qui n'est pas son poste de travail habituel.

Création des comptes utilisateurs

La gestion des comptes utilisateurs se fait par l'intermédiaire du composant enfichable *Utilisateurs et groupes locaux* dans la console *Gestion de l'ordinateur*.

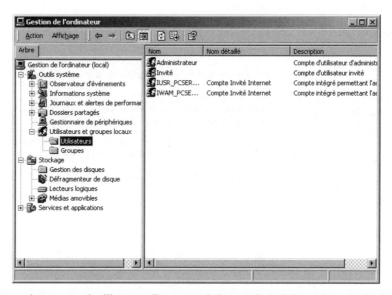

Pour créer un nouvel utilisateur, cliquer avec le bouton droit de la souris sur le dossier utilisateurs et choisir la commande *Nouvel utilisateur*.

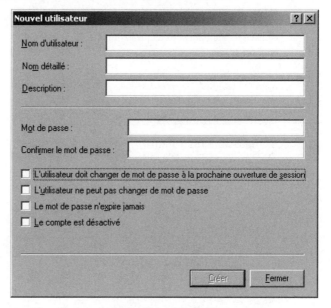

Dans cette interface, il vous est demandé les informations suivantes :

- *Nom d'utilisateur* : représentant l'identification du compte. Peut contenir jusqu'à 20 caractères hormis les caractères spéciaux comme ? / \ [ ] « : + - * < >. Cette *information n'est pas sensible à la casse (majuscule/minuscule).*

- *Nom complet* : pouvant contenir des informations plus précises, comme le nom et le prénom de l'utilisateur.

- *Description* : permet de donner d'autres informations comme le service, le poste ou autre.

- *Mot de passe* : dont la taille maximale est de 128 caractères, cette information est sensible à la casse qu'il faudra respecter lors de l'ouverture de session.

- Les cases à cocher permettent de paramétrer la durée de vie des mots de passe ainsi que la possibilité de le changer. Par ces options, un compte peut également être désactivé.

Visualiser ou modifier les propriétés d'un compte

Pour visualiser ou modifier les propriétés d'un compte utilisateur, cliquer avec le bouton droit de la souris sur le compte et choisir la commande *Propriétés*. L'onglet *Général* reprend les informations entrées lors de la création du compte.

L'onglet *Membre de* offre la possibilité de gérer l'appartenance aux groupes du compte utilisateur. Ce principe là encore est le même que pour Windows NT4.

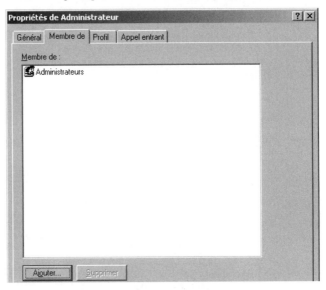

L'onglet *Profil* sera utilisé pour stocker le profil de l'utilisateur dans un répertoire, déclarer un script d'ouverture de session qui sera lu et exécuté automatiquement à la connexion et créer un répertoire de base pour l'utilisateur.

Gestion des groupes

Un groupe est un objet contenant des comptes utilisateurs. Le principe est qu'un utilisateur peut être membre d'un ou plusieurs groupes. Les groupes sont créés pour gérer de manière plus efficace les droits d'accès et la sécurité de Windows 2000 Pro. Toutes les permissions affectées à un groupe sont automatiquement propagées aux utilisateurs faisant partie du groupe.

Lorsqu'un nouvel utilisateur est déclaré, il suffit de le faire appartenir à différents groupes sans avoir à revoir les permissions.

Les groupes locaux

Suivant la même logique que les comptes utilisateurs, si Windows 2000 Pro est installé autour d'un Groupe de travail, seuls des groupes locaux pourront être créés. A ce moment là, ils devront être paramétrés sur chaque machine. Si le réseau est organisé autour d'un domaine, des groupes globaux seront utilisés pour rassembler des utilisateurs d'un domaine.

Seuls des comptes locaux pourront être intégrés à des groupes locaux et les permissions ne pourront être assignées qu'au niveau des ressources locales de la machine.

Le composant enfichable utilisé est le même que pour les comptes. Un compte de groupe peut comporter jusqu'à 256 caractères, et seul le signe « \ » est interdit.

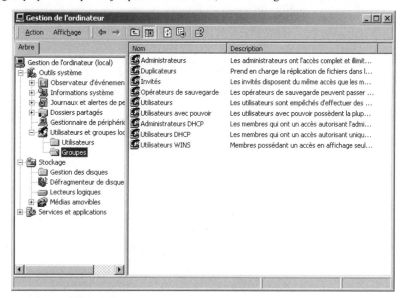

Les groupes prédéfinis

Un certain nombre de groupes prédéfinis sont présents sous Windows 2000 Pro, ils possèdent des droits standard permettant de réaliser l'ensemble des tâches de gestion du système. D'autres groupes non visibles et non modifiables sont intégrés au système. Nous vous présentons ci-après la liste de ces groupes

Nom du groupe	Visible	Propriétés
Administrateurs	Oui	Les membres effectuent l'ensemble des tâches de gestion du système
Invités	Oui	Les membres de ce groupe ont des droits restreints

Utilisateurs	Oui	Groupe par défaut de tous les utilisateurs créés. Les membres ont des droits d'utilisation de la machine mais pas de gestion
Utilisateurs avec pouvoir	Oui	Identique au groupe des utilisateurs avec des privilèges supplémentaires comme la gestion des utilisateurs et le partage des ressources
Opérateurs de sauvegarde	Oui	Permet la restauration et la sauvegarde des répertoires sans permissions supplémentaires
Réplicateurs	Oui	Visible et utilisé si la réplication est configurée
Tout le monde	Non	Groupe générique auquel appartiennent tous les utilisateurs
Utilisateurs authentifiés	Non	Tout utilisateur détenant un compte sur l'ordinateur actif
Créateurs propriétaires	Non	Inclut les comptes de propriétaire des ressources
Interactif	Non	Inclut l'utilisateur connecté
Réseau	Non	Contient les comptes des utilisateurs connectés via le réseau

Création de groupes locaux

La création d'un groupe se réalise par un clic avec le bouton droit de la souris sur le dossier groupe puis par la commande *Nouveau groupe*.

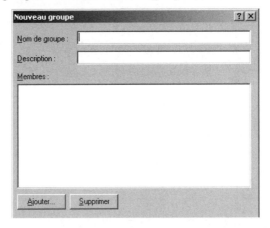

Les boutons « Ajouter » et « Supprimer » permettent de gérer les membres du groupe. Vous noterez que l'on peut insérer des groupes et des utilisateurs dans un groupe.

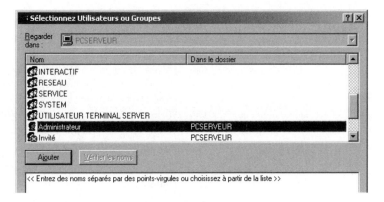

Sécurité de Windows 2000 Pro

> - *Les droits NTFS*
> - *L'audit*
> - *Les stratégies de sécurité*

Les outils de sécurité

Un ensemble d'outils est aujourd'hui proposé afin de répondre aux besoins de plus en plus croissants en matière de sécurité. Windows 2000 Pro a été conçu sur la base de Windows NT4 avec des améliorations sensibles. Voici une liste des outils disponibles :

- *Connexion obligatoire* : un nom d'utilisateur et un mot de passe sont nécessaires pour accéder au système.

- *Contrôle d'accès discrétionnaire* : chaque fichier sur un volume NTFS peut se voir assigner des droits spécifiques par l'utilisateur qui en est le créateur, le propriétaire ou encore par l'administrateur.

- *Audit des événements de sécurité* : l'audit inclut les tentatives de connexion, les accès aux fichiers, aux dossiers et aux objets. L'accès au résultat de l'audit est également sous contrôle.

- *Chiffre*ment du système de fichiers : possibilité de chiffrer les fichiers NTFS. Seul l'utilisateur qui a chiffré le fichier peut y accéder. Une seule exception est à noter, l'administrateur peut toujours accéder à ce type de fichiers afin d'assurer la récupération en cas de problème.

- *Outils d'analyse de sécurité* : l'administrateur peut analyser la sécurité par rapport à un modèle et déterminer les actions à entreprendre pour améliorer la sécurité du système, en local ou en domaine.

- *IPSec* : permet d'utiliser le chiffrement des données entre les ordinateurs hôtes et locaux et un réseau à distance. Ceci permet de créer une connexion sécurisée contre tout intrus ou tout service refusé.

- *GPO* : l'administrateur contrôle et gère la sécurité au moyen d'objet de stratégie de groupe (GPO). Cela permet la gestion centralisée de la sécurité dans un environnement de domaine.

Certains de ces outils étaient déjà disponibles sous Windows NT4 alors que d'autres ont été mis au point sous Windows 2000 Pro. Suivant les versions installées et le système de fichiers choisis, certains pourront ne pas être disponibles.

Droits NTFS

Le principe est le même que pour Windows NT4. A savoir, seuls les volumes NTFS peuvent être sécurisés localement. Attention, par défaut, il n'existe aucune sécurité mise en place sur un dossier. Autrement dit, le droit *Contrôle total* est affecté au groupe *Tout le monde* par défaut.

Ces droits devront être changés en cas de besoin par le propriétaire du dossier ou du fichier, le créateur ou encore l'administrateur de la machine.

Si l'on sécurise un dossier, les fichiers contenus sont automatiquement inclus dans le paramètre. Nous verrons plus loin qu'il existe une notion d'héritage des droits au niveau des sous dossiers contenus dans le dossier actif.

Visualisation des droits NTFS

Il est plus courant de paramétrer les droits sur un dossier que sur les fichiers eux-mêmes. Pour visualiser ou modifier les droits, faire un clic avec le bouton droit de la souris sur le dossier et choisir la commande *Propriétés*. Sélectionner ensuite l'onglet *Sécurité*.

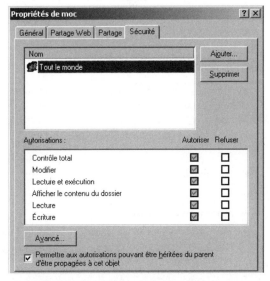

Ou encore pour un fichier, réaliser la même manipulation au niveau du fichier. Les droits diffèrent mais le principe est identique. Par défaut, tout objet (fichier ou répertoire) hérite des autorisations du parent.

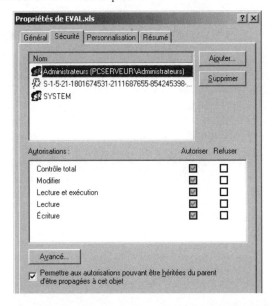

Droits sur les fichiers et les répertoires

Voici la différence entre les droits paramétrables sur les fichiers et sur les répertoires. La liste contenue dans ce tableau correspond à une combinaison de plusieurs droits individuels pouvant être paramétrés dans les droits avancés. Logiquement, ces ensembles de paramètres sont suffisants et constituent une base de travail standard. Pour appliquer des droits plus précis, utiliser le bouton « Avancées » dans la boîte de dialogue de sécurité.

Doit sur les fichiers	Droits sur les répertoires
Lecture : visualisation du contenu, des attributs et propriétés	Lecture : voir le contenu, les propriétés et les attributs du répertoire
Ecriture : permet de modifier le fichier	Ecriture : créer de nouveaux fichiers et répertoires dans le répertoire actif, changer les attributs
Lecture/Exécution : lire et exécuter des applications	Lister : visualiser l'arborescence du répertoire
Modification : rassemble les droits de lecture, exécution et écriture	Lecture/Exécution : inclut les droits de lecture et de lister
Contrôle total : inclut tous les droits	Modification : inclut les droits de lecture/exécution et écriture
Refus : remplace tous les autres droits	Contrôle total : inclut tous les droits
	Refus : remplace tous les autres droits

Assignation des droits

Au niveau de l'onglet *Sécurité*, cliquer sur le bouton « Ajouter ».

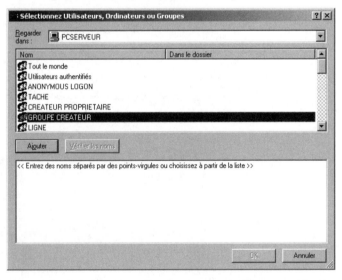

Sélectionner ensuite des utilisateurs et/ou des groupes et cliquer sur « Ajouter », puis sur « OK ».

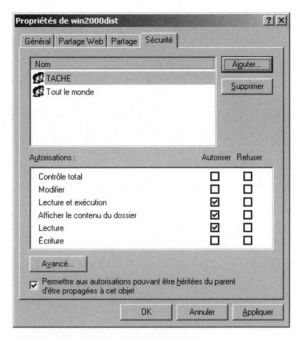

Enfin, cocher les case suivant les droits à assigner. Le bouton « Avancé » est utilisé pour choisir des droits spéciaux. Deux options sont disponibles pour gérer la propagation des droits.

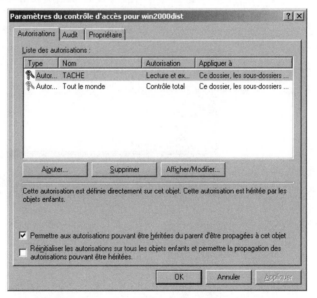

Par défaut, si un utilisateur est concerné par plusieurs options de droits (par exemple par l'intermédiaire de deux groupes dont il fait partie), les droits sont cumulés. Pour modifier ces options, cliquer sur le bouton « Modifier » puis dérouler la liste *S'applique à* et choisir l'option voulue.

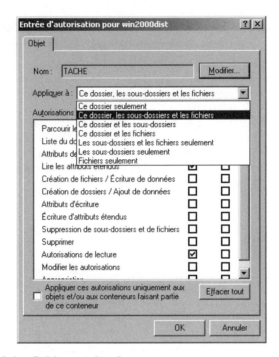

La propriété des fichiers et dossiers

Cette notion est importante dans le concept de la sécurité de Windows 2000 Pro. Par défaut, le créateur d'un fichier en est le propriétaire. Seuls lui et l'administrateur de la machine peuvent changer les droits d'un fichier ou d'un dossier NTFS, sauf si un autre utilisateur en a reçu le droit.

Si l'administrateur possède ce droit, c'est parce qu'il peut être amené à changer ce paramètre, par exemple si le compte du créateur du fichier a été supprimé il sera nécessaire de changer les droits.

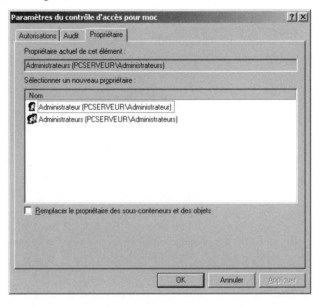

Copie et déplacement de fichiers et de répertoires

Lorsque les données sont déplacées ou copiées, les autorisations peuvent suivre ou dépendre du dossier cible :

- Déplacement de fichiers et dossiers sur le même volume : le droit d'écriture est requis pour le dossier cible et modifié pour le dossier source. Les autorisations sont conservées.

- Déplacement de fichiers et dossiers vers un autre volume : le droit d'écriture est requis pour le dossier cible et modifié pour le dossier source. Les autorisations sont héritées pour le dossier cible et l'utilisateur devient *créateur/propriétaire*.

- Copie de fichiers et dossiers sur un même volume ou sur un volume différent : le droit d'écriture est requis pour le dossier cible et le droit de lecture est requis pour le dossier source. Les autorisations sont héritées du répertoire cible et l'utilisateur devient *créateur/propriétaire*.

L'audit

L'audit est un outil de sécurité hérité de Windows NT4. L'administrateur peut suivre les comptes utilisateurs et les événements système. Le résultat de l'audit s'écrit dans le journal sécurité de l'observateur d'événement. L'audit ne peut être effectué et lu que par l'administrateur sauf si un utilisateur a reçu le droit de gérer l'audit et le journal de sécurité.

La mise en place de l'audit s'effectue par la console *Stratégie de sécurité locale* se trouvant dans les *Outils d'administration communs*. Ou encore s'il s'agit de ressources comme des dossiers ou des fichiers, activer la fenêtre de propriétés, puis l'onglet *Sécurité* et cliquer sur le bouton « Avancées ». Choisir ensuite l'onglet *Audit*.

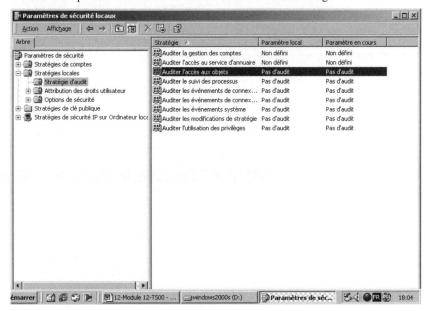

Cliquer ensuite sur le bouton « Ajouter » et choisir les utilisateurs ou les groupes concernés par l'audit.

Le résultat de l'audit s'affiche au niveau de l'observateur d'événement dans les *Outils d'administration communs*. Choisir ensuite le dossier *Sécurité*.

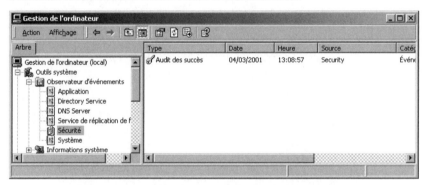

Un double-clic sur une entrée d'audit permet d'obtenir des informations détaillées.

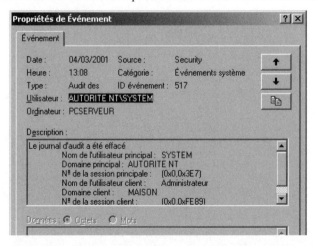

Stratégie de compte et mot de passe

Les stratégies de comptes et de mot de passe servent à sécuriser le système en matière d'ouverture de session, de compte utilisateur et de mot de passe. Les stratégies définies ici seront affectées à tous les comptes utilisateurs de la machine en Groupe de travail.

Ces options de stratégie sont regroupées dans la console *Stratégie de sécurité locale* dans les *Outils d'administration communs*.

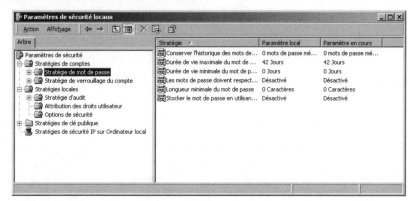

Mot de passe

Plusieurs paramètres sont disponibles comme la longueur du mot de passe, son niveau de complexité, sa durée de vie et le stockage d'un historique.

Compte utilisateur

Ces options agissent sur le compte utilisateur, qui pourra être bloqué un certain temps au bout d'un nombre variable de tentatives d'ouverture de session.

Ouverture de session

Ces paramètres affectent la connexion et propose des options à utiliser avec beaucoup de prudence, comme la nécessité de se connecter en utilisant la combinaison de touches <Crtl>+<Alt>+<Suppr>, l'affichage du dernier utilisateur connecté ou encore permettre au système de s'éteindre sans avoir à se connecter. On peut visualiser ces paramètres dans l'arborescence *Options de sécurité* de la console.

Dépannage de Windows 2000 Pro

> - *Catégorie d'erreur*
> - *L'observateur d'événement*
> - *Le processus de réparation d'urgence*
> - *La console de récupération*

Les catégories d'erreur

Windows 2000 Pro est un système d'exploitation stable et possède des outils permettant d'identifier d'éventuels problèmes très proche de ceux de Windows NT4. Il existe une notion de catégorie d'erreur, et quel que soit le problème rencontré, il fait partie de l'une d'entre elles.

Amorçage

Certaines erreurs sont liées aux fichiers d'amorçage. Le principe consiste à déterminer le point d'échec et de remplacer les fichiers manquants ou endommagés soit depuis les sources d'installation soit depuis une disquette de réparation d'urgence.

Périphériques

Les erreurs de périphériques proviennent en général des pilotes qui ne se chargent pas ou n'initialisent pas les périphériques correctement. *L'observateur d'événement* peut aider à identifier le problème. On peut également utiliser la *Console de récupération d'urgence* pour vérifier l'initialisation de pilotes. Si le problème provient d'un conflit de ressource, le *Gestionnaire de périphériques* vous aidera à résoudre le problème.

Connexion et accès utilisateur

Indique souvent un problème de compte utilisateur ou encore un problème de droit d'accès ou même de permissions sur des ressources. Vérifier les comptes utilisateurs, des droits sur la machine ou les options de partage des dossiers.

Réseau

Il s'agit la plupart du temps de problèmes liés à la configuration des paramètres réseau tels que les protocoles, les clients réseau... Ces paramètres sont vérifiables via l'icône *Réseau* du *Panneau de configuration*.

Services

Très souvent, le système affiche un message d'erreur concernant l'exécution d'un service. Des informations sont écrites dans *L'observateur d'événement* au niveau du *journal système*. Le paramétrage et le démarrage des services peuvent être contrôlés dans la console *Gestion de l'ordinateur*.

L'observateur d'événements

Conçu sur le même principe que pour Windows NT4, *L'observateur d'événement*s permet l'affichage de trois journaux :

- *Journal système* : qui contient des informations concernant les échecs de chargement de services, de pilotes, les conflits de ressources…

- *Journal sécurité* : celui-ci stocke les informations sur les audits.

- *Journal applications* : contenant des informations se rapportant aux erreurs liées aux applications.

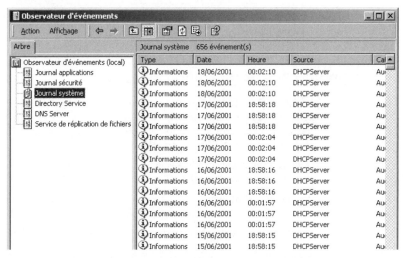

La console *Observateur d'événements* se trouve dans les Outils d'administrations communs et la taille de chaque journal est fixée par défaut à 512 Ko. Il est possible de modifier les paramètres de chacun d'entre eux au moyen d'un clic avec le bouton droit de la souris et la commande *Propriétés*.

L'onglet *Filtre* permet de choisir les événements à afficher ainsi que la période pour laquelle on souhaite garder un affichage. Ce paramètre est différent de celui qui détermine la périodicité de remplacement déterminée dans l'onglet *Général*.

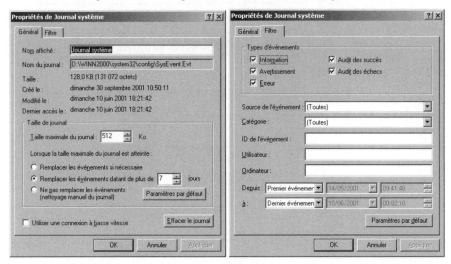

Les événements sont de différents types et des informations complémentaires sont affichées en double cliquant sur l'un d'entre eux.

Type	Description
Information	Affiche des événements dont les opérations sont réussies.
Alerte	Événement pouvant annoncer des problèmes futurs comme par exemple un manque d'espace disque.
Erreur	Problème réel tel que l'échec du démarrage d'un service ou le chargement d'un pilote.
Audit réussi	Tentatives d'accès sécurisé réussies
Échec de l'audit	Échec des tentatives d'accès sécurisé.

Le processus de réparation d'urgence

Windows NT4 utilise un processus de réparation d'urgence à l'aide d'une disquette permettant de rétablir l'amorçage du système. Il faut noter que ce processus nécessite souvent les sources d'installation pour réparer certaines erreurs. Cet outil, proche de celui de Windows NT4 ne s'utilise plus en ligne de commande.

Nous vous rappelons que la disquette de réparation d'urgence est spécifique à un ordinateur et doit être remise à jour après chaque modification du système.

Pour créer une disquette de réparation d'urgence, utiliser l'utilitaire de sauvegarde qui se trouve dans le menu *Démarrer – Programme – Accessoires – Outils système*

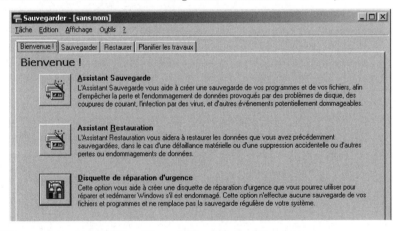

Cliquer ensuite sur le bouton « Disquette de réparation d'urgence ».

Une option vous permet de sauvegarder le registre sur la disquette vers le répertoire de réparation.

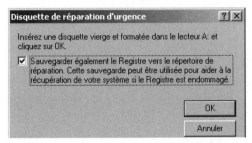

Utilisation de la disquette de réparation d'urgence

Lorsque le système ne démarre plus et qu'une tentative de démarrage avec la dernière bonne configuration connue a échoué, il est nécessaire d'utiliser la disquette de réparation d'urgence.

- Lancement du programme d'installation de Windows 2000 Pro.

- Choisir ensuite l'option *Réparer*.

- Sélectionner ensuite soit la *Réparation d'urgence* soit l'utilisation de la *Console de récupération*. Opter pour la première option.

- Il est possible de procéder à une réparation manuelle ou automatique. L'option *Manuelle* permet de choisir parmi une liste des éléments à réparer.

Atelier

Exercice n° 1

- Installer Windows 2000 pro en remplacement de Windows 98 ou en dual boot.
- Créer deux ou trois comptes utilisateurs.
- Visualiser l'arborescence des répertoires de Windows 2000 Pro.

Exercice 2

- Si vous disposez d'un périphérique USB, le connecter et tester les possibilités Plug and Play de Windows 2000 pro.
- Faire un tour d'horizon des icônes du *Panneau de configuration*.

Exercice 3

Lancer l'exécutable MMC.EXE et créer une console personnalisée pour la gestion de différents éléments :

- Défragmenteur de disques.
- Gestion de la stratégie de sécurité.
- Gestion des disques.
- Utilisateurs et groupes locaux.

Testez la mise à disposition de la console en mode utilisateur pour les autres utilisateurs.

Quiz

- *Série de questions/réponses*

Question n° 1

Pour quel type d'utilisation Windows 2000 Pro est le mieux adapté ?

❑ A la maison en mono poste

❑ En entreprise dans un environnement réseau

❑ Les deux environnements sont identiques

Question n° 2

Quels systèmes de fichiers sont supportés par Windows 2000 Pro ?

❑ FAT 16

❑ FAT 32

❑ NTFS

❑ Toutes ces réponses

Question n° 3

Quel est l'utilitaire permettant d'utiliser la console de récupération d'urgence dans le menu de démarrage de Windows 2000 Pro ?

❑ Aucun, cette option est installée par défaut

❑ Recupcons.exe

❑ Winnt32.exe /cmdcons

❑ Winnt32.exe

Question n° 4

Windows Média Player est un utilitaire permettant de visualiser des documents multimédia.

❑   Vrai

❑   Faux

Question n° 5

Où est stockée la base de données de sécurité dans un environnement de domaine ?

❑   Sur un contrôleur de domaine

❑   Sur chaque poste de travail

❑   Dans un répertoire partagé

Question n° 6

Qu'arrive t-il si le fichier BOOT.INI est manquant ou endommagé ?

❑   Rien, Windows 2000 Pro démarre normalement

❑   Le système démarre en mode sans échec

❑   Le système ne démarre pas

Question n° 7

Quel utilitaire doit-on exécuter pour créer une console personnalisée ?

❑   CONS.EXE

❑   MMC.EXE

❑   EDIT.COM

❑   MMC.COM

Question n° 8

Un périphérique peut-être désactivé s'il ne fonctionne pas correctement.

❑   Vrai

❑   Faux

Question n° 9

Sur un système utilisant un type de stockage classique, combien de partitions principales peuvent être gérées par le système au maximum ?

❑   Dix

❑   Six

❑   Quatre

Question n° 10

Sur un système utilisant un type de stockage dynamique, combien de volumes peuvent être gérés par le système ?

❑ Dix

❑ Vingt

❑ Illimité

Question n° 11

Quel type de volume Windows 2000 Serveur offre une tolérance aux pannes ?

❑ Volume simple

❑ Volume réparti

❑ Volume RAID5

Question n° 12

Lorsque l'on chiffre des dossiers ou des fichiers, un mot de passe doit être fourni par l'utilisateur pour accéder aux données.

❑ Vrai

❑ Faux

Question n° 13

Quels comptes sont créés par défaut lors de l'installation de Windows 2000 Pro ?

❑ Administrateur et invité

❑ Administrateur et utilisateur1

❑ Administrateur, invité et default user

Question n° 14

Quelle console permet de gérer les utilisateurs et groupes sous Windows 2000 Pro ?

❑ Sécurité

❑ Gestion de l'ordinateur

❑ Gestion des utilisateurs

Question n° 15

Quel système de fichiers permet de gérer la sécurité des fichiers et des dossiers en local ?

❑ FAT 16

❏   FAT 32

❏   NTFS

❏   Tous

Question n° 16

Qui peut changer les droits sur les fichiers et les dossiers mis en place par un utilisateur ?

❏   Tout le monde

❏   Personne

❏   Administrateur

Question n° 17

Où peut-on visualiser les journaux d'audit ?

❏   L'observateur d'événement

❏   La gestion des comptes utilisateur

❏   Les propriétés du fichier

Question n° 18

Quel outil permet de créer une disquette de réparation d'urgence ?

❏   Le programme d'installation

❏   Un clic droit sur le poste de travail

❏   L'utilitaire de sauvegarde

Question n° 19

Il est impossible de créer une disquette de démarrage sous Windows 2000 Pro.

❏   Vrai

❏   Faux

- *Présentation*
- *Installation et activation*
- *Environnement*
- *Le multimédia*

Windows XP Professionnel et Edition Familiale

Objectifs

Dernier né de la gamme des systèmes d'exploitation Microsoft, Windows XP prend dorénavant une place importante chez les utilisateurs grand public. Windows XP est orienté vers le multimédia et l'Internet tout en fournissant une interface conviviale et simple à utiliser. Nous verrons qu'il existe différentes versions de Windows XP.

Sa structure est très proche de Windows 2000, par conséquent, si ce chapitre ne traite pas certains aspects, vous pouvez les retrouver facilement dans le chapitre précédent.

Contenu

Présentation.

Installation, activation et mise à jour.

Environnement de travail.

Les outils de Windows XP.

Le multimédia sous Windows XP.

Présentation

- *Windows XP Edition Familiale*
- *Windows XP Professionnel*
- *Windows XP 64 bits*

Les versions de Windows XP

Sortie en 2001, ce nouveau système d'exploitation équipe maintenant tous les PC vendus dans le commerce qui intègrent une licence Microsoft. Plus on avance dans le temps et plus on crée des systèmes d'exploitation différents en fonction de l'utilisation du PC pour les particuliers ou pour des professionnels. Windows XP n'échappe pas à cette règle. Nous vous présentons ci-après les différentes versions. Notons au passage que « XP » signifie « Expérience ».

Windows XP est une évolution de Windows 2000 et s'articule autour de la même architecture du système.

En fonction de la machine et surtout de l'utilisation, le choix de la version de Windows XP se fera dans une démarche logique. Trois versions de ce nouveau système d'exploitation vous sont proposées.

Windows XP Edition Familiale

Cette version est destinée aux utilisateurs particuliers et est particulièrement adaptée au grand public. Son développement, basé sur le même code que celui de Windows 2000, a surtout été pensé pour faciliter l'utilisation des périphériques multimédias, pour optimiser l'utilisation du haut débit sur l'Internet et pour personnaliser l'interface utilisateur dans le cadre familial. Elle présente les avantages suivants :

- Un système d'exploitation stable, fiable et sûr.
- Une présentation visuelle et un bureau entièrement remaniés pour faciliter l'utilisation.
- Une prise en charge des périphériques numériques comme les appareils photo, webcams ou caméras numériques. Windows XP permet d'acquérir, de partager et d'organiser les photos et images.
- Un lecteur audio permettant la lecture, le téléchargement et le stockage de musiques en format numérique de grande qualité.
- Un outil permettant le traitement et la mise au point de vidéos.
- Un assistant simple et pratique pour mettre en œuvre simplement un réseau domestique et partager une connexion Internet entre plusieurs PC.
- Les jeux en réseau sont facilités et optimisés.
- Des outils de communication plus puissants pour la visioconférence, la conversation audio et la messagerie instantanée.
- Une mise à jour du système encore plus efficace avec Windows Update.

Windows XP Professionnel

Avant tout destiné à remplacer Windows 2000 Professionnel dans l'entreprise, cette version est basée sur le même code que son prédécesseur. Des améliorations sensibles ont été apportées, comme le renforcement de la confidentialité et la protection des données.

Cette version est adaptée aux entreprises de toute taille et possède une interface simplifiée permettant un accès rapide à l'Internet et à la messagerie. La gestion des documents (grouper, afficher, expédier vers le Web ou un Email) a été améliorée et l'accès aux commandes générales des dossiers est plus simple.

On notera également la présence d'un plug-in intégré pour la gravure de CD-Rom très pratique.

En plus de toutes les fonctionnalités de la version XP Edition Familiale, Windows XP Professionnel présente les avantages suivants :

- Une plus grande sécurité avec la possibilité de crypter les fichiers et les dossiers.
- Les outils pour le travail hors connexion sont intégrés.
- La prise en charge des systèmes multiprocesseurs.
- Une compatibilité avec les systèmes d'exploitation pour les serveurs. Windows XP Professionnel s'intègre parfaitement à un domaine d'entreprise.

Windows XP 64 bits

Cette version un peu particulière est destinée aux spécialistes techniques travaillant en réseau. Premier système d'exploitation client 64 bits, il permet d'augmenter considérablement les performances en calcul à virgule flottante (en particulier pour les effets spéciaux de films, les animations 3D et les applications scientifiques).

Cette puissance est particulièrement adaptée pour des logiciels de simulation dans le domaine de l'aéronautique ou de l'automobile. Les créateurs de contenus numériques verront les délais d'attente de rendus numériques considérablement diminués.

Utilisé avec un processeur 64 bits, Windows XP 64 bits prend en charge jusqu'à 16 Go de RAM physique et jusqu'à 8 To de mémoire virtuelle, ce qui fournit un accès aux données en mémoire très rapide.

Ce système présente l'avantage de rester compatible avec les applications 32 bits qui s'exécuteront dans un sous-système séparé. Nous considérons que si les données pour les applications 32 bits ne dépassent pas la taille de 2 Go, Windows XP Professionnel suffira largement pour un traitement efficace. Au delà, l'utilisation de Windows XP 64 bits et des applications spécifiques sera préférable.

Installation

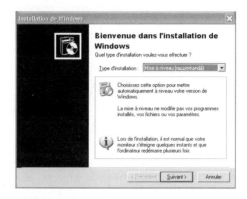

- *Étapes d'installation*
- *Premier démarrage de Windows XP*
- *Activation de la licence*
- *Les services pack*

Maintenant que les présentations sont faites, nous abordons ici l'installation de Windows XP. Dans la plupart des cas, lorsque l'on achète un ordinateur chez un constructeur, l'installation du système d'exploitation est déjà réalisée (on parle alors de pré-installation). Par contre, si l'ordinateur que l'on possède doit être mis à niveau vers Windows XP, vous devrez réaliser l'installation.

Vous devez réunir un certain nombre d'informations avant de vous procurer et d'installer Windows XP. Il existe, comme pour les autres versions de Windows plusieurs CD-Rom d'installation :

- Version mise à jour vers Windows XP Professionnel ou Edition Familiale : à utiliser seulement si vous possédez déjà un système d'exploitation à mettre à jour (Windows 98, Me ou 2000).

- Version complète de Windows XP Professionnel ou Edition Familiale : pour procéder à une installation complète. Notez cependant que celle-ci vous permet également d'effectuer une mise à niveau de votre ancien système d'exploitation.

- Version OEM constructeur : il s'agit du CD-Rom de Windows XP Professionnel ou Edition Familiale que vous avez acquis lors de l'achat de votre ordinateur.

Vous devez également fournir le n° de licence pour exécuter l'installation.

Note : les images des écrans et des boîtes de dialogue qui figurent dans ce livre sont celles de la version familiale de Windows XP, les écrans d'installation de Windows XP Professionnel sont sensiblement les mêmes.

Le matériel requis

Pour installer et utiliser Windows XP vous devez disposer d'un ordinateur répondant à un minimum de matériel requis :

- Un processeur PII 233 MHz minimum, il est recommandé d'utiliser au moins un PII 300 MHz ou équivalent.

- Une mémoire vive de 64 Mo minimum, mais 128 Mo sont conseillés.

- Un disque dur de 2 Go de taille minimum, un espace supplémentaire doit être disponible pour les données.

- Un lecteur CD-Rom ou DVD.

- Un clavier et une souris.

- Une carte vidéo et un écran capables d'afficher une résolution graphique de 800 x 600.

De plus, il doit être compatible avec Windows XP. Suivant le même principe que Windows 2000, la HCL (Hardware Compatibility List) est disponible sur le site Web de Microsoft ou sur le CD-Rom d'installation.. Si votre matériel ne fait pas partie de cette liste, vous ne pourrez pas installer Windows XP.

Vous devez également disposer des drivers (pilotes) de périphériques des constructeurs. Les capacités Plug and Play de ce système d'exploitation sont grandes, mais il est possible que vous ayez à fournir certains pilotes. Nous traitons plus loin dans ce chapitre l'ajout de périphériques.

Enfin, si vous possédez une connexion Internet, et désirez la paramétrer manuellement, vous pouvez vous reporter directement à la fin de ce module dans la section consacrée à la mise en réseau.

Les étapes d'installation

L'exécution du programme d'installation peut être réalisée de deux façons :

- En démarrant le PC à partir du CD-Rom dans le cadre d'une installation complète à partir d'un disque dur vide. Si votre carte mère ne prend pas en charge le démarrage à partir du lecteur de CD-Rom, vous pouvez utiliser une disquette de boot Windows 98 et lancer le programme `setup.exe`.

- A partir de votre système d'exploitation, le programme d'installation s'exécute automatiquement. Si l'Autorun a été désactivé dans votre environnement, vous pouvez lancer le programme `setup.exe` situé à la racine du CD-Rom.

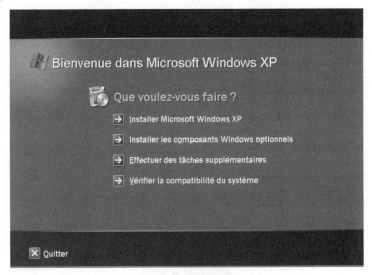

A partir de cette interface, vous avez le choix entre plusieurs options :

Avant d'installer Windows XP, cliquez sur le lien *Vérifier la compatibilité du système*. Cliquez ensuite sur le lien *Vérifier mon système automatiquement*.

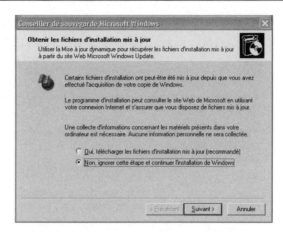

Vous pouvez soit télécharger directement les mises à jour nécessaires pour votre système, soit ignorer et continuer l'installation. Un rapport vous est alors affiché.

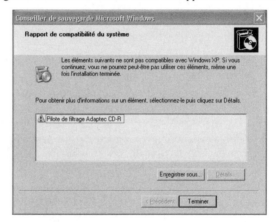

Cliquez ensuite sur le bouton « Terminer ». Pour revenir au programme d'installation, cliquez encore deux fois sur « Terminer ».
Pour démarrer l'installation, cliquez sur le lien *Installer Microsoft Windows XP*.

Collecte d'informations

Si vous possédez une version complète, vous avez le choix entre une mise à niveau ou une nouvelle installation. Il est préférable de faire une mise à niveau de votre ancien système d'exploitation si vous souhaitez conserver vos applications et paramètres. Vous avez également la possibilité de faire une nouvelle installation et conserver ainsi un dual boot avec votre ancien système. Pour cet exemple, nous choisirons une nouvelle installation.

En suivant le programme avec le bouton « Suivant », vous acceptez le contrat de licence et devez saisir le numéro de la licence.

Dans l'étape suivante, vous pouvez choisir les options proposées par défaut ou personnaliser votre installation. Pour installer Windows XP dans une autre partition, cliquez sur le bouton « Options Avancées ».

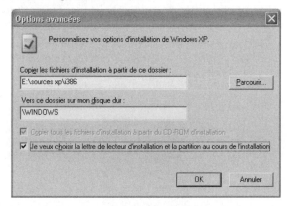

Cochez l'option *Je veux choisir la lettre lecteur d'installation et la partition au cours de l'installation*. Vous pouvez également choisir le répertoire d'installation.

Ensuite, le programme d'installation vous propose de mettre à niveau le disque vers un système de fichier NTFS. Si vous souhaitez conserver un dual boot avec un ancien système d'exploitation MS-DOS, Windows 95, 98 ou Me, ne le faites pas.

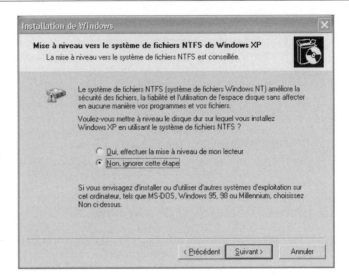

Mise à jour dynamique

Dans l'étape suivante, vous avez la possibilité de vérifier et de mettre à jour automatiquement la compatibilité du système. Il s'agit du même processus que celui décrit plus haut à propos de la vérification du système.

Préparation de l'installation

Ensuite, le programme procède à la copie des fichiers d'installation sur le disque dur dans le répertoire temporaire d'installation exactement comme pour l'installation de Windows 2000. Après cette étape, l'ordinateur redémarre et exécute la suite du programme d'installation.

A ce moment là, une interface bleue vous propose de choisir la partition d'installation ou encore de créer une nouvelle partition sur un espace libre d'un disque dur.

Si une partition est déjà présente (par exemple celle de votre ancien système d'exploitation) vous devrez appuyer sur la touche <Entrée> pour choisir une nouvelle installation.

- Appuyez ensuite sur la touche Echap pour obtenir l'écran vous permettant de créer une partition.
- Déplacez la surbrillance sur *Espace non partitionné* et appuyez sur la touche <C> pour créer une partition puis Entrée. Choisissez ensuite sa taille exprimée en Mo.
- Après avoir appuyé sur la touche <Entrée>, déplacez la surbrillance sur la partition créée qui est affichée comme <nouvelle (vierge)>.
- Le système vous demandera ensuite s'il doit la formater en FAT, ou NTFS. Cette notion sera revue plus tard dans ce chapitre. Choisissez pour l'instant FAT, vous pourrez toujours la convertir plus tard ou directement NTFS puis appuyez sur <Entrée>.
- Choisissez la lettre lecteur que vous venez de créer et appuyez sur <Entrée>.

Installation

Le programme d'installation exécute ensuite le programme scandisk sur le lecteur et lance une interface graphique minimale dans laquelle il installe les composants et les périphériques. Vous devez ensuite :

- Confirmer les paramètres régionaux.

- Entrer un nom et une organisation.

- Entrer un nom d'ordinateur. Vous pouvez accepter la proposition de Windows ou choisir un nom comportant 20 caractères maxima sans espace.

- Confirmer les paramètres de la date et de l'heure.

Si votre PC comporte une carte réseau, le programme d'installation vous propose de paramétrer les options du réseau. Laisser les valeurs par défaut pour l'instant, nous traiterons la mise en réseau plus en détail dans ce chapitre.

Fin d'installation

C'est la dernière étape, le programme d'installation copie les fichiers, enregistre les paramètres et redémarre ensuite votre ordinateur.

Le premier démarrage de Windows XP

Une fois l'installation terminée, lors du premier démarrage de Windows XP, une interface se lance et affiche un assistant qui vous aidera à créer des comptes utilisateurs, configurer votre connexion Internet et vous proposera d'activer votre licence.

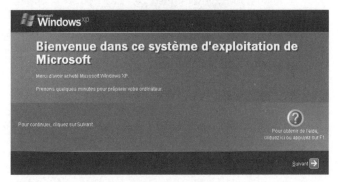

Cliquez sur le bouton « Suivant » et suivre les instructions.

Si vous possédez une connexion Internet et un CD-Rom d'installation fourni par votre fournisseur d'accès : cliquez sur le bouton « Ignorer » et passez à l'étape suivante.

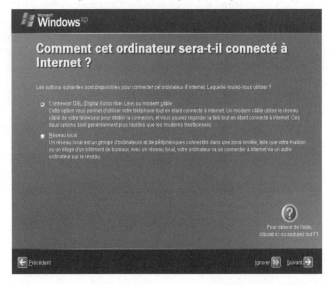

Au cours de l'exécution de l'assistant, il vous est proposé d'activer votre licence Windows XP. Dans cet exemple, nous avons choisi de passer cette étape.

A la dernière étape de l'assistant, l'ordinateur démarre et ouvre une session de travail en utilisant le compte utilisateur principal.

Activation de la licence

Un petit mot d'explication à propos de l'activation de la licence. Pour son nouveau système d'exploitation, Microsoft a mis au point un système obligeant l'utilisateur à activer sa licence. Si cette activation n'est pas faite au bout de 30 jours, vous ne pourrez plus utiliser le système d'exploitation. Il ne vous restera plus qu'à réinstaller le système et activer la licence ensuite.

Le système d'exploitation vous envoie régulièrement des message d'alerte vous invitant à activer votre licence. Voici comment le faire via Internet. Si vous ne possédez pas de connexion, l'assistant vous proposera des coordonnées téléphoniques.

Lancez le menu *Démarrer – Tous les programmes – Activation Windows*.

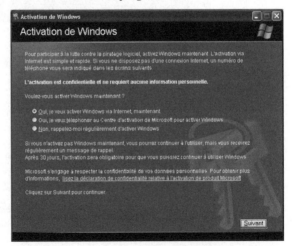

Cliquez sur le lien *Internet* si votre connexion a été configurée ou sur le lien « Vers le centre d'activation téléphonique ».

Après avoir cliqué sur « Suivant », le système vous propose de vous enregistrer auprès de Microsoft. Cet enregistrement est facultatif, si vous choisissez de le faire, des informations personnelles vous seront demandées.

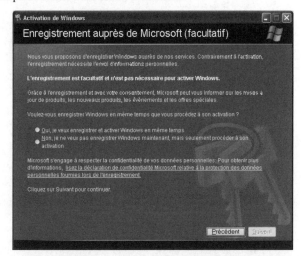

Suivez les instructions. A la fin du processus, Microsoft confirme l'activation.

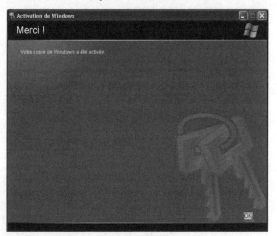

Votre système d'exploitation est maintenant prêt à l'emploi.

Attention, certains changements matériels opérés sur votre PC nécessiteront de réactiver la licence. En effet, lors de la première activation, Microsoft place une signature numérique sur les éléments suivants :

- La carte graphique.
- La carte SCSI et les contrôleurs IDE.
- La carte réseau ainsi que son adresse MAC.
- La mémoire RAM et le processeur (son type et son n° de série).
- La taille du disque dur et son n° de série.
- Les lecteurs CD-Rom, CD-RW et DVD.
- Les éléments intégrés à une station d'accueil pour les ordinateurs portables.

- L'algorithme de hachage Microsoft.

Dans votre configuration, si quatre de ces éléments sont changés, il faudra alors réactiver votre licence.

Les services pack

Les systèmes d'exploitation d'aujourd'hui contiennent toujours un certain nombre d'erreurs ou d'éléments ne fonctionnant pas correctement lors de leur sortie. Ces erreurs sont communément appelées des « bugs ». Des mises à jours vous sont proposés et peuvent être présentées sous deux aspects :

- Les Services Pack, qui regroupent plusieurs correctifs et mises à jour et qui s'installent en priorité sur votre système.
- Les mises à jour, qui sont en fait des correctifs uniques concernant un aspect précis du système d'exploitation.

Il faut noter qu'en installant un Service Pack, certaines mises à jours ne seront plus nécessaires. En ce qui concerne Windows XP, le Service Pack 1 est disponible depuis septembre 2002. De plus, un Service Pack 2 est en service depuis septembre 2004.

La méthode la plus simple pour l'installer est de passer par le menu *Démarrer – Aide et support*.

Notez qu'il est possible que votre version de Windows XP nécessite d'abord la mise à jour du logiciel Windows Update. Si cela est le cas, cliquez alors sur le bouton « Installer »

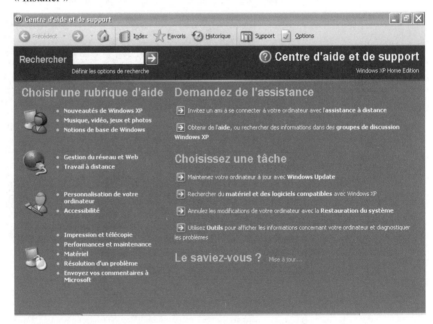

A partir de cet écran, cliquez sur le lien *Maintenez votre ordinateur à jour avec Windows Update*.

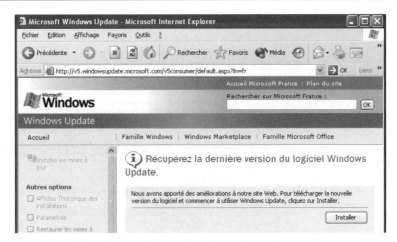

Laissez vous ensuite guider jusqu'à la fin de l'installation

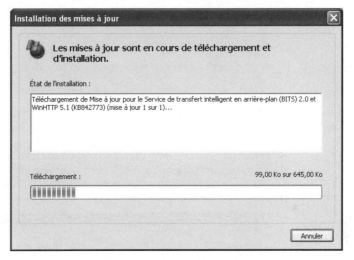

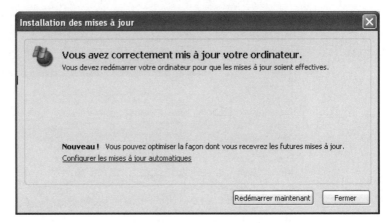

Cliquez sur le bouton « Redémarrer maintenant ». Après le redémarrage, il vous faudra retourner sur *Windows Update* et rechercher les mises à jour.

Après la recherche directe en ligne des mises à jour nécessaires, cliquez sur le lien *Examiner les mises à jour et les installer*.

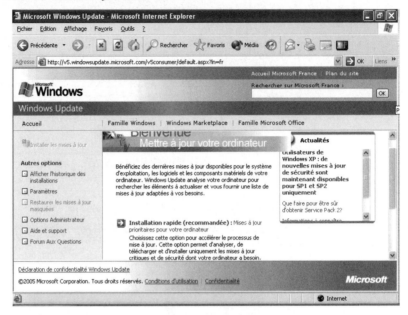

Les Services Pack

Si le dernier Service Pack disponible n'a pas encore été installé, il faut le faire avant d'effectuer les autres mises à jour. L'interface vous propose un bouton « Installer maintenant » qui ne se chargera que du Service Pack 2. Après la finalisation et cette opération, vous devrez relancer *Windows Update* pour effectuer les autres mises à jour. Attention, cette opération peut durer longtemps et dépend de la bande passante de votre connexion Internet.

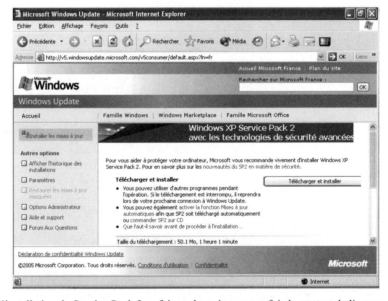

L'installation du Service Pack 2 se fait en deux étapes une fois le contrat de licence accepté :

- Le téléchargement du programme d'installation

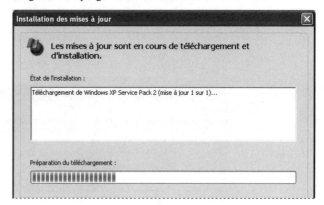

- L'installation du Service Pack 2

Une fois le fichier d'installation téléchargé, le programme démarre. Notez qu'il est possible de désinstaller le Service Pack 2 en cas de problème en passant par le *Panneau de configuration*.

Avant l'installation, le programme vérifie la configuration actuelle et écrit les informations d'archivage.

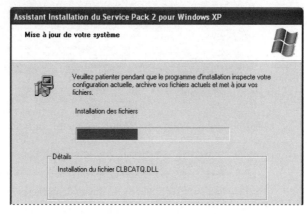

Ensuite le processus commence et comprend les éléments suivants :

- Création du fichier %systemroot%\new\sp2.cab.
- Création du point de restauration.
- Installation du Service Pack 2.
- Redémarrage de l'ordinateur.

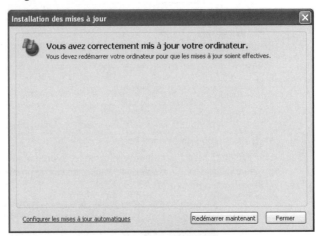

Au redémarrage de l'ordinateur, un écran d'accueil apparaît.

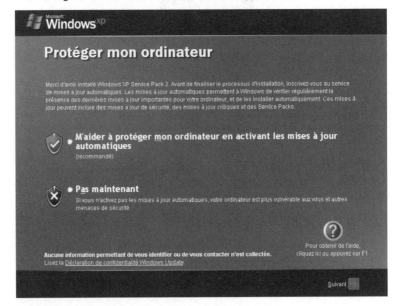

Les mises à jour

Les propositions de mises à jour faites par Windows Update concernent surtout des éléments critiques liés à la sécurité du système. Elles sont particulièrement importantes si vous utilisez une connexion Internet. Contrairement au Service Pack, ces mises à jour peuvent être réalisées d'un seul coup.

Si vous venez d'installer le Service Pack 2, relancez Windows Update comme précédemment. Vous trouverez maintenant une liste d'éléments critiques à mettre à jour.

Vous pouvez réaliser l'installation de toutes les mises à jour en utilisant le bouton
« Installer maintenant ».

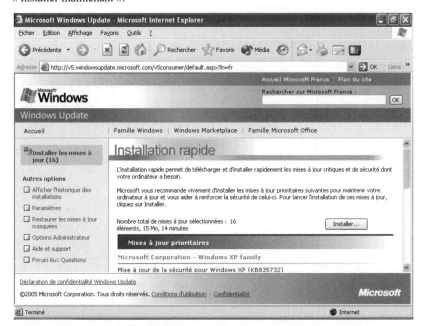

Après acceptation du contrat de licence, le programme commence par télécharger le
programme d'installation puis le lance automatiquement.

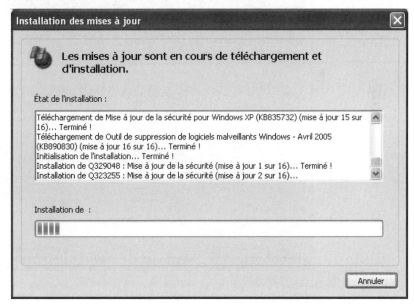

Une fois l'installation terminée, il faut redémarrer l'ordinateur. Pour visualiser un
récapitulatif des modifications effectuées, cliquez sur le bouton « Fermer ». Il vous
faudra tout de même redémarrer l'ordinateur pour que les changements soient pris en
compte.

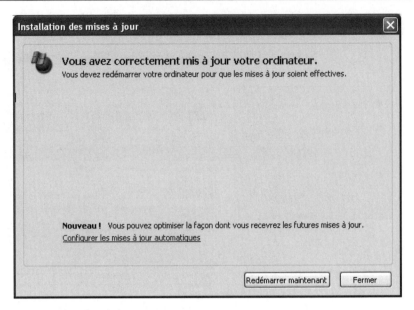

Le centre de sécurité

Le service Pack 2 a réorganisé les outils de gestion de la sécurité et les a rassemblé dans une icône du *Panneau de configuration* appelée *Centre de sécurité*.

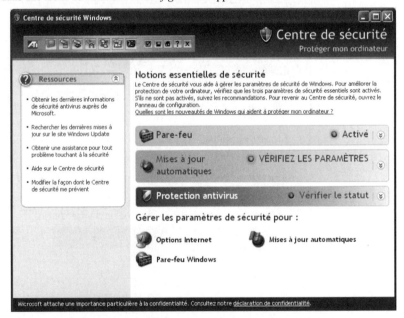

L'intérêt de cet outil est de pouvoir gérer à la fois les paramètres du Pare-feu, les mises à jour automatiques, et l'état de votre logiciel antivirus installé.

L'environnement de travail

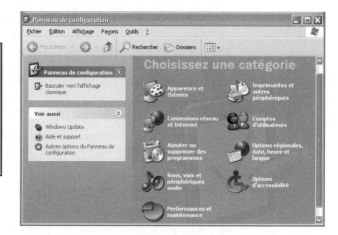

- *Bureau*
- *Dossiers utilisateur*
- *Panneau de configuration*

Depuis la sortie de Windows 95, cette version est probablement celle qui a le plus évolué en matière de convivialité et d'assistance. Tout est fait pour que l'utilisateur s'y retrouve. On apprécie notamment les messages d'alerte du système et une aide en ligne encore plus intuitive. Nous vous présentons ici l'environnement de travail de Windows XP.

Le Bureau et le menu Démarrer

Le Bureau

Ce qui surprend le plus au démarrage, c'est le *Bureau* complètement vide. La seule icône qui apparaît est la corbeille. En réalité, votre Bureau va se remplir de raccourcis au fur et à mesure que vous installerez des programmes.

Ce système d'exploitation repose sur le principe d'une ouverture de session utilisateur. Par conséquent, chaque utilisateur conserve les éléments qu'il a créés sur le Bureau.

Le menu Démarrer

C'est ce qui constitue le centre nerveux de Windows. Pour cette version, il a été repensé et réorganisé pour apporter encore plus de convivialité.

Il se découpe en trois parties :

- En haut, on visualise l'utilisateur actuellement connecté.

- Au centre, les programmes qui sont découpés en deux volets : à gauche les programmes les plus souvent utilisés et par défaut initialement les outils multimédias de Windows; les accès à l'Internet et à la messagerie un raccourci menant vers les autres programmes. A droite, les dossiers utilisateur et les outils Windows comme le Poste de travail, le Panneau de configuration et l'Aide accessible directement par Windows Update.

- En bas, les boutons permettant de fermer la session ouverte et de changer d'utilisateur ainsi que d'arrêter l'ordinateur.

Si vous cliquez sur le menu *Démarrer – Tous les programmes*, vous retrouverez un menu très proche de celui de Windows 2000.

Enfin, chaque fois que vous installerez un programme, un raccourci sera ajouté au menu Démarrer et quelquefois un autre sur le Bureau.

Localisation des dossiers utilisateur

Du point de vue de la gestion des utilisateurs, Windows XP fonctionne suivant le même principe de Windows 2000. Les paramètres utilisateur sont stockés dans un profil et les préférences sont appliquées à l'ouverture de session.

Attention, contrairement à Windows 2000 et à la version Windows XP Professionnel, il n'est pas possible avec la version Windows XP Edition Familiale de protéger l'accès aux données utilisateur en local, et ce même sur une partition NTFS. Nous reparlons de cet aspect un peu plus loin dans ce chapitre.

Windows XP a été conçu et orienté pour que chaque utilisateur dispose de ces dossiers personnels. Si plusieurs utilisateurs ont été créés, vous trouverez un certain nombre de dossiers au niveau du chemin %systemroot%\Document and settings :

- Un dossier au nom de chaque utilisateur créé.
- Un dossier Default user.
- Un dossier All users.
- Un dossier Localservice.
- Un dossier Networkservice.

Tous ces dossiers vont stocker à la fois des paramètres, des configurations et des données liées à l'utilisateur. Dans le Poste de travail, les dossiers au nom de l'utilisateur apparaissent à différents endroits. Suivant les logiciels utilisés lors d'une session de travail, vous trouverez ou non certains dossiers parmi les suivants à l'intérieur du dossier utilisateur :

- Mes images.
- Ma musique.
- Mes vidéos.
- My ebook.

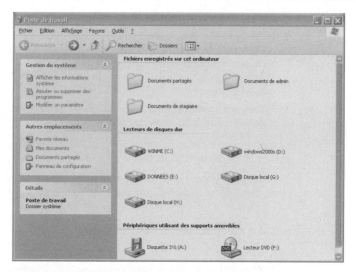

Pour visualiser les dossiers de l'utilisateur stagiaire, faire un double-clic sur *Documents de stagiaire*.

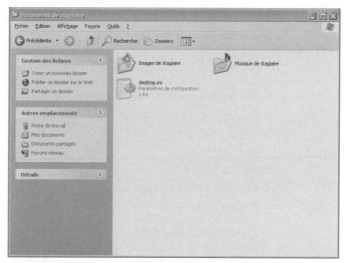

Le Panneau de configuration

Tout comme ces prédécesseurs, c'est par cet outil que l'on va personnaliser et paramétrer l'environnement de Windows XP. Cet outil a été également repensé pour être encore plus simple et plus intuitif à utiliser. Le *Panneau de configuration* s'affiche de deux façons différentes :

- Affichage par catégories.
- Affichage classique.

Pour l'heure, nous allons étudier cet outil en utilisant l'affichage par catégories. Si vous basculez avec le lien *Basculez vers l'affichage classique*, vous retrouverez une interface identique à celle de Windows 2000.

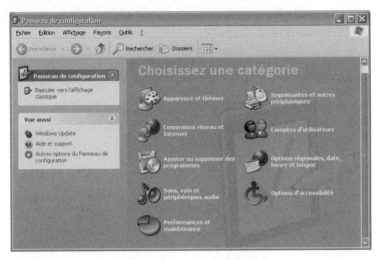

L'intérêt principal de cet affichage est qu'il est très intuitif à utiliser. Les applets sont regroupées dans des thèmes et à l'intérieur de chaque thème, un assistant vous guide dans le paramétrage. Ici, nous allons étudier les éléments liés à l'interface utilisateur. Certaines icônes seront traitées plus loin dans ce chapitre.

Le lien apparence et thème

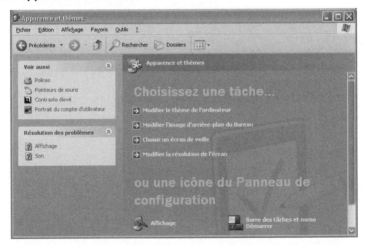

Dans cette interface, vous trouverez les outils nécessaires pour modifier le Bureau, l'arrière plan, la résolution graphique. Tous ces éléments seront stockés dans le profil utilisateur actif.

Vous pouvez à tout moment récupérer l'interface classique par des icônes situées en bas de la fenêtre. Ici, les icônes *Affichage* et *Barre des tâches et menu Démarrer*.

Le lien comptes utilisateurs

La gestion des utilisateurs est à la fois simple, efficace et puissante. En réalité, lors de l'installation de Windows XP, vous avez créé au moins un utilisateur. Voici l'interface permettant d'en créer plusieurs. Il est important de comprendre que l'on travaille suivant les mêmes principes que Windows 2000 mais avec des outils simplifiés.

Dans cette interface vous pourrez :

- Créer un compte : une interface simple permettant de créer des comptes.
- Modifier un compte : changer un mot de passe, une image ou les droits sur un compte. Il existe deux types de compte. Les comptes administrateur ont tous les droits sur l'ordinateur. Les comptes limités ne peuvent pas effectuer certaines tâches.

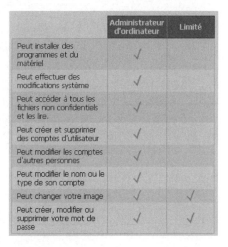

	Administrateur d'ordinateur	Limité
Peut installer des programmes et du matériel	✓	
Peut effectuer des modifications système	✓	
Peut accéder à tous les fichiers non confidentiels et les lire.	✓	
Peut créer et supprimer des comptes d'utilisateur	✓	
Peut modifier les comptes d'autres personnes	✓	
Peut modifier le nom ou le type de son compte	✓	
Peut changer votre image	✓	✓
Peut créer, modifier ou supprimer votre mot de passe	✓	✓

- Supprimer un compte.
- Modifier la manière dont les utilisateurs ouvrent et ferment une session.

Par défaut, Windows XP utilise une nouvelle interface graphique pour l'ouverture de session vous pouvez basculer en mode classique en décochant la case correspondante. A ce moment là, au lieu de cliquer sur un utilisateur, vous devrez entrer son nom et son mot de passe. De plus, il est maintenant possible de changer d'utilisateur sans fermer les programmes en cours d'utilisation. Là encore, vous pouvez désactiver l'option correspondante.

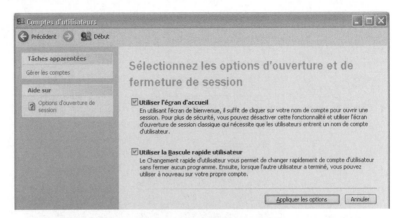

Si les deux options sont cochées, vous obtiendrez ceci au démarrage de Windows :

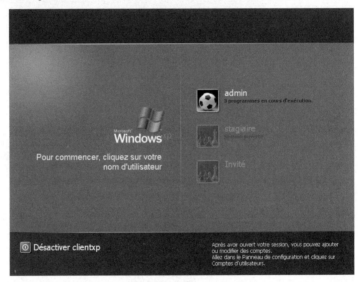

Le lien options régionales, date, heure et langue

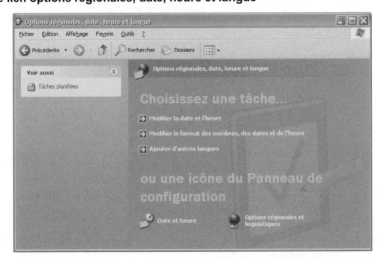

Un lien classique permettant de régler des options régionales, linguistiques et les paramètres horaires.

Le lien options d'accessibilité

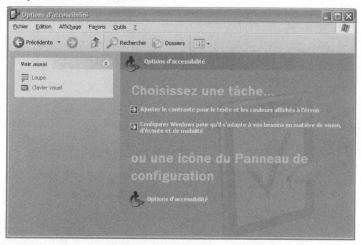

Là encore, un lien qui vous guidera à travers un assistant pour régler certains paramètres en fonction de certaines difficultés physiques des utilisateurs (problèmes de vue, d'audition, de mobilité des membres).

Installation de périphériques et d'applications

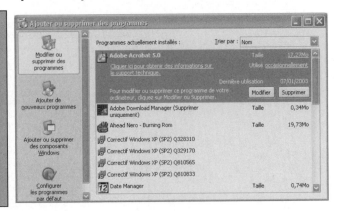

- *Détection de périphériques PnP*
- *Pilotes*
- *Ajout et suppression de programmes*
- *Ajout et suppression de composants Windows*

Nous arrivons ici au fonctionnement même de Windows XP. Du point de vue de la facilité d'utilisation, on appréciera les efforts réalisés pour optimiser la détection des périphériques, la facilité d'utilisation des outils multimédias intégrés et la prise en charge d'un grand nombre de périphériques numériques.

Côté applications, un système d'alerte en cas de non fonctionnement vous permettra de corriger l'erreur via Windows Update ou le fournisseur de l'application.

Les composants Windows XP pourront être ajoutés et supprimés comme d'habitude ou bien avec le CD-Rom d'installation.

Le processus de détection de matériel

Lorsqu'un nouveau matériel vient d'être ajouté, le processus de détection démarre automatiquement. Dans certains cas, le système d'exploitation va détecter et installer le pilote adéquat sans aucune intervention de l'utilisateur. Dans d'autres cas, un assistant vous demandera de fournir des informations et éventuellement un CD-Rom contenant des pilotes spécifiques ainsi que le CD-Rom d'installation de Windows XP.

N'oubliez pas qu'il est souvent plus facile d'utiliser le CD-Rom fourni avec votre nouveau matériel lorsque celui-ci contient un programme d'installation complet. Nous vous proposons ici trois exemples :

- Une détection et installation automatisée du périphérique.
- Une détection et une installation à l'aide de l'assistant.
- Une installation par un programme constructeur fourni.

Installation automatisée

Sur la machine test, nous venons de connecter un Joystick USB. Windows XP le détecte et l'installe sans intervention.

Une fois le périphérique détecté et l'alerte affichée, on peut voir via le *Panneau de configuration* en cliquant sur le lien *Imprimante et autres périphériques* puis sur le lien *Contrôleur de jeu*.

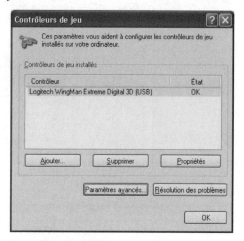

Installation à l'aide d'un assistant

Si le programme d'installation n'a pas détecté automatiquement le nouveau périphérique, il faudra procéder comme suit :

- Au niveau du *Panneau de configuration*, cliquez sur le lien *Imprimante et autres périphériques*.

- Cliquez ensuite sur le raccourci au niveau gauche de la fenêtre sur le lien *Ajout de matériel*. Un assistant démarre et va se charger de rechercher votre nouveau matériel après avoir cliqué sur le bouton « Suivant ».

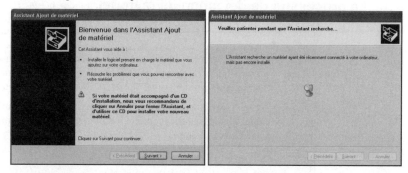

L'assistant va vous poser des questions et vous guider. Voilà ce qui peut se produire.

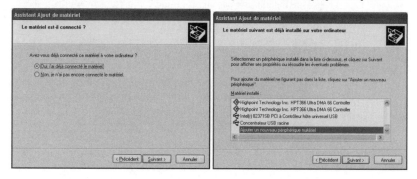

Dans ce cas, on considère que le périphérique est déjà connecté (une imprimante sur LPT1) et qu'il faut poursuivre l'assistant pour l'installer.

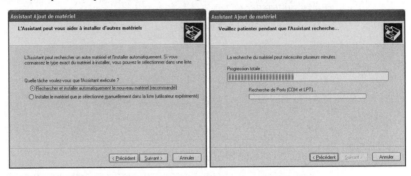

Nous avons choisi de laisser le système détecter le périphérique, voyons ce qui se passe s'il n'y arrive pas.

Comme la détection ne s'est pas réalisée automatiquement, une interface vous propose de la faire manuellement. Choisissez donc d'abord un type de périphérique (ici une imprimante).

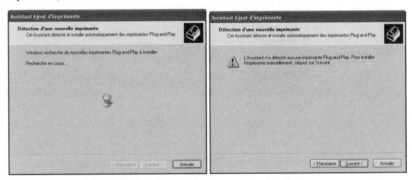

On confirme ensuite que l'imprimante est connectée sur LPT1, à ce moment là le système va tenter de la détecter. S'il n'y arrive pas, il vous propose de la sélectionner dans la liste des pilotes Windows intégrés. Il faut alors procéder comme d'habitude, soit l'imprimante se trouve dans la liste et le CD-Rom de Windows XP sera nécessaire ou alors il faudra cliquer sur le bouton « Disquette fournie » et insérer le support approprié.

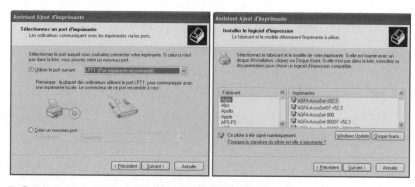

Enfin, donnez un nom et imprimez une page de test.

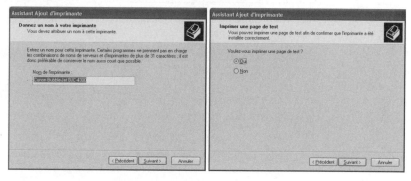

Installation par un programme fourni

Souvent, les constructeurs de périphériques livrent un programme permettant une installation simplifiée. Dans notre exemple, l'ordinateur est équipé d'une souris optique cinq boutons. Or, dans l'interface, on remarque que la souris est vue comme compatible PS/2 et seulement trois boutons sont disponibles. Nous allons donc mettre à jour le pilote en utilisant la disquette fournie avec la souris.

- Après avoir inséré la disquette dans le lecteur, au niveau du poste de travail, faites un double-clic sur la disquette.

- Exécutez le programme `setup.exe`.

- Les questions qui vous seront posées sont variables en fonction des programmes. D'une manière générale, elles porteront sur le choix d'un modèle, d'une langue et d'un emplacement dans le menu Démarrer.

- Souvent, une fois l'installation terminée vous devrez redémarrer votre ordinateur.

Le Gestionnaire de périphériques

Une fois de plus, cet outil est le même que celui de Windows 2000. Il présente les mêmes avantages. Pour mémoire, nous vous présentons ses fonctionnalités.

Ouvrez le *Panneau de configuration* et cliquez sur le lien *Performances et maintenance*. Choisissez ensuite l'icône *Système* du *Panneau de configuration* et activez ensuite l'onglet *Matériel*.

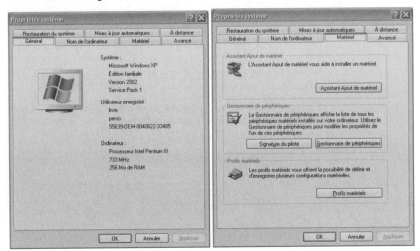

Vous trouverez dans cet onglet plusieurs outils liés aux périphériques :

- L'assistant *Ajout de nouveau matériel* déjà décrit plus haut.

- La *Signature du pilote* : Windows XP vous permet de spécifier si ce système n'utilisera que des pilotes signés (autrement dit garantis par Microsoft).

- Le *Gestionnaire de périphériques*.

Après avoir cliqué sur le bouton « Gestionnaire de périphériques », vous vous trouvez sur l'arborescence standard des périphériques Windows. Chacun d'entre eux dispose d'une fenêtre de propriétés dans laquelle vous pouvez régler différents paramètres en fonction du périphérique sélectionné.

Si vous faites un clic droit sur le pilote, vous pourrez effectuer des mises à jour, *Désinstaller* ou *Désactiver* celui-ci.

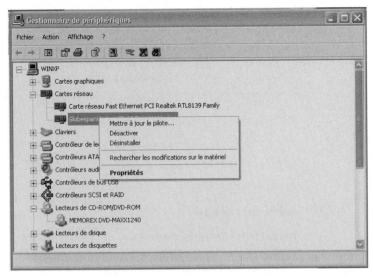

Ajouter et supprimer des programmes

Installer des programmes

Installer et désinstaller des programmes devient de plus en plus facile avec Windows XP. La plupart du temps, si vous utilisez des programmes conçus pour ce système d'exploitation, vous n'aurez pratiquement pas à intervenir.

Lorsque vous insérez un CD-Rom dans l'ordinateur, un programme qui s'appelle autorun.exe s'exécute automatiquement. Si ce n'est pas le cas, il faudra localiser le programme d'installation (souvent setup.exe) et le lancer.

Vous pouvez également passer par le *Panneau de configuration* : cliquez sur le lien *Ajouter et supprimer des programmes* et cliquez sur *Ajoutez de nouveaux programmes*.

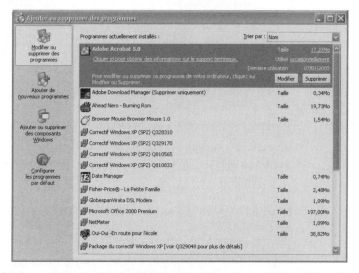

Une fois le programme exécuté, suivre les instructions du programme d'installation.

Après la copie des fichiers sur le disque, l'installation est terminée. Suivant les programmes, vous pourrez trouver un raccourci sur votre Bureau et un autre placé dans le menu *Démarrer*.

Désinstaller des programmes

Lorsque l'on installe un programme, des fichiers sont copiés vers différents répertoires. Pour désinstaller un programme, le plus pratique reste de passer par le programme de désinstallation. Celui-ci peut se trouver dans deux endroits :

Dans le menu *Démarrer – Tous les programmes* et suivre le lien de l'application.

Dans le Panneau de configuration – *Ajout et suppression de programme* et cliquez sur *Modifier ou supprimer des programmes*.

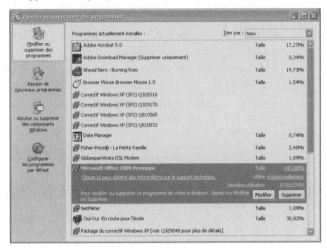

Lorsque vous sélectionnez un programme, Windows affiche des informations sur son utilisation. Utilisez ensuite le bouton « Supprimer » et laissez-vous guider. Après le processus, il ne doit rester ni les icônes sur le Bureau ni le raccourci dans le menu Démarrer.

Configuration des applications

Toute application installée est liée automatiquement avec les extensions de fichiers qui lui correspondent. Il arrive fréquemment que certains fichiers puissent être lus par plusieurs d'entre elles. Windows XP intègre une option qui permet de lier les fichiers à des applications de votre choix. Pour visualiser ou modifier les liaisons, ouvrez le poste de travail, puis aller dans le menu *Outils* et choisir la commande *Option des dossiers*. Cliquez ensuite sur l'onglet T*ype de fichiers*.

Le bouton « Avancé » permet de gérer des paramètres supplémentaires.

Ajouter et supprimer des composants Windows

Le plus rapide est de passer par le Panneau de configuration, puis de cliquer sur le lien *Ajouter et supprimer des programmes* et choisir *Ajouter ou supprimer des composants Windows*.

Naviguez ensuite dans l'arborescence des composants et cochez ceux que vous souhaitez installer. Le CD-Rom d'installation sera nécessaire et parfois un redémarrage de Windows devra être effectué pour appliquer des changements.

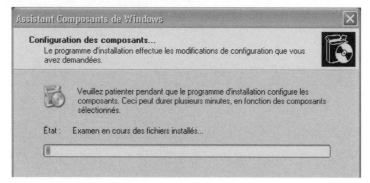

On peut également installer des composants Windows par le CD-Rom d'installation. Dans le menu principal du CD-Rom, cliquez sur le lien *Installez des composants optionnels*.

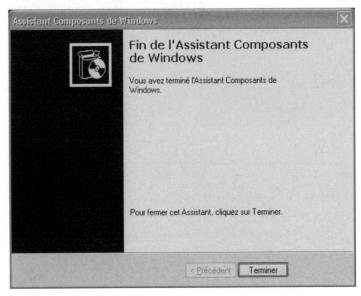

Une fois la procédure terminée, les raccourcis du menu Démarrer sont actualisés.

La disquette de démarrage Ms-DOS

A partir de Windows XP, il est possible de fabriquer une disquette de démarrage permettant d'amorcer l'ordinateur et charger une interface DOS qui intègre le pilote de CD-Rom.

Pour réaliser cette opération, insérer une disquette dans le lecteur A:, puis passer par le poste de travail et faites un clic avec le bouton droit de la souris sur le lecteur de disquette et choisissez le menu *Formater*. Activez l'option *Créer une disquette de démarrage MS-DOS*.

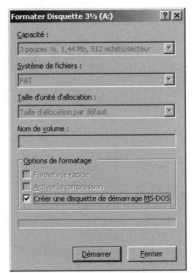

Les réglages du système

- *Démarrage*
- *Systèmes de fichiers*
- *Outils système et d'administration*

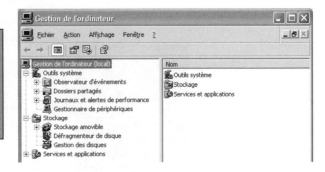

Comme nous l'avons dit à plusieurs reprises dans ce chapitre, Windows XP repose sur une architecture NT très proche de Windows 2000. Cependant, certaines possibilités ne seront pas disponibles dans cette version de Windows XP.

Nous vous présentons ici les outils dont dispose Windows XP pour assurer la stabilité, la personnalisation et le bon fonctionnement du système.

Les options de démarrage

Le processus de démarrage et les fichiers de Boot de Windows XP sont exactement les mêmes que ceux de Windows 2000. Ici, nous vous présentons l'interface classique permettant de modifier le contenu du fichier boot.ini.

Nous vous rappelons également que par défaut tous les fichiers et dossiers liés aux systèmes d'exploitation sont masqués et protégés. Vous pouvez malgré tout choisir de les visualiser et les modifier directement.

Dans le *Panneau de configuration*, cliquez sur le lien *Performances et maintenance* puis sur *Système*.

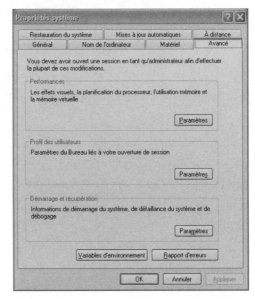

Au niveau de *Démarrage et récupération*, cliquez sur le bouton « Paramètres »

ou sur le bouton « Variables d'environnement ».

Activer le menu de démarrage

Pour activer le menu de démarrage, appuyez sur la touche <F8> lorsque l'écran de démarrage s'affiche. Les options suivantes sont disponibles. Elles vous seront très utiles si Windows ne démarre pas correctement après l'installation d'un logiciel ou d'un nouveau matériel ne fonctionnant pas correctement.

Option	Description
Mode sans échec	Charge le minimum de périphériques. Similaire au mode sans échec de Windows 98
Mode sans échec avec support réseau	Identique au précédent mais charge les pilotes et les services nécessaires pour l'accès au réseau
Invite de commande sans échec	Identique au mode sans échec mais ne charge pas l'interface graphique
Inscrire les événements de démarrage dans le journal	Démarre Windows normalement et crée un journal se situant dans %systemroot%\ntbtlog.txt
Démarrage en mode VGA	En cas de problème vidéo, active une résolution graphique de base 640 x 480 et 16 couleurs
Dernière bonne configuration connue	Utile lorsque Windows ne redémarre pas correctement après une modification lors de la dernière session
Mode restauration Active Directory (Contrôleur de domaine Windows XP uniquement)	Réservé au contrôleur de domaine uniquement, permet de restaurer et compacter la base de données ntds.dit
Mode déboguage	Correspond au mode pas à pas de Windows 98 et permet le déboguage.
Démarrer Windows normalement	Prend en compte les conditions normales
Redémarrer	Redémarre l'ordinateur
Revenir à la sélection	Quitter le sous-menu

Les profils matériels

Nous avons vu précédemment que l'on pouvait désactiver des pilotes de périphériques. Tout comme Windows 2000, Windows XP prend en charge la gestion de profil matériel. Le principe reste le même. Au niveau de l'icône *Système*, cliquez sur l'onglet *Matériels*, puis sur le bouton « Profils matériels ». Au départ, vous ne disposez que d'un profil par défaut appelé « Profil1 ». Cliquez sur le bouton « Copier » et donner un autre nom au profil pour obtenir le dialogue :

Pour désactiver des pilotes de périphérique d'un profil, celui-ci doit être actif. Il faut alors redémarrer l'ordinateur et choisir parmi la liste le profil que vous souhaitez paramétrer. Utilisez ensuite le Panneau de configuration et les pilotes de périphériques pour paramétrer le profil. Les modifications seront prises en compte au prochain redémarrage de la machine.

Les outils système

Au même titre que ses prédécesseurs, Windows XP possède une palette d'outils permettant d'optimiser le système, réorganiser ses disques durs et restaurer le système en cas de panne.

Là encore, vous pouvez les trouver dans deux endroits différents :

- Dans le *Panneau de configuration* puis cliquez sur le lien *Performances et maintenance*.
- Dans le menu *Démarrer – Tous les programmes – Accessoires – Outils système*

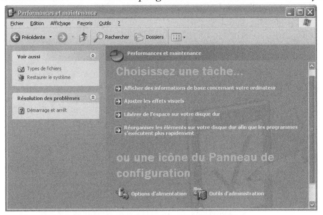

Optimisation des applications et de la mémoire

Pour régler les paramètres de performances des applications et l'utilisation de la mémoire, cliquez sur le lien *Ajuster les effets visuels* et ensuite sur l'onglet *Avancées*. Vous aurez également accès aux paramètres de la mémoire virtuelle.

Defrag

Windows XP fournit bien entendu un défragmenteur de disques permettant d'optimiser le temps d'accès aux fichiers. Toujours dans la même fenêtre du *Panneau de configuration*, cliquez sur le lien *Réorganiser les éléments sur votre disque dur afin que les programmes s'exécutent plus rapidement*.

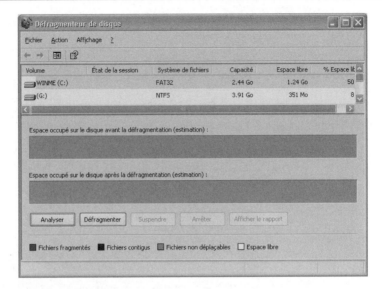

Nettoyage du disque

Une méthode simple et assistée vous est proposée ici pour faire de la place sur le disque dur. Les arguments que vous paramétrez seront utilisés pour supprimer des éléments.

Dans la même fenêtre que précédemment, cliquez sur le lien *Libérer de l'espace disque*. Choisissez le disque à nettoyer et cliquez sur « OK ».

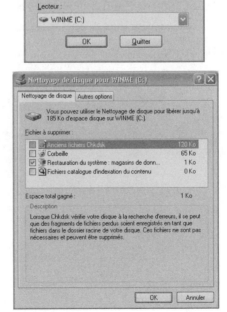

Ces options de base ne font que supprimer des fichiers sur le disque et vider la corbeille. Cliquez sur l'onglet *Autres options*.

Ces options supplémentaires vous permettront de :

- Supprimer des composants Windows.
- Désinstaller des programmes.
- Purger les enregistrements liés à la restauration du système.

Restauration du système

Cette fonctionnalité, déjà présente sur Windows Me est un véritable outil de dépannage. Elle permet de créer des points de restauration à des moments précis. Par exemple, si l'on est sur le point d'installer un nouveau matériel et que l'on n'est pas sûr de sa compatibilité, on pourra créer un point de restauration avant de l'installer. De cette façon, si le système ne fonctionne plus correctement, on pourra récupérer l'ancien état du système qui fonctionnait.

Dans le *Panneau de configuration*, toujours au niveau de l'onglet *Performances et maintenance*, cliquez sur le lien *Restauration du système*.

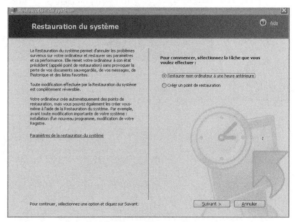

Cliquez sur le bouton radio *Créer un point de restauration* puis sur le bouton « Suivant ».

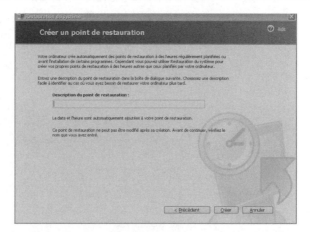

Donnez un nom à votre fichier de restauration, le programme se chargera d'identifier et de renseigner automatiquement la date et l'heure.

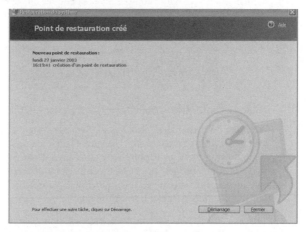

Pour restaurer une configuration correcte, lancez le même utilitaire et validez l'option *Restaurer l'ordinateur à une date antérieure.*

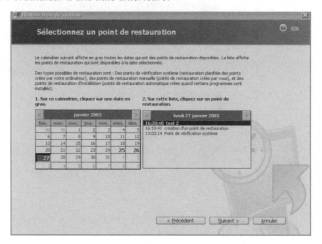

Choisissez votre point de restauration à partir du calendrier. Cliquez sur le bouton « Suivant ».

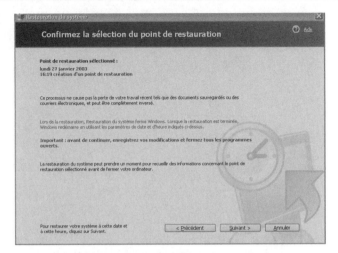

Fermez toutes les applications actives et cliquez sur le bouton « Suivant ». La procédure se termine et redémarre l'ordinateur automatiquement. Un message de confirmation s'affiche après l'ouverture de session.

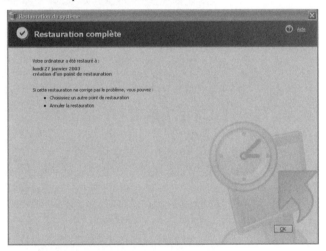

Options d'alimentation

Cet outil sert à paramétrer les économies d'énergie, la mise en veille prolongée et les onduleurs. Différents onglets sont présents permettant d'affiner les réglages.

- Modes de gestion de l'alimentation.
- Avancé.
- Mise en veille prolongée.
- Onduleur.

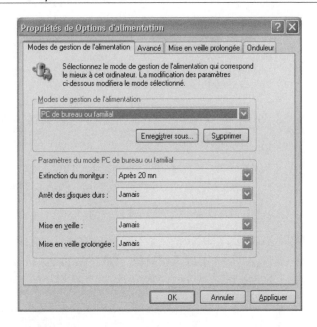

Les systèmes de fichiers

Naturellement proche de Windows 2000, ce système d'exploitation est capable de prendre en charge les systèmes de fichiers suivants :

FAT32

Le système de fichiers classique que nous connaissons déjà depuis Windows 95 OSR/2. Windows XP est bien entendu capable de lire ce type de partition et permet l'installation d'un grand nombre de programmes. Si vous choisissez d'installer Windows XP sur une partition FAT32, certaines options ne seront pas disponibles.

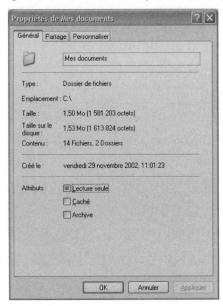

NTFS

Depuis Windows NT, ce système de fichiers trouve toute sa puissance et son utilité dans l'environnement NT. Pour mémoire, ce système de fichiers fragmente moins les disques durs et vous propose une sécurité des fichiers en local que l'on ne peut pas utiliser sur un système de fichiers FAT32.

Attention, il faut noter que la version Windows XP familiale est plus légère que la version Professionnelle ou encore que Windows 2000. Bien que le système de fichiers NTFS soit pris en charge, les paramètres de sécurité permettront seulement de paramétrer :

- Archivage ou indexation des dossiers et des fichiers.

- Compression ou cryptage des dossiers et des fichiers.

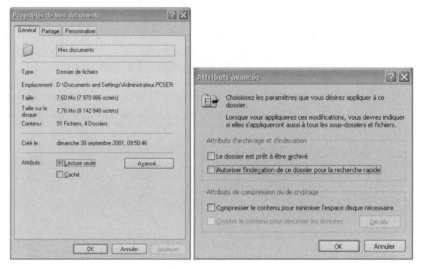

Pour plus d'informations sur le cryptage et la compression des données, reportez-vous au chapitre consacré à Windows 2000.

Les outils d'administration

Jusqu'à maintenant, nous avons surtout parcouru l'interface, expliqué la façon dont on navigue sous Windows XP. Cette partie est maintenant consacrée à des tâches d'administration. Ces outils sont puissants et sont très utiles en cas de problèmes de performance, de démarrage ou d'erreurs liés aux paramètres du système. Notez que vous aurez rarement à intervenir dans cette interface dans le cadre d'une utilisation classique de Windows. Cependant, la gestion des disques vous sera probablement utile.

Ils fonctionnent suivant le même principe que Windows 2000. La différence entre Windows XP Professionnel et Edition Familiale réside ici dans le nombre d'outils mis à disposition. Les outils Windows XP sont disponibles dans le *Panneau de configuration*, en cliquant sur le lien *Performances et maintenance* puis sur l'icône *Outils d'administration*.

Gestion de l'ordinateur

C'est l'outil principal d'administration dans lequel sont regroupés plusieurs éléments. Directement inspiré de Windows 2000, cet outil ouvre une console de gestion MMC où les outils sont affichés dans une arborescence. On notera la possibilité de gérer le partage des dossiers dont on reparlera au niveau de la mise en réseau.

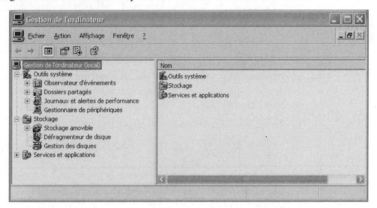

Notons également la présence du *Gestionnaire de périphérique* où l'on pourra dépanner et régler les problèmes de pilotes.

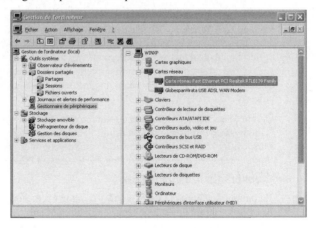

Création de partitions

L'outil le plus important se situe au niveau de l'arborescence de gauche dans *Gestion des disques*.

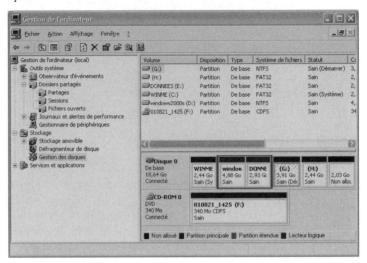

Ici, vous pourrez créer, supprimer et formater des partitions de disques, exécuter des programmes comme le `Scandisk` pour vérifier l'état de vos lecteurs. Attention, pour utiliser ces outils, vous devez posséder un compte utilisateur ayant les droits d'administration.

Les lecteurs amovibles sont traités dans une arborescence à part.

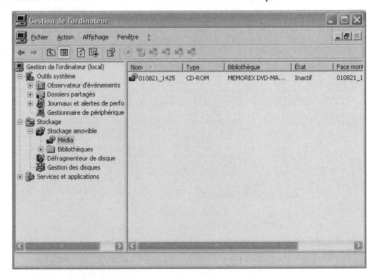

L'observateur d'événement

Il contient les journaux nécessaires à Windows XP. Tout comme dans Windows 2000, ces journaux sont créés et générés automatiquement. Une purge peut être nécessaire de temps en temps pour optimiser le démarrage ou la mise à jour de ces journaux. En cas de message d'erreur au démarrage du système ou d'une application, une information sera affichée dans l'un de ces journaux :

- Applications.
- Sécurité.
- Système.

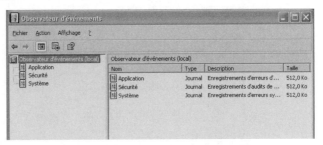

Cet outil est traité plus en détail dans le chapitre consacré à Windows 2000.

Les services et applications

Toujours suivant la logique de Windows NT, le système d'exploitation repose sur un grand nombre de services chargés au démarrage de l'ordinateur. Chaque service listé ici correspond à un composant installé. Si un service ne fonctionne pas correctement, un message d'erreur vous informe. Vous pourrez ici, soit le désinstaller, le réinstaller ou le désactiver.

Souvent, des problèmes liés aux services apparaissent après l'installation d'un nouveau composant du système d'exploitation. Dans ce cas, désinstallez le composant, redémarrez l'ordinateur et tentez de le désactiver le service.

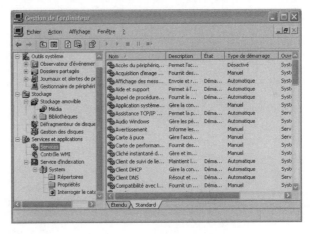

Les performances

Cet outil est très pratique. Si vous avez l'impression que l'ordinateur fonctionne plus lentement que d'habitude, vous pouvez l'utiliser pour obtenir des graphiques représentant les performances du système.

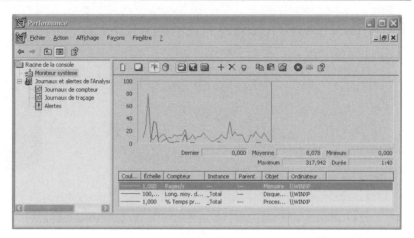

Cet outil est avant tout destiné aux utilisateurs experts qui sauront exploiter pleinement les résultats graphiques.

Les périphériques multimédias

- *Détection des périphériques*
- *Utilisation des programmes*
- *Prise en charge des DVD-Rom et de la télévision*
- *Utilisation des PDA*

Détection des périphériques

Windows XP a bien sûr été optimisé pour ce type de périphérique. Une détection puissante et des outils pratiques ont été mis à votre disposition. En fait, rien ne différencie un périphérique numérique d'un autre périphérique USB.

Lorsque vous connectez un périphérique, par exemple un appareil photo ou une Webcam, l'assistant s'exécute.

Si la détection de matériel échoue, un message vous invite à vous connecter pour obtenir de l'aide. Cela signifie que Windows XP ne détient pas de pilote pour votre matériel. Dans ce cas, il est préférable d'utiliser le programme d'installation livré avec le pilote.

Si le matériel est détecté, après installation du pilote, cliquez simplement sur le bouton « Terminer ».

Utilisation des programmes

Dans la partie de cet ouvrage consacré au matériel, nous vous avons présenté les appareils photos numériques. Nous allons maintenant entrer dans le détail de leur utilisation sous Windows XP.

Après avoir installé le pilote par un programme d'installation fourni par le constructeur, il faut maintenant installer le programme permettant d'exploiter les photos. La plupart des constructeurs fournissent un programme propriétaire livré avec le matériel. Ce programme permet de gérer les photos et éventuellement les séquences vidéo enregistrées sur l'appareil photo numérique.

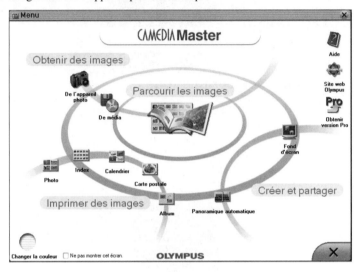

L'assistant scanner – appareil photo

Windows XP possède un outil permettant de réaliser rapidement le transfert des photos. Lors de la connexion de l'appareil photo, Windows XP propose un choix.

Validez le choix, si vous cochez la cache d'option *Toujours effectuer l'action suivante*, Windows XP associera l'application au périphérique. Cliquez ensuite sur le bouton « Ok ». L'assistant démarre et affiche une page de bienvenue, cliquez alors sur le bouton « Suivant ».

Vous pouvez sélectionner le nombre de photos que vous souhaitez. Cliquez ensuite sur le bouton « Suivant ».

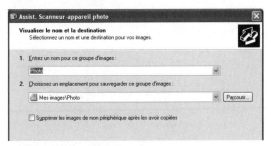

Donnez un nom à votre groupe d'images et un emplacement. Une coche permet d'effacer les images de l'appareil photo une fois le transfert terminé. Cliquez de nouveau sur le bouton « Suivant ».

A la fin du transfert, cliquez sur le bouton « Terminer ».

La prise en charge des DVD-Rom

Dans la partie de ce guide consacrée aux périphériques multimédias nous vous avons présenté une carte vidéo multifonction. Voici maintenant comment procéder aux paramétrages des fonctions DVD-Rom. Une fois la carte installé et les raccordements effectués, au démarrage de Windows XP ; l'assistant de détection de matériel démarre. Dans la mesure où un programme d'installation complet est livré avec la carte, annulez la procédure d'installation et lancez le programme d'installation.

Dans notre exemple, voici les éléments installés.

Avant de lire et de contrôler l'environnement de Windows à partir de la télécommande et de visualiser le résultat sur le téléviseur, vous devrez paramétrer l'affichage de Windows. Dans le *Panneau de configuration*, choisissez l'icône *Affichage*, puis cliquez sur l'onglet *Paramètres*.

La prise en charge multi-écran de Windows XP fonctionne avec une notion d'écran principal et d'écran secondaire. Le moniteur du PC est par défaut l'écran principale. Le bouton « Identifier » permet de vérifier les paramètres. Attention, n'oubliez pas de régler votre téléviseur sur le canal approprié.

Choisissez ensuite le moniteur correspondant au téléviseur et validez l'option *Etendre le bureau Windows à ce moniteur*.

Des réglages plus affinés comme la gestion des couleurs, du Direct 3D ou encore l'affichage, se trouvent en cliquant sur le bouton « Avancé ».

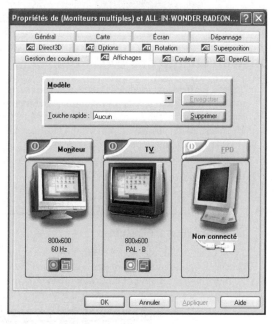

La configuration de la télécommande

La télécommande contient de nombreux bouton permettant d'accéder directement à la fonction voulue. Elle contient également un certain nombre de boutons que l'on peut paramétrer.

Le paramétrage du centre Multimédia

L'ensemble des fonctions multimédias sont regroupées dans ce l'on appelle un centre Multimédia. Un menu permet d'affiner des options comme le type de fichiers pris en charge par les applications du centre multimédia.

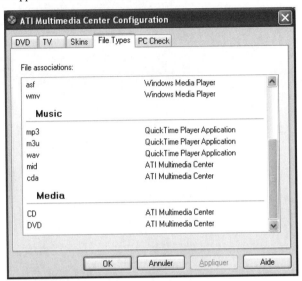

La lecture d'un DVD-Rom

L'exécution de l'application DVD est automatique lorsqu'on insère un disque dans le lecteur. Si cependant tel n'est pas la cas, un outil est disponible dans le centre multimédia. Vous pouvez accéder au menu principal de l'application DVD en cliquant sur la « Case à cocher ».

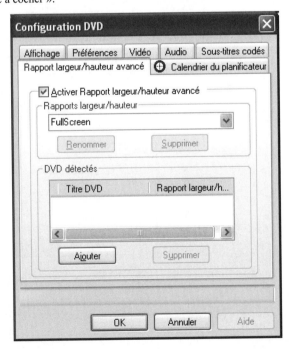

La fonction Télévision

Comme nous l'avons décrit plus haut, le centre multimédia intègre un outil servant à regarder voire enregistrer la télévision sur le PC. Une fois le raccordement de l'antenne de télévision effectué, il faudra procéder au réglages de l'application.

Au niveau du centre multimédia, lorsqu'on exécute l'application TV pour la première fois, un assistant démarre.

Après l'écran de bienvenue, cliquez sur le bouton « Suivant ».

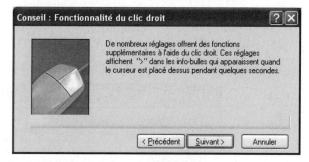

Faites de nouveau « Suivant ».

Ces réglages sont importants, ils se déterminent en deux étapes :

- La sélection de la zone géographique dans laquelle vous habitez et le type de réception de la télévision.
- Le balayage auto pour la recherche de canaux dans votre zone géographique.

Une fois le balayage termniné, cliquez sur le bouton « Suivant ».

Ce paramètre permet d'activer le contrôle parental sous la forme d'un mot de passe. Il doit comporter au minimum 3 caractères.

Les paramètres matériels

L'étape suivante vous demande de confirmer les paramètres du son. Dans notre exemple, nous avons connecté des hauts parleurs sur la sortie son de la carte vidéo à la place des câbles qui reliaient la carte vidéo à la télévision.

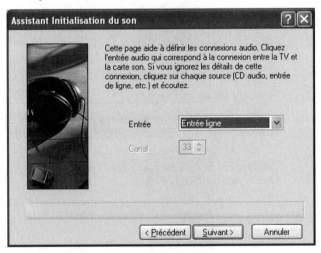

Ensuite, vous devrez confirmer la méthode d'acquisition vidéo qui définit la façon dont les images arrivent sur l'ordinateur. Dans notre cas, nous utilisons le logiciel fournit avec le pilote de la carte vidéo.

Enfin, pour activer la *télévision on demand*, il faudra réserver un espace disque relativement important. Plus celui-ci est grand, plus la durée d'enregistrement augmente.

Cette carte vidéo contient d'autres fonctions comme la lecture des VCD que nous ne traitons pas ici. D'autre part, il est également possible de raccorder un magnétoscope et un ampli audio.

En fonction du matériel dont vous disposez, prenez le temps de lire la documentation livrée avec votre équipement.

Utilisation des PDA

Nous avons abordé des périphériques dans la partie de cet ouvrage consacré au matériel. Nous vous rappelons que pour synchroniser les données entre le PDA et l'ordinateur, vous devez installer un logiciel. Celui-ci est en principe fourni avec le périphérique et peut être téléchargé gratuitement.

Le modèle de PDA que nous avons testé fonctionne avec le logiciel ActiveSync de Microsoft. Lors de son premier lancement, le logiciel vous propose de créer un partenariat, que l'on peut définir comme un ensemble de paramètres de synchronisation.

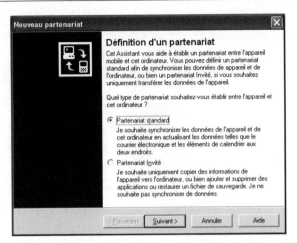

Pour l'exemple, nous avons choisi un partenariat standard. Cliquez ensuite sur le bouton « Suivant ».

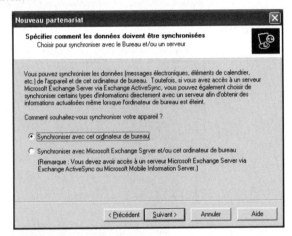

A cette étape là, cliquez sur l'option *Synchroniser avec cet ordinateur de bureau.*

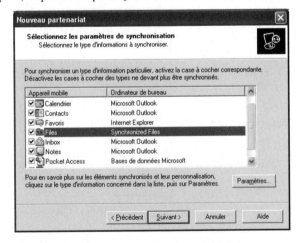

Ici, vous pouvez choisir les éléments faisant partie de la synchronisation. Ensuite un dossier de synchronisation est crée sur le bureau de Windows. Vous pourrez l'utiliser pour placer les fichiers à synchroniser avec le PDA.

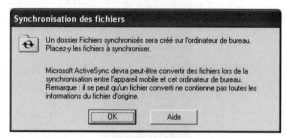

Détection du PDA

Une fois le logiciel installé, connectez le PDA sur le support de synchronisation. Le logiciel recherche le périphérique sur les ports de communication. Si la recherche ne se déclenche pas, passez par le menu *Fichier* et la commande *Établir une connexion*.

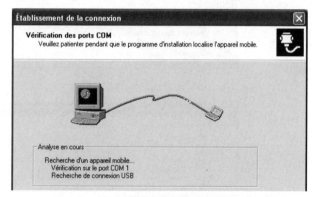

Les paramètres de connexion peuvent être visualisés ou modifiés par le menu *Fichiers* et la commande *Paramètres de connexion*.

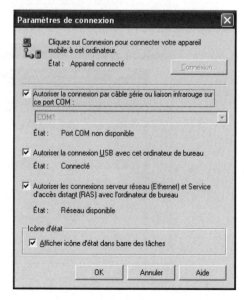

L'appareil est identifié et maintenant connecté. Si toutes ces étapes ont été franchies avec succès, votre environnement Windows XP contient les éléments suivants :

- Au niveau du poste de travail, le PDA est vu comme un périphérique mobile.

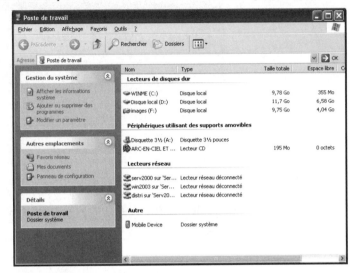

- Au niveau du *Gestionnaire de périphériques*, un élément a été ajouté.

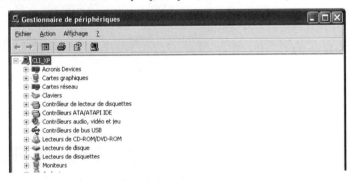

- Pour synchroniser les informations, cliquez sur le bouton « Synchroniser ».

Une fois le processus terminé, vous pouvez synchroniser l'ensemble des éléments présentés ici.

Les options de synchronisation

Au début de l'utilisation du PDA, nous avons créé un partenariat qui offre les paramètres de synchronisations. Vous avez la possibilité de modifier ces paramètres en cliquant sur le bouton « Options ».

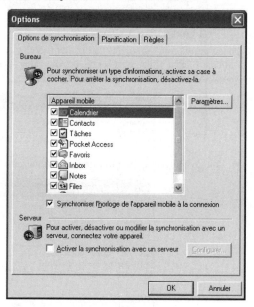

Chaque élément présenté dans la liste peut être activé ou désactivé. Certain d'entre eux peuvent être affinés par le bouton « Paramètres ».

La planification

Toujours au niveau des options, l'onglet *Planification* autorise la mise en place de paramètres de synchronisation.

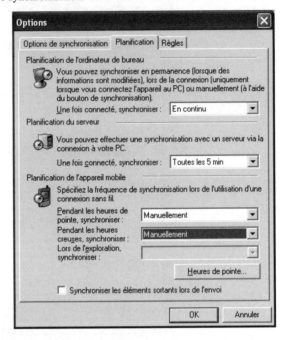

Les règles

Un certain nombre de règles seront établies en cliquant sur l'onglet *Règles* dans les options. Elles définissent des conventions pour la résolution des conflits, les conversions de fichiers et le transfert.

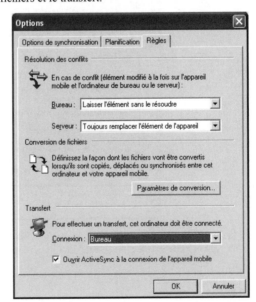

Le menu Outils

Dans ce menu, des outils supplémentaires sont disponibles. Ils permettent des gérer des sauvegardes et des restaurations d'un ensemble de fichiers et éléments, d'installer des logiciels supplémentaires sur votre PDA et d'importer ou d'exporter les tables de base de données.

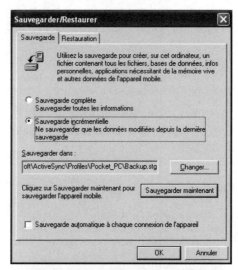

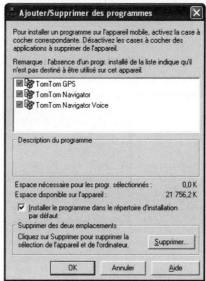

Atelier

Si vous disposez de deux machines et avez suivi tous les exercices de ce guide, vous pouvez maintenant jongler d'un système d'exploitation à l'autre.

Maintenant, optimisez votre parc informatique.

Cet exercice aura bien entendu plus d'efficacité si vous disposez de matériel et surtout des tas de choses à faire.

Exercice n° 1

Installez Windows XP Edition Familiale ou Professionnel sur une machine dédiée aux loisirs, au multimédia et à l'Internet. Éventuellement, gardez-en une deuxième pour un usage plus professionnel ou encore pour d'anciens logiciels.

Exercice n° 2

- Créez quelques comptes utilisateurs.
- Installez le pilote pour l'appareil photo numérique.
- Installez le logiciel dédié à son utilisation.
- Testez la lecture d'un DVD vers le téléviseur.

Exercice n° 3

- Munissez vous de tous les périphériques multimédias dont vous disposez. Testez chaque connexion et paramétrage.
- Dans la mesure du possible, testez également la télévision sur le PC et la lecture des Dvd-Rom sur la télévision.

Quiz

> • *Série de questions/réponses*

Question n° 1

L'architecture du système Windows XP est proche de celle de :

- ☐ Dos
- ☐ Windows 98
- ☐ Windows Me
- ☐ Windows 2000

Question n° 2

Les systèmes de fichiers supportés par Windows XP sont : - Attention, plusieurs réponses possibles

- ☐ FAT16
- ☐ FAT32
- ☐ NTFS
- ☐ HPFS

Question n° 3

L'installation de Windows XP se réalise obligatoirement à partir d'un disque dur vide.

- ☐ Vrai
- ☐ Faux

Question n° 4

Quel est le minimum nécessaire pour installer Windows XP en terme de disque dur et de mémoire RAM ?

❑ 2 Go d'espace disque et 128 Mo de RAM

❑ 1,5 Go d'espace disque et 64 Mo de RAM

❑ 5 Go d'espace disque et 64 Mo de RAM

❑ 1,5 Go d'espace disque et 32 Mo de RAM

Question n° 5

Qu'est-ce que l'activation de la licence ?

❑ Un élément pouvant être installé à partir du CD-Rom

❑ Une étape du programme d'installation

❑ Une tâche nécessaire à réaliser pour utiliser le système d'exploitation auprès des services Microsoft

Question n° 6

Les comptes utilisateurs permettent de personnaliser :

❑ Le Bureau

❑ Les données utilisateurs

❑ L'organisation du menu Démarrer

❑ Toutes les réponses

Question n° 7

L'enregistrement des références utilisateurs est obligatoire pour utiliser Windows XP.

❑ Vrai

❑ Faux

Question n° 8

Lors d'un problème de démarrage, quelle touche doit-on utiliser pour afficher les options avancées ?

❑ <F1>

❑ <F5>

❑ <F8>

❑ <F12>

Question n° 9

Avec quel outil peut-on créer des partitions de disque ?

❏ Le Panneau de configuration puis Gestion de l'ordinateur

❏ Un clic sur le bouton droit de la souris sur le poste de travail puis Créer une partition

❏ Le CD-Rom d'installation

❏ On ne peut pas créer de partitions

Question n° 10

Les périphériques numériques USB sont :

❏ Installés de façon permanente et nécessaire au démarrage de la machine

❏ Connectables/déconnectables à chaud

❏ Ne sont pas supportés par Windows XP

Question n° 11

Quels sont les paramètres de sécurité communs à Windows 2000 et Windows XP sur les dossiers NTFS ?

❏ Tous

❏ Aucun

❏ Seulement le cryptage et la compression

Question n° 12

Windows XP permet l'ouverture de session pour plusieurs utilisateurs.

❏ Vrai

❏ Faux

Question n° 13

Quels sont les outils multimédia intégrés à Windows XP ? – Attention, plusieurs réponses possibles

❏ Windows Media Player

❏ Windows Movie Maker

❏ Winzip

Question n° 14

Pour connecter un appareil photo numérique à votre ordinateur, il est nécessaire de passer par un connecteur USB ou FireWire.

❑ Vrai

❑ Faux

Question n° 15

La prise en charge de la lecture d'un DVD-Rom sur une télévision nécessite :

❑ Un écran possédant une prise péritel

❑ Une carte vidéo spécifique

❑ Un lecteur de DVD de salon

- *Mise en réseau*
- *Partage de ressources*
- *Connexion à Internet*
- *Partage de connexion Internet*
- *Les liaisons sans fil*
- *Les outils de Windows XP*

14

Le réseau et l'Internet sous Windows XP

Objectifs

Dans cet ouvrage, nous avons choisi de consacrer un chapitre entier à l'Internet. De plus en plus de foyers sont connectés et Windows XP inclut des outils spécifiques. Dans notre exemple, nous avons utilisé une ligne téléphonique classique et une connexion ADSL. Une grande partie de ce chapitre traite des connexions sans fil, qui trouvent dorénavant leur place dans le monde du grand public et des entreprises de petite taille.

Nous traitons également la mise en place d'un réseau domestique.

Contenu

Mise en place et utilisation du réseau

La connexion à l'Internet et la messagerie.

Le partage de connexion

Les liaisons sans fil.

Les outils de Windows XP

La mise en réseau

- *Installation du réseau*
- *Utilisation du réseau*

Installation du réseau

Dans le module consacré au matériel réseau, nous vous avons expliqué les principes de la mise en réseau. Nous prenons ici un exemple concret. Nous avons installé une carte réseau dans chacune des deux machines puis avons raccordé les poste à un hub au moyen de deux câbles dotés de connecteurs RJ45.

Maintenant, il faut configurer chaque poste au niveau de Windows pour qu'il puisse communiquer. Dans cet exemple, l'un exécute Windows 2000 et l'autre Windows XP.

Pour que le réseau fonctionne, vous devez paramétrer quatre éléments fondamentaux, exactement comme nous l'avons vu pour les systèmes d'exploitation précédents, à savoir :

- Une carte
- Un protocole
- Un client
- Un service

Paramétrage du réseau

Une fois la carte réseau installé et le câble raccordé, Windows XP va détecter votre carte réseau. Soit le système est capable de trouver le pilote seul, soit vous devrez l'installer manuellement au moyen d'un programme d'installation livrée avec la carte.

Ensuite, passez par le *Panneau de configuration* et cliquez sur l'icône *Réseau*.

Dans cet exemple, nous avons modifié les paramètres du protocole TCP/IP en choisissant de configurer les adresses manuellement.

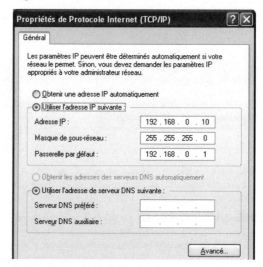

Notez que ces paramètres peuvent être différents si l'on utilise le partage de connexion dont on reparlera plus loin dans ce chapitre. Dans notre exemple, tous les postes sont configurés sur des adresses IP fixes car nous avons utilisé un routeur et un point d'accès sans fil pour l'accès à l'Internet.

Ceci explique la présence d'une adresse IP dans le paramètre *Passerelle par défaut*.

Nous vous expliquons dans le détail plus loin dans ce chapitre le mise en place d'une solution Internet passant par l'emploi d'un routeur.

Nom du poste de travail

Enfin, dans la dernière étape pour la mise en œuvre du réseau, vous devez donner un nom unique à votre ordinateur et l'intégrer dans un groupe de travail commun à tous les ordinateurs du réseau.

Pour cela, passez par le *Panneau de configuration* et l'icône *Système*. Sélectionnez ensuite l'onglet *Nom de l'ordinateur*.

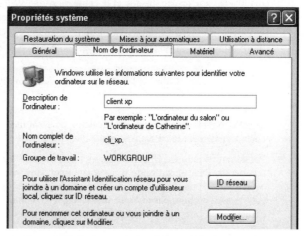

Cliquez éventuellement sur le bouton « Modifier » afin de régler les paramètres de la même façon que pour les autres ordinateurs.

En fin d'installation, chaque ordinateur aura un nom différent des autres et ils appartiendront tous à un même groupe de travail (ici *workgroup*).

En fin d'installation, vous devrez redémarrer l'ordinateur et ouvrir une session.

Utilisation du réseau

Maintenant que le réseau est mis en place, il ne reste plus qu'à mettre en œuvre son utilisation.

Partage des ressources

En fait, sous Windows XP, l'utilisation du réseau est simple. A la différence des versions précédentes, vous n'avez pas d'icône *Voisinage réseau* sur le Bureau.

Chaque utilisateur possède un dossier par défaut appelé *Documents partagés dans le poste de travail*. Il suffit de placer les données que vous souhaitez partager dans ce dossier.

Vous avez également la possibilité de partager un dossier ou un lecteur manuellement. Pour cela, cliquez avec le bouton droit de la souris sur le dossier et choisissez la commande *Partage et Sécurité*.

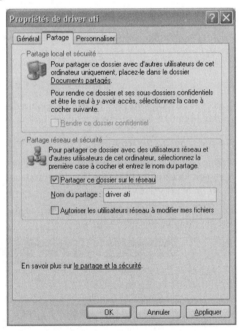

Cochez ensuite la case *Partager ce dossier sur le réseau* et donnez un nom de partage. Si vous souhaitez que d'autres utilisateurs puissent modifier vos fichiers et dossiers, cochez également la case correspondante.

Par défaut, Windows XP affiche une interface simplifiée pour le partage des ressources. Pour plus d'options, et notamment dans un environnement de domaine, il est possible de modifier cette interface et d'affiner les paramètres des partages. Pour cela, passez d'abord par le *Panneau de configuration* et l'icône *Option des dossiers* et désactivez l'option *Utiliser le partage de fichiers simple*.

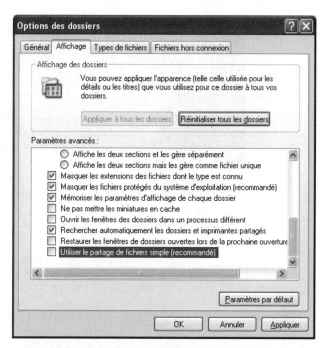

Une fois cette manipulation réalisée, l'interface du partage aura l'aspect suivant :

Accès aux ressources partagées

Au niveau du poste de travail, passez par le menu *Outils* et sélectionnez *Connecter un lecteur réseau.*

Cliquez ensuite sur « Parcourir » et validez sur la ressource réseau.

Puis cliquez sur « Terminer ». L'option *Se reconnecter à l'ouverture de session* vous évitera d'avoir à recommencer l'opération ultérieurement.

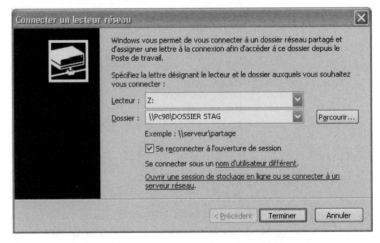

Au niveau du poste de travail, vous voyez maintenant vos lecteurs réseau.

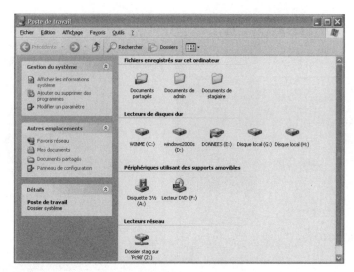

Attention, dans ces conditions d'utilisation, si un ordinateur du réseau est éteint et que vous avez connecté un lecteur réseau qui pointe sur celui-ci, ce lecteur sera désactivé pour la session. Une croix rouge indiquera que le lecteur est non disponible. Si l'ordinateur source est allumé entre temps, le lecteur réseau redeviendra actif.

La connexion à l'Internet

- *Configuration de l'accès à l'Internet*
- *La messagerie électronique*
- *Le partage de connexion*
- *Les liaisons sans fil*

Configuration de l'accès à l'Internet

Si vous possédez une connexion Internet, vous aurez le choix entre deux types d'installation dont l'une entièrement automatisée souvent proposée par votre fournisseur d'accès Internet. Cette solution, la plus simple, exécutera les actions suivantes :

- Installation et détection du modem.
- Installation du kit de connexion du fournisseur d'accès.
- Paramétrage de la numérotation.

N'oubliez pas qu'il faudra vous munir des informations concernant votre compte Internet, c'est-à-dire votre « login », votre mot de passe et votre adresse Email.

Cette solution est à envisager lorsque vous venez de recevoir un kit complet. Si vous possédez déjà une connexion et que vous venez d'installer Windows XP, vous pouvez également suivre une procédure manuelle. Nous vous la présentons maintenant.

Installation du modem

Suivant votre type de connexion, la marque et le modèle, la détection automatique de votre modem peut être réalisée par le système d'exploitation. Dans ce cas, vous n'aurez pas à intervenir. Si votre modem n'est pas reconnu par Windows XP, vous devrez installer le pilote en passant par le Panneau de configuration ou en utilisant le programme d'installation fourni par le constructeur du modem.

Configuration de la connexion

Windows XP vous fournit un assistant qui vous aidera à configurer votre connexion. Vous devrez préciser les informations suivantes :

- Numéro de téléphone à composer.
- Nom d'utilisateur.
- Mot de passe.
- Adresse IP des serveurs DNS primaire et secondaire de votre fournisseur d'accès.

Pour lancer l'assistant, passez par le menu *Démarrer –Tous les programmes – Accessoires – Communication – Assistant nouvelle connexion.*

Cliquez ensuite sur le bouton « Suivant ». Le programme vous posera un certain nombre de questions.

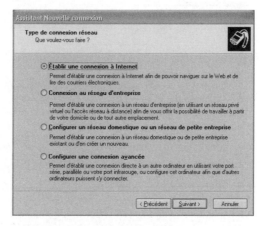

Choisissez *Établir une connexion Internet*, puis cliquez sur « Suivant ».

Dans cet exemple, nous vous proposons de configurer manuellement votre connexion. Cliquez sur « Suivant ».

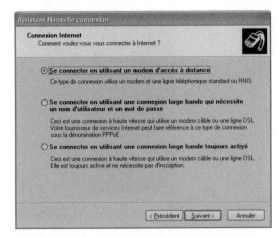

Choisissez ici l'option *Se connecter en utilisant un modem d'accès à distance*, cliquez sur « Suivant ».

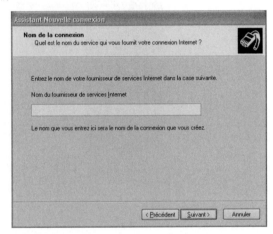

Le programme vous demande d'entrer un nom pour votre connexion. Choisissez un nom convivial pour identifier la connexion.

Ici, il vous faut entrer le numéro de téléphone à composer, cliquez ensuite sur le bouton « Suivant ».

Remplissez les paramètres de votre compte chez votre fournisseur d'accès et Choisissez les options. Ici, on gardera les trois, puis cliquez sur « Suivant ».

Vous pouvez ajouter un raccourci sur le Bureau. Cliquez sur « Terminer ». L'assistant a terminé son travail. Il vous reste maintenant à paramétrer les paramètres réseau de votre connexion.

Passez par le *Panneau de configuration* et cliquez sur le lien *Connexion réseau et Internet* puis choisissez *Configurer ou modifier votre connexion.*

Au niveau de l'onglet *Gestion de réseau*, sélectionnez le protocole TCP/IP et cliquez sur le bouton « Propriétés ».

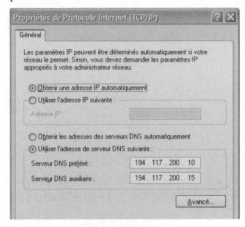

Saisissez ici les adresses IP des serveurs DNS de votre fournisseur d'accès et validez avec « OK ».

Configuration de la messagerie électronique

Au démarrage de Outlook Express, un assistant vous propose de configurer votre messagerie. Cet assistant se lance automatiquement lorsque vous optez pour le paramétrage via le kit de connexion de votre fournisseur d'accès.

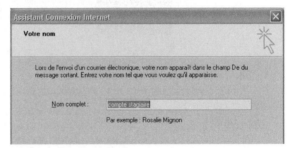

Dans ce premier écran, saisissez un nom convivial et cliquez sur le bouton « Suivant ».

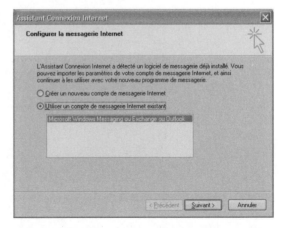

Dans cette fenêtre, choisissez l'option *Créer un nouveau compte de messagerie Internet* puis cliquez sur « Suivant ».

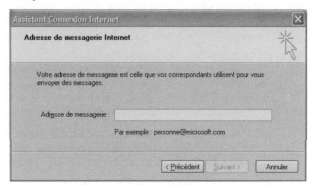

Ici, saisissez votre adresse Email complète et cliquez sur « Suivant ».

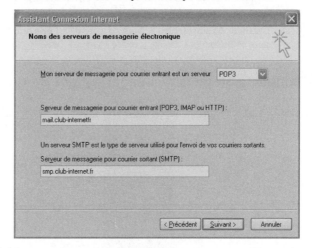

Saisissez ici les noms de serveurs de courrier entrant et sortant de votre fournisseur d'accès.

Enfin, et ce sera votre dernière étape, saisissez les paramètres de votre compte chez votre fournisseur d'accès.

Le partage de connexion

Nous avons traité dans cet ouvrage des éléments nécessaires à la mise en réseau. Nous partons donc ici du principe qu'une carte réseau est installée correctement. Lors de l'installation de Windows XP, nous avions choisi de paramétrer avec une adresse IP fixe.

Ce système d'exploitation dispose d'un assistant pratique qui vous permettra de configurer le réseau et le partage de connexion d'un seul coup. Vous pouvez cependant ajuster les paramètres du réseau local en passant par le *Panneau de configuration* et le lien *Connexion réseau et Internet*.

Nous vous présentons ici l'assistant. Dans cet ouvrage, nous partons du principe de Windows XP est le poste sur lequel est installée la connexion Internet. Un autre ordinateur du réseau équipé de Windows 98 Se ou supérieur se connectera via le partage de connexion.

Utilisation de l'assistant réseau domestique

Si vous venez juste d'installer une carte réseau, une alerte vous proposera de configurer votre réseau. Si la carte a été installée avant le système d'exploitation, vous pouvez retrouver l'assistant par le *Panneau de configuration* en cliquant sur le lien *Connexion réseau et Internet*, puis choisissez *Configurez ou modifiez votre réseau domestique ou votre réseau d'entreprise de petite taille*.

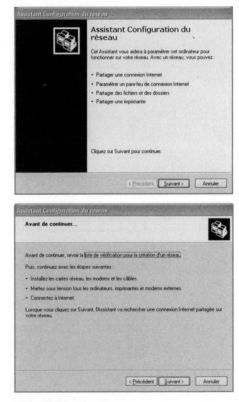

L'assistant démarre et va vous guider.
Cliquez maintenant sur le bouton « Suivant ». Une liste d'éléments que vous devez vérifier apparaît. Cliquez à nouveau sur « Suivant ».

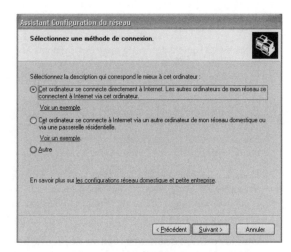

Dans le cas où Windows XP sert de serveur de connexion, choisir la première option, cliquez sur « Suivant ».

Sélectionnez ici l'icône qui représente votre connexion Internet, puis « Suivant ».

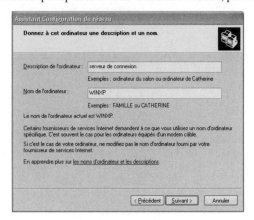

Dans ce dialogue, entrez un nom d'ordinateur et une description. L'étape suivante consiste à entrer le nom d'un groupe de travail.

Dans la fenêtre suivante, vous pouvez vérifier les paramètres. S'ils conviennent, cliquez sur « Suivant », le système prépare alors votre réseau.

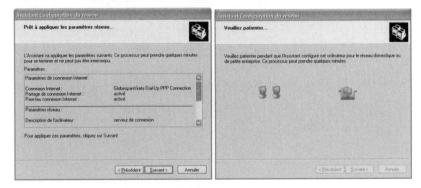

Création d'une disquette client

Le programme vous propose ensuite de créer une disquette pour les autres ordinateurs de votre réseau. Celle-ci pourra être utilisée sous Windows 98, Windows 98Se, Windows Me ou Windows XP. Elle contient un programme exécutable appelé *netsetup.exe*.

Une fois toutes les fenêtres fermées, il est possible que votre système redémarre. Vous pouvez visualiser les paramètres de votre réseau par :

menu *Démarrer – Connexions* et choisissez *Afficher toutes les connexions*, faites un double-clic sur l'icône de connexion au réseau local et choisissez *Propriétés* pour vérifier son état.

L'onglet *Prise en charge* permet d'afficher des informations de configuration de la connexion.

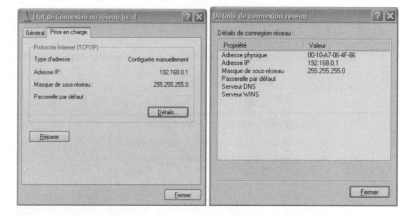

Les routeurs sans fil

Une autre méthode de partage de connexion plus souple et plus évoluée consiste à utiliser un routeur. Nous avons vu dans la partie hardware de ce guide qu'il existe plusieurs types de routeurs. Celui que nous avons choisi intègre plusieurs fonctions que nous vous rappelons :

- Routeur
- Modem ADSL
- Point d'accès sans fil
- Hub

Après avoir assemblé le matériel comme nous vous l'avons expliqué, il ne reste plus qu'à paramétrer le routeur et l'ordinateur équipé d'une carte d'accès sans fil.

Configuration de connexion du routeur

Ces équipements d'aujourd'hui sont relativement simples à paramétrer. Il suffit de lancer Internet Explorer et de saisir son adresse IP par défaut.

```
http://192.168.0.1
```

une page d'accueil demandant un nom d'utilisateur et un mot de passe vous permettra de vous connecter au routeur. Ces informations vous sont fournies avec le matériel, il est fortement recommandé de modifier le mot de passe du compte « ADMIN » une fois les réglages terminés.

Un outil est disponible dans la prise en main du routeur pour réaliser le changement de mot de passe.

Le menu situé sur la partie gauche de la fenêtre de navigation vous offre la possibilité de paramétrer les options une à une ou bien d'utiliser un assistant. La partie centrale sera employée pour modifier la configuration. La partie droite offre une aide adaptée à l'écran en cours de visualisation. Un assistant est proposé.

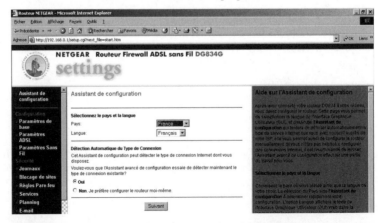

Nous opterons pour une configuration manuelle. Les paramètres ADSL sont visibles sur cette capture d'écran. Chaque option dépend de votre fournisseur d'accès.

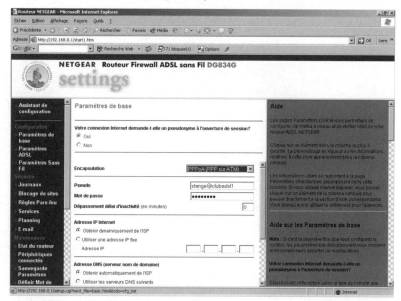

On peut voir ici que le fournisseur fournira une adresse IP unique pour la connexion. On entrera également ici les informations de compte d'accès à l'internet. D'autres paramètres comme la numérotation sont visibles sur la capture suite.

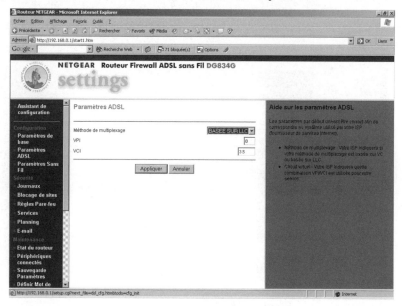

Dans celle-ci, on peut choisir d'entrer manuellement les adresses IP des serveurs DNS de votre fournisseur d'accès, ou de laisser le DHCP intégré les trouver automatiquement.

Nous avons testé les deux solutions, elles fonctionnent aussi bien l'une que l'autre. Il s'agit donc d'une question de choix.

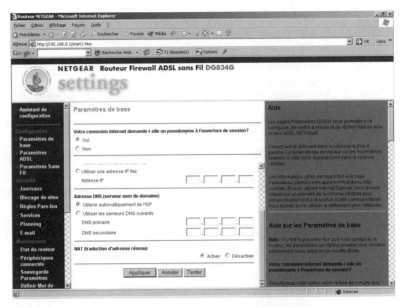

Il faut ensuite se préoccuper des paramètres sans fil. La capture suivante vous permettra d'en visualiser un exemple. Nous avons choisi d'activer les normes b et g afin d'obtenir un maximum de compatibilité avec les cartes d'accès sans fil des ordinateurs clients.

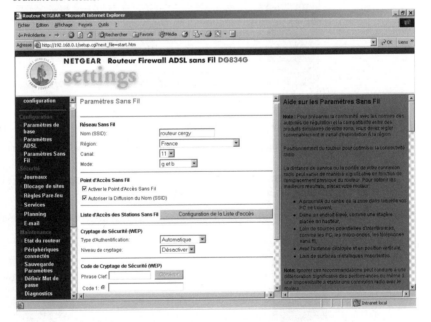

Les paramètres TCP/IP

L'intérêt d'un tel équipement est qu'il intègre un servie DHCP complet. Au niveau des ordinateurs recevant l'accès à l'Internet, il suffit de laisser les paramètres automatiques activés. Le routeur attribut automatiquement une configuration IP à chaque machine qui se connecte et reçoit du fournisseur d'accès une adresse IP unique.

Cependant, vous pouvez également opter pour une configuration manuelle de certaines machines. Dans cet exemple, une des deux machines a été configurée manuellement avec les paramètres suivants :

- Adresse IP : 192.168.0.2
- Masque de sous réseau : 255.255.255.0
- Passerelle par défaut : 192.168.0.1 (adresse IP du routeur).

Pour les autres ordinateurs, le routeur intègre un outil autorisant le paramétrage de TCP/IP. Notez également que des réservations d'adresses peuvent être réalisées.

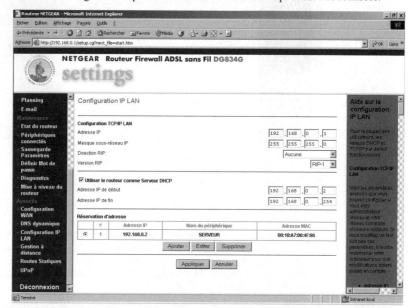

Note : certains fournisseurs d'accès ou petites entreprises offre un accès au moyen d'un serveur Proxy. Si c'est le cas, renseignez les paramètres de connexions au niveau des paramètres LAN d'Internet Explorer

Des outils de diagnostics et d'informations sur les machines actuellement connectés faciliteront le dépannage.

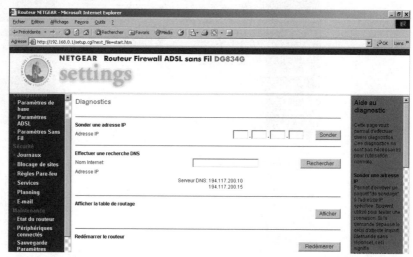

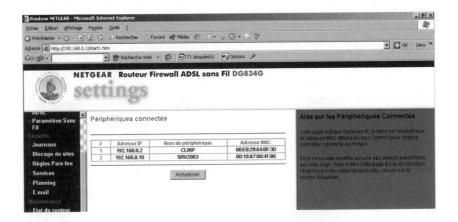

Les paramètres de sécurité

Ce routeur contient des outils servant à mettre en œuvre la sécurité du trafic. Ils s'orientent autour des éléments suivants :

- Limiter l'accès aux machines sans fil.
- Sauvegarde des paramètres dans un fichier.
- Les fonctions de pare-feu.
- Contrôler de la gestion à distance.

Notez bien que si vous régler les paramètres de sécurité au niveau du routeur, l'activation du pare-feu de Windows XP sur les ordinateurs est inutile. En effet, ces règles s'appliquent à l'ensemble des machines connectées via le routeur.

Limiter l'accès aux stations

Pour limiter l'accès aux machines sans fil, activez l'option *activer le contrôle d'accès* et déclarez les machines équipées de points d'accès sans fil qui pourront être prise en charge par le routeur.

Dans cette fenêtre, vous pouvez également visualiser les stations actuellement connectées.

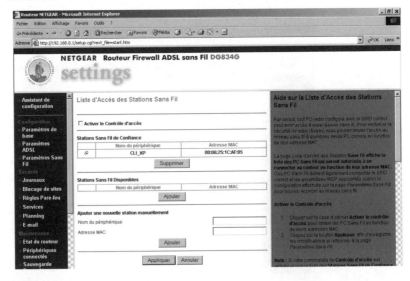

Sauvegarde de la configuration

Cet outil peut s'avérer d'un grand secours. Lorsque le routeur est configuré et que les connexions fonctionnent correctement, il est possible de sauvegarder la configuration dans un fichier. Celui-ci pourra ensuite être importé en cas de perte de paramètres et d'erreurs au niveau du routeur.

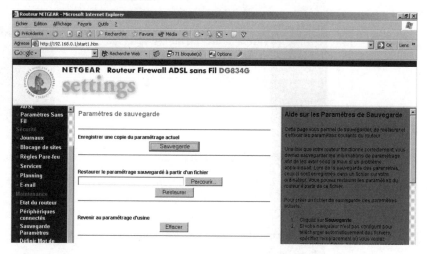

Les fonctions de pare-feu

Le pare feu est l'une des fonctions primordiales du routeur. Un pare-feu permet de bloquer le trafic entrant en direction des ordinateurs du réseau. Il prévient contre de nombreuses attaques du réseau en provenance de l'Internet.

L'avantage de mettre en oeuvre un pare-feu sur le routeur est qu'il est disponible pour tous les ordinateurs du réseau.

Le pare-feu se paramètres suivant deux principes sur les paquets entrant et sortants :

- Bloquer tout trafic entrant excepté certains services.
- Autoriser le trafic entrant excepté certains services.

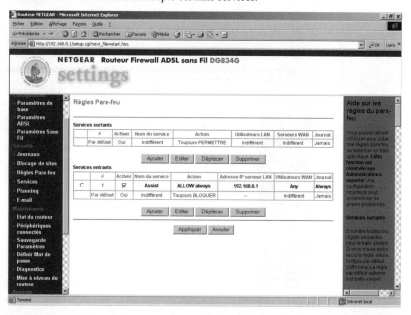

Dans notre exemple, tout le trafic entrant est bloqué, sauf un service que nous avons créé et appelé *Assist*. Celui-ci laissera passer le flux destiné au service d'assistance à distance dont nous vous parlons un peu plus loin dans ce chapitre. Par contre, tout le trafic sortant est autorisé.

Cette interface autorise la création de service personnalisé. Lorsque vous souhaitez insérer un service spécifique dans le pare-feu, par exemple pour une application, il faudra d'abord créer le service et l'activer ensuite au niveau des règles du pare-feu.

D'autres fonctions comme le contrôle de la commande PING, ou le balayage des ports TCP/IP sont disponible.

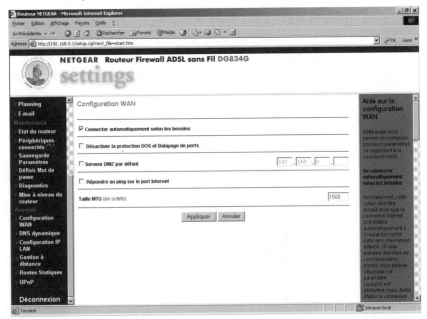

Contrôler de la gestion à distance

Ce type d'équipement offre également la possibilité de le gérer à distance. Nous avons vu que l'adresse IP du routeur est utilisée dans une fenêtre Internet Explorer pour la configuration. La gestion à distance repose sur le même principe mais avec une autre adresse IP.

En fait, au moment de la connexion au fournisseur d'accès, vous recevez une adresse IP pour un temps donné. Certains fournisseurs sont malgré tout en mesure de vous fournir la même adresse pendant un temps déterminé.

Pour activer la gestion à distance, vous devez connaître cette adresse et compléter l'URL dans Internet explorer comme suit :

```
http://212.195.167.122:8080
```

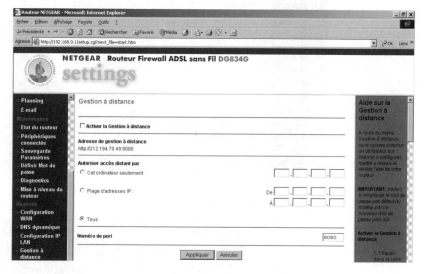

Configuration du point d'accès

Maintenant que le routeur et les postes en réseau filaire sont paramétrés, il nous reste à installer et configurer le point d'accès sans fil. Nous vous avons décrit dans ce guide les principes de la communication sans fil. Nous nous consacrons maintenant au paramétrage de la station.

Une fois la carte installée et l'ordinateur allumé, Windows détecte un nouveau périphérique et vous propose de rechercher le pilote. Comme pour les autres périphériques, il est également possible d'installer le pilote au moyen d'un programme fourni par le constructeur

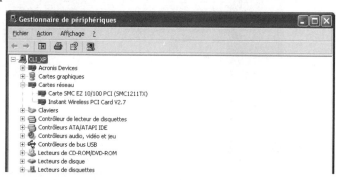

Détection du réseau sans fil

Lors de l'installation du pilote, un programme a été paramétré pour démarrer automatiquement et se situe dans la barre des tâches. Il permet de modifier ou de visualiser les paramètres d'accès au réseau.

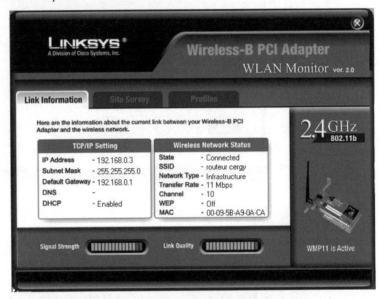

Si la connexion n'est pas active ou que les paramètres TCP/IP ne sont pas correctes, cliquez sur l'onglet *Profiles*.

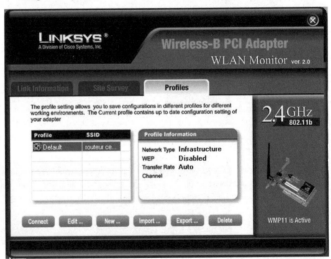

Cliquez sur le profile par défaut puis sur le bouton « Edit ». Un assistant démarre et vous aide à paramétrer le point d'accès.

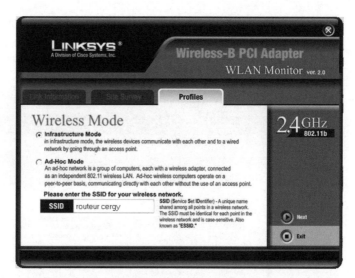

Commencez par définir le mode de fonctionnement du point d'accès et donner un SSID comme sur le routeur.

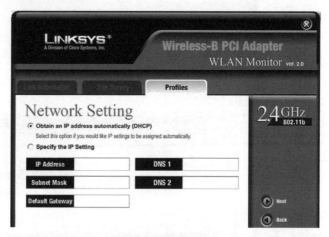

Définissez ensuite les paramètres du protocole TCP/IP.

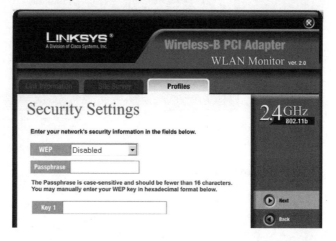

Ici, l'assistant vous propose de régler les paramètres de sécurité définis sur le routeur.

Confirmer ensuite les deux dernières étapes pour activer les modifications.

Paramétrage sous Windows XP

Au niveau du dossier *Connexion réseau* du *Panneau de configuration*, vous devez trouver une icône désignant la connexion sans fil.

Faites un clic avec le bouton droit de la souris dessus et choisissez la commande *Propriétés*.

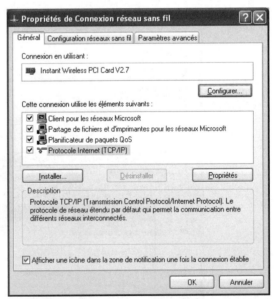

Vous trouverez une interface classique de configuration d'une connexion à l'Internet avec un onglet supplémentaire. Les paramètres TCP/IP sont laissés en mode d'adressage automatique.

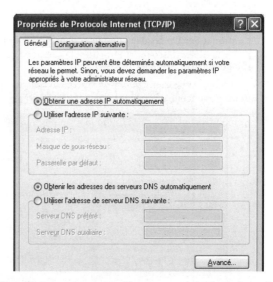

Au niveau de l'onglet *Paramètres sans fil*, vous trouverez des informations identiques à celles déterminées par l'assistant de détection du réseau dans fil.

Le bouton « Configurer » affiche les options de sécurité et le nom du SSID

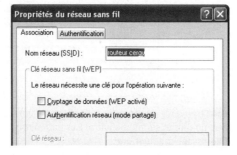

Note : dans les deux interfaces, les informations sont identiques. En fait, il s'agit d'un choix de la méthode de travail. Vous pouvez utiliser l'une ou l'autre indifféremment.

Contrôle de la liaison

La encore, deux outils sont proposés pour surveiller la qualité de la ligne. Vous pouvez utiliser l'assistant fourni avec la carte ou l'icône Windows XP de la barre des tâches.

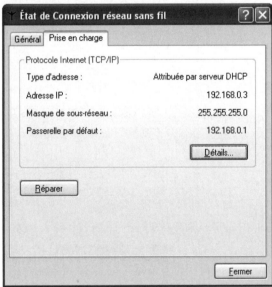

Les outils de Windows XP

- *Les paramètres d'Internet Explorer*
- *Le pare-feu*
- *L'assistant bureau à distance*

Les paramètres d'Internet Explorer

Avant de vous connecter, vous devrez renseigner Internet Explorer sur les méthodes de connexion. Exécutez Internet Explorer. Dans le menu *Outils*, sélectionnez la commande *Options Internet*.

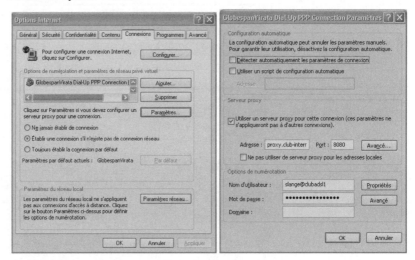

Activez l'onglet *Connexion*, sélectionnez la connexion et cliquez sur le bouton « Paramètres ». Vous devez trouver ou compléter les trois éléments :

- Compte utilisateur.
- Mot de passe.
- Nom du serveur Proxy et port IP.

Notez que le serveur Proxy n'est pas toujours nécessaire. Cela dépend de votre fournisseur d'accès ou des paramètres réseau de l'entreprise.

Les autorisations d'accès

Internet Explorer permet de gérer le refus ou l'autorisation d'accès à certains sites. Il prend également en charge la protection des règles établies en les protégeant par un mot de passe. De nombreuses options sont disponibles. Pour les vialiser, déroulez le menu *Outils* d'Internet Explorer et choisissez la commande *Options*. Activez ensuite l'onglet *Contenu*.

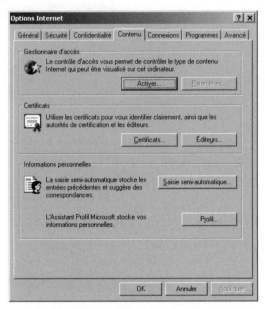

Cliquez ensuite sur le bouton « Activer ». De nombreux paramètres peuvent être mis en place.

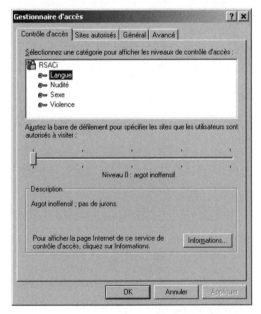

Le pare-feu

L'internet est un outil formidable, mais ces dernières années on note qu'il y a de plus en plus d'intrusions sur les ordinateurs connectés à l'Internet. Jusqu'à maintenant, on devait utiliser des outils spécifiques pour protéger les ordinateurs.

Windows XP intègre un pare-feu capable de travailler exactement comme ces outils spécifiques. Pour activer le pare-feu, afficher les P*ropriétés* de votre connexion Internet, puis cliquez sur l'onglet *Avancé*.

Cliquez sur le bouton « Paramètres ».

Puis, si vous cochez l'option *Activé*, tous les moyens d'accéder à votre ordinateur par l'Internet sont bloqués.

Attention, dans notre exemple, nous sommes partis de la solution « partage de connexion Internet ». Notez que nous retrouvons les paramètres de partage de connexion dans cet onglet. Chaque ordinateur devra se protéger individuellement en activant le pare-feu.

Cependant, certains sites fonctionnant sur des échanges de fichiers nécessitent l'installation d'un logiciel spécifique. Dans ce cas, vous devrez passer par le l'onglet *Exceptions* pour débloquer certains accès nécessaires. Nous vous présentons tout de suite après un exemple précis de paramétrage affiné.

Dernier point, dans le cas de l'utilisation d'un routeur, n'oubliez pas que ce type de protection peut être mis en place directement au niveau du routeur. Cela rend le contrôle de la sécurité plus souple et plus facile à gérer.

L'assistant bureau à distance

Parmi les nouveautés proposées par Windows XP, cet outil est probablement le plus intéressant dans l'environnement Internet. En effet, à travers une connexion à l'Internet, vous pourrez aider quelqu'un ou vous faire aider par quelqu'un à distance.

L'ordinateur assisté est directement piloté par l'expert à distance. Cela offre des solutions de dépannage innombrable. Il est également possible, comme nous le verrons de dialoguer à travers des messages ou encore d'envoyer des fichiers vers l'ordinateur distant.

Installation de l'assistance à distance

Au niveau des deux machines, la votre et celle d'un utilisateur distant connecté à l'Internet, vous devez activer cette fonction. Dans une utilisation normale, il suffit de le faire du côté de celui qui a besoin d'aide. Cependant, afin d'être précis, nous avons choisi de le mettre en œuvre dans les deux sens.

Pour installer le composant, passer par le panneau de configuration puis choisissez l'icône *Ajout/suppression de programmes*. Activez ensuite le volet *Ajouter/supprimer des composants Windows*.

Au niveau des options *Service Internet (IIS)*, cliquez sur le bouton « Détails ».

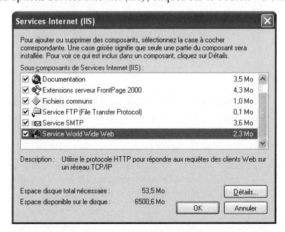

Au niveau des options *Word Wide Web*, cliquez à nouveau sur le bouton « Détails ».

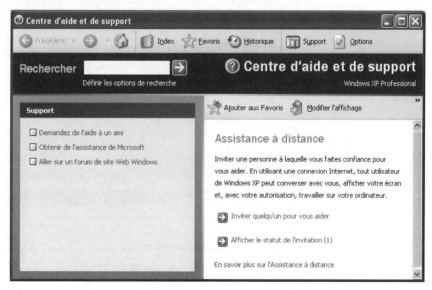

A ce niveau la, cochez l'option *Connexion Web au bureau à distance*. Après la phase de copie des fichiers, validez avec le bouton « Terminer ».

Envoi d'une invitation

Pour demander de l'aide, vous devrez envoyer une invitation à l'autre personne. Vous pouvez utiliser un compte de messagerie classique ou bien un compte de type Messenger.

Pour lancer l'assistance à distance, passer par *Démarrer – Tous les programmes – Assistance à distance*.

A partir du centre d'aide, cliquez sur le lien *Inviter quelqu'un pour vous aider*.

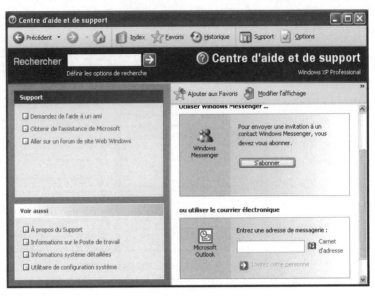

Entrez une adresse e-mail ou encore une adresse valide pour Messenger. En bas de la fenêtre, cliquez sur le lien envoyer l'invitation.

A la suite, des options vous sont proposées. Vous pouvez donner un nom, protéger votre invitation par un mot de passe que vous devrez communiquer à votre correspondant et en limiter le temps de validité.

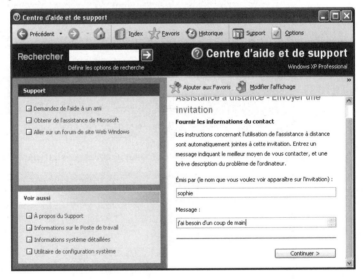

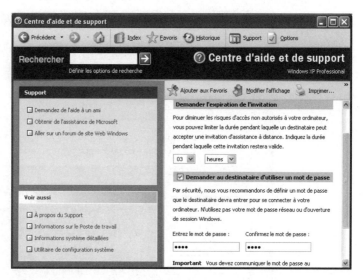

Recevoir une invitation

En se plaçant du côté de l'expert, l'invitation arrive sous la forme d'un Email contenant une pièce jointe.

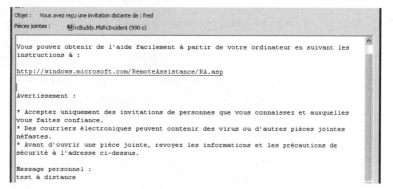

Lorsque vous ouvrez la pièce jointe, un message s'affiche à l'écran.

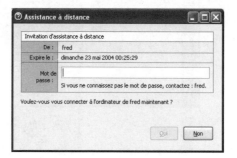

Ici, vous devez entrer le mot de passe que le débutant vous a communiqué. Attention, dans la plupart des cas, si vous saisissez le mot de passe dans le texte de l'e-mail, il circulera à travers Internet non crypté, et pourra donc être intercepté. Une fois validé, Votre correspondant reçoit un message pour confirmer l'invitation.

Lorsque votre interlocuteur clique sur le bouton « Oui », une interface se lance, vous permettant de communiquer par message avec votre interlocuteur.

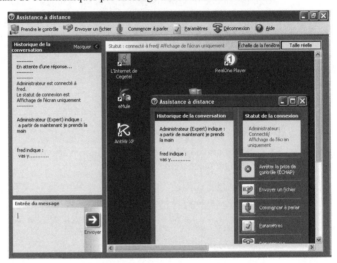

Après une communication par message, cliquez sur le bouton « Prendre le contrôle » pour prendre la main sur le poste distant.

Un message est envoyé à l'utilisateur distant pour qu'il accepte la prise de contrôle.

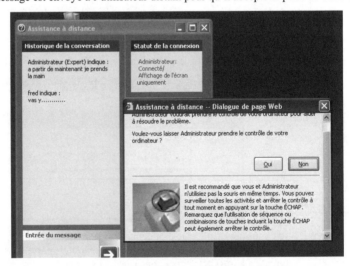

Une fois que votre correspondant a cliqué sur le bouton « Oui », un message vous le confirme.

Vous pouvez maintenant manipuler l'ordinateur distant comme si vous étiez dessus. Votre interlocuteur visualise tout ce qui vous faites à l'écran.

Le pare-feu

Cette remarque est très importante, par défaut si vous avez activé cette protection, l'assistance à distance ne fonctionnera pas. Pour débloquer ce service, retournez dans les paramètres de connexion Internet.

Cliquez ensuite sur le bouton « Paramètres », », choisissez l'onglet *Exceptions* et cochez les services que vous souhaitez utiliser. Notez que les trois premiers sont utiles à l'assistance à distance.

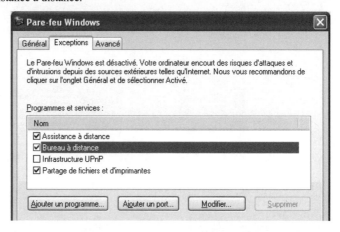

Atelier

Ceci est la dernière page d'exercice de ce guide. Nous allons nous consacrer à la mise en réseau et à la mise en œuvre de l'Internet.

Exercice n° 1

Procurez-vous un kit de mise en réseau si possible et réalisez les tâches suivantes :

- Création d'un réseau sur deux postes en Workgroup.
- Test de partage de dossiers et de l'imprimante.

Exercice n° 2

En fonction du matériel dont vous disposez, installez l'Internet

- Installez votre modem et votre connexion Internet.
- Paramétrez votre compte de messagerie.
- Partagez votre connexion Internet.
- Paramétrez une connexion sans fil entre un routeur et un point d'accès
- Mettez en place les paramètres de pare-feu du routeur.
- Configurez ensuite le poste client.

Exercice n° 3

Trouvez un binôme connecté à l'Internet et testez la mise en œuvre de l'assistance à distance.

Quiz

- *Série de questions/réponses*

Question n° 1

Quel est l'outil le plus simple à utiliser pour réaliser un réseau domestique et un partage de connexion ?

❑ L'assistant réseau domestique

❑ La configuration manuelle du réseau

❑ Windows XP ne prend pas en charge la gestion du réseau

Question n° 2

Windows XP peut intégrer un groupe de travail composé de :

❑ Tout type de PC

❑ Machines Windows XP uniquement

❑ Machines Windows 2000 uniquement

Question n° 3

Sous Windows XP, le protocole TCP/IP est configuré par défaut en :

❑ Adressage automatique

❑ Adressage manuel

Question n° 4

Quels systèmes d'exploitation intègrent l'outil de partage de connexion ? – attention plusieurs réponses possibles

❑ MS-DOS

❑ Windows 95

❑ Windows 98 Se

❑ Windows Me

❑ Windows 2000 Pro

❑ Windows XP

Question n° 5

Où trouve t-on les paramètres de connexion Internet sous Windows XP ?

❑ Démarrer – Connexion

❑ Démarrer – Internet Explorer

❑ Panneau de configuration – icône Système

❑ Panneau de configuration – icône Option des dossiers

Question n° 6

Le partage de connexion Internet nécessite ?

❑ Deux modems

❑ Une connexion réseau

❑ Deux abonnements à un fournisseur d'accès

Question n° 7

Le pare-feu pour la protection Internet peut être :

❑ Activé

❑ Désactivé

❑ Paramétré avec certaines options

❑ Toutes ces réponses

Question n° 8

Dans le cas d'une mise en œuvre d'un accès à l'Internet par l'intermédiaire d'un routeur, celui-ci sera vu par les ordinateurs comme :

❑ Un serveur de connexion

❑ Un proxy

❑ Une passerelle par défaut

Question n° 9

Lorsqu'un routeur intègre également la fonction de pare-feu, quel principal avantage en tire-t-on ?

☐ Cela coûte moins cher

☐ Le contrôle centralisé

☐ Cela ne présente pas d'avantages

Question n° 10

Lors de l'insertion d'une carte d'accès sans fil sur un ordinateur, quels sont les deux modes de fonctionnement que l'on peut paramétrer ?

☐ Personnalisé

☐ Ad'hoc

☐ Monostructure

☐ Infrastructure

Question n° 11

Si l'on dispose d'une connexion à l'Internet par l'intermédiaire d'un modem, on ne peut pas protéger l'ordinateur avec un pare-feu ?

☐ Vrai

☐ Faux

Question n° 12

Le service d'assistance à distance nécessite de paramétrer les options de quel élément ?

☐ Le pare-feu

☐ Le modem

☐ Les options d'Internet Explorer

Annexe A:
Réponses aux Quiz

Contenu

Vous trouverez dans cette annexe les réponses aux quiz proposés à la fin de chaque chapitre.

Quiz chapitre 1

Question n° 1

En quelle année le PC de type AT a été mis au point ?

☐ 1978

☑ **1981**

☐ 1983

☐ 1984

Question n° 2

Que devez-vous faire lorsque vous intervenez sur un circuit électrique ? Attention, plusieurs réponses possibles.

☑ **Enlever tous vos bijoux**

☐ Couper l'alimentation électrique générale

☑ **Débrancher les alimentations des équipements**

☐ Changer les fusibles existants contre des plus puissants

☑ **S'assurer d'avoir la qualité requise**

Question n° 3

En France, quel est le courant utilisé pour l'alimentation domestique ?

☐ 110/120 CC

❑   110/120 CA

❑   220/240 CC

☑   **220/240 CA**

Question n° 4

Pour éviter les décharges électrostatiques, où doit-on brancher un bracelet antistatique ?

❑   A sa ceinture

☑   **Vers une prise de mise à la terre**

❑   Vers l'unité centrale

❑   Au sol

Question n° 5

Quel est l'élément responsable de l'accumulation d'une charge électrique importante dans un moniteur ?

❑   Un fusible

☑   **Un condensateur**

❑   Un rayon laser

❑   Une alimentation

Question n° 6

Une source lumineuse doit être réglée à l'aide d'une caméra infrarouge.

☑   **Vrai**

❑   Faux

Question n° 7

Quels sont les paramètres qui déterminent les caractéristiques d'une UPS ? Attention, plusieurs réponses possibles.

☑   **La classe de puissance (VA)**

☑   **Le temps de fonctionnement**

☑   **Charge totale des composants connectés**

☑   **La présence d'un port série**

❑   La présence d'un port parallèle

Question n° 8

Avec quel outil devez-vous nettoyer un clavier sali ?

- ☐ Une bombe à air comprimé
- ☐ Un chiffon et du détergent ménager
- ☑ **Un chiffon et un nettoyant adapté**
- ☐ Aucune de ces réponses

Question n° 9

Comment appelle t-on le processus consistant à démonter, dépolluer et recycler le vieux matériel informatique ?

- ☐ Le désassemblage
- ☑ **La revalorisation**
- ☐ Le marché de la pièce détachée

Question n° 10

Les composants informatiques font partie de quelle catégorie de déchets ?

- ☑ **IEEE**
- ☐ DDEE
- ☐ DDIE
- ☐ DEEE

Quiz chapitre 2

Question n° 1

Que signifie l'abréviation POST ?

- ☑ **Power On Self Test**
- ☐ Power Off Self Test

Question n° 2

Lorsque l'autotet est terminé, un bip court indique que :

- ☐ Le système d'exploitation est chargé
- ☐ Il y a un problème sur la mémoire RAM
- ☑ **L'autotest a été réalisé avec succès**

❏   Un périphérique système est inconnu

Question n° 3

A la mise en route du PC, un message d'erreur indique "Keyboard Error", que doit-on faire ? Attention, plusieurs réponses possibles.

☑   **Mettre hors tension le PC**

☑   **Vérifier la connexion du clavier**

❏   Vérifier les câbles d'alimentation

❏   Relancer l'ordinateur à l'aide de Ctrl + Alt + Suppr

☑   **Rallumer le PC une fois les vérifications effectuées**

Question n° 4

Tous les ordinateurs possèdent les mêmes cartes d'extension ?

❏   Vrai

☑   **Faux**

Question n° 5

Lorsqu'une unité centrale n'est pas correctement ventilée, que peut-il se passer ? Plusieurs réponses possibles.

❏   Le PC peut prendre feu

❏   Il ne se passe rien

☑   **Les programmes ne fonctionneront pas correctement**

☑   **Certaines erreurs matérielles peuvent être décelées par le POST**

Question n° 6

Chaque fournisseur de Bios possède son programme de configuration CMOS.

☑   **Vrai**

❏   Faux

Question n° 7

Le Bios et l'autotest permettent de configurer les périphériques d'entrées/sorties de manière permanente.

❏   Vrai

☑   **Faux**

Question n° 8

Quel est le rôle du Bios ? Attention, plusieurs réponses possibles.

☑ **Assurer la compatibilité IBM du PC**

☐ Charger les pilotes de périphérique

☑ **Contrôler les fonctions de base du PC**

☑ **Contrôler les fonctions entrées/sorties du PC**

☐ Assurer les échanges de données entre la mémoire et les éléments installés

☐ Faire tourner l'horloge

☑ **Charger le système d'exploitation**

☑ **Lancer le test POST**

Question n° 9

Le setup est un programme qui permet de :

☐ Installer les pilotes de périphérique

☑ **Régler les paramètres du PC au démarrage**

☐ Charger le système d'exploitation

Question n° 10

Les messages d'erreur sont issus du système d'exploitation et apparaissent lorsque celui-ci n'est pas correctement installé.

☐ Vrai

☑ **Faux**

Question 11

Parmi la liste suivante, quel sigle fait référence à une batterie d'ordinateur portable ?

☐ Ni-Port

☑ **Ni-Cad**

☐ La-Li

Quiz chapitre 3

Question n° 1

La CMOS RAM se trouve sur :

- ☑ **La carte mère**
- ☐ Le processeur
- ☐ Une carte d'extension

Question n° 2

Le processeur régule le flux d'informations en provenance et à destination des différentes pièces du PC par :

- ☐ L'alimentation
- ☐ La mémoire
- ☑ **Le bus**

Question n° 3

Le bus PCI est un bus :

- ☑ **Local**
- ☐ Classique
- ☐ Externe

Question n° 4

Avec un bus EISA on peut insérer des cartes :

- ☐ EISA uniquement
- ☐ EISA ou VLB
- ☑ **EISA ou ISA**

Question n° 5

Les adresses E/S des périphériques système se situent dans une plage située entre :

- ☐ FFFF et 0000
- ☑ **0000 et FFFF**
- ☐ 0FFF et 000F

☐ 0000 et 00FF

Question n° 6

L'adresse E/S du port de communication COM3 est située entre :

☐ 3E8 et 2EF

☑ **3E8 et 3EF**

☐ 3FF et 3EF

☐ 3E8 et 3FF

Question n° 7

Les cartes mères de type ATX présentent les avantages suivants – Attention, plusieurs réponses possibles.

☑ **Elles permettent d'utiliser les cartes longues dans la plupart des connecteurs**

☑ **Elles sont plus petites que les cartes AT, réduisant ainsi la taille de l'UC**

☑ **Un connecteur USB est intégré**

☐ Le processeur est livré avec la carte

Question n° 8

La différence entre une carte AT et Baby AT est – Attention, plusieurs réponses possibles.

☑ **La carte mère a tourné de 90 degrés**

☑ **La carte est moins large**

☑ **Les connecteurs SIMMS ont changé de place**

☐ Un connecteur souris PS/2 est intégré

Question n° 9

Le processeur Pentium MMX est un processeur Pentium Pro auquel on a ajouté des instructions permettant de prendre en charge la technologie multimédia.

☑ **Vrai**

☐ Faux

Question n° 10

Le terme superscalaire indique que :

- ☐ Le processeur est composé de deux puces superposées
- ☑ **Le processeur utilise deux pipelines d'instructions**
- ☐ Le processeur est de plus grande taille
- ☐ Le processeur est à base RISC

Question n° 11

En quoi un processeur 486 DX est-il différent d'un processeur 386 SX ?

- ☐ Le SX traite moins d'espace adressable que le DX
- ☑ **Le DX intègre un coprocesseur mathématique**
- ☐ Le SX est plus rapide que le DX
- ☐ Il n'existe pas de différences, c'est juste un terme commercial

Question n° 12

La largeur du bus d'adresse d'un processeur détermine :

- ☐ La quantité de mémoire vive adressable
- ☐ Le nombre de registres internes
- ☐ La quantité de périphériques connectables
- ☑ **Toutes ses réponses**

Question n° 13

Le processeur Pentium II se présente sous la forme d'un module SEC compatible avec un connecteur Intel.

- ☑ **Vrai**
- ☐ Faux

Question n° 14

La mémoire cache qui équipe un processeur est de type :

- ☐ DRAM
- ☑ **SRAM**
- ☐ VRAM

❑ RAM

Question n° 15

La ROM est une mémoire :

☑ **Morte que l'on ne peut que lire**

❑ Une mémoire qui nécessite une carte d'extension

❑ Les 640 premiers Ko de mémoire étendue

Question n° 16

Les barrettes de mémoire DIMM peuvent contenir combien de connecteurs ?
Attention, plusieurs réponses possibles.

☑ **144**

❑ 150

☑ **168**

❑ 180

Question n° 17

L'alimentation reçoit le courant 220 V et le transforme en 3,3, 5 ou 12 V.

☑ **Vrai**

❑ Faux

Question n° 18

Les connecteurs présents sur l'alimentation sont utilisés pour :

☐ Relier les cartes d'extension et la carte mère

☐ Relier les unités de disque et les cartes d'extension

☑ **Relier la carte mère et les unités de disque**

Question n° 19

Quel est le nom de la norme définissant les caractéristiques du bus Fire Wire ?

☐ IEEE1392

☐ IEEE 393

☑ **IEEE1394**

Quiz chapitre 4

Question n° 1

Sur un PC de type 80486, la taille maximale d'un disque dur de type IDE est de :

☑ **520 Mo**

☐ 1 Go

☐ 2 Go

Question n° 2

Les contrôleurs de type EIDE permettent d'installer :

☐ 1 disque dur

☑ **2 disques durs**

☐ 4 disques durs

Question n° 3

Si l'on installe deux disques durs sur le même contrôleur, ils seront définis de la façon suivante :

☐ 2 disques maîtres

☑ **1 disque maître et 1 disque esclave**

☐ 2 disques esclaves

Question n° 4

Sur un lecteur de CD-Rom on peut :

☐ Lire et écrire les informations

☐ Lire et effacer les informations

☐ Ecrire les informations seulement

☑ **Lire les informations seulement**

Question n° 5

Pour installer un lecteur de CD-Rom, il faut obligatoirement installer une carte d'extension pour le connecter.

☐ Vrai

☑ **Faux**

Question n° 6

Un graveur de CD-Rom interne s'installe exactement comme :

☐ Un périphérique

☑ **Un lecteur de CD-Rom**

☐ Une carte d'extension

Question n° 7

Les unités de sauvegarde fonctionnent comme :

☐ Un disque dur

☑ **Un lecteur de disquette**

☐ Un lecteur de CD-Rom

Question n° 8

Voici les étapes d'installation d'un graveur de CD-Rom, replacez-les dans le bon ordre :

☐ Glisser le graveur de CD-Rom dans un rail et fixez-le avec quatre vis

☐ Brancher le graveur de CD-Rom vers l'alimentation

☐ Connecter le câble en nappe entre le graveur de CD-Rom et connecteur IDE

☐ Relancer l'ordinateur pour qu'il prenne en compte les modifications

❑ Installer les pilotes à l'aide du programme d'installation fourni avec le matériel ou en mode Plug and Play sous Windows.

Question n° 9

Combien d'unités un système SCSI 1 peut-il relier?

❑ 2

☑ 7

❑ 10

❑ 14

Question n° 10

Sur un disque dur préparé pour un système FAT, comment se nomme l'unité de support de sauvegarde ?

❑ Une piste

❑ Un secteur

❑ Un cylindre

☑ **Une grappe**

Question n° 11

Quelles sont les deux techniques de gravures permettant de lire un DVD-Rom sur un lecteur de salon ?

☑ **DVD-Rw**

❑ DVD-Ram

☑ **DVD+Rw**

Quiz chapitre 5

Question n° 1

Le clavier est un périphérique qui se déclare dans :

☑ **Le setup**

❑ Le config.sys

❑ Le config.sys et l'autoexec.bat

Question n° 2

La souris est un périphérique :

☑ **D'entrées**

☐ De sorties

☐ D'entrées et de sorties

Question n° 3

Les périphériques de sorties se connectent sur :

☐ Le port PS/2

☑ **Les ports séries et parallèles**

☐ L'alimentation

Question n° 4

Les ports séries et parallèles sont déclarés dans :

☐ Le config.sys

☐ L'autoexec.bat

☑ **Le Bios**

Question n° 5

Le mode de transmission utilisé par un port séries est :

☐ Unidirectionnel

☑ **Bidirectionnel**

Question n° 6

Les ports parallèles sont nommés :

☐ COM1, COM2, …

☑ **LPT1, LPT2, …**

☐ POR1, POR2, …

Question n° 7

Citez au moins quatre types de cartes d'extension.

☐ Carte réseau

☐ Carte son

❑ Carte modem

❑ Carte Fire Wire

Question n° 8

Le bus PCI travaille avec quel type de carte ?

❑ Des cartes ISA ou PCI

☑ **Des cartes PCI**

❑ Des cartes VLB ou PCI

Question n° 9

Quels sont les trois paramètres que l'on a besoin de configurer pour qu'une carte d'extension fonctionne correctement ?

❑ IRQ

❑ Adresse E/S

❑ Adresse mémoire

Question n° 10

Combien d'IRQ utilise un PC standard ?

❑ 7

❑ 12

☑ **16**

❑ 18

Question n° 11

Un numéro d'IRQ peut être affecté à plusieurs éléments du PC.

❑ Vrai

☑ **Faux**

Question n° 12

L'adresse d'entrées/sorties est utilisée pour :

❑ Eviter les conflits d'IRQ

☑ **Définir une plage de l'espace adressable du processeur pour communiquer avec la carte**

❑ Déclarer au processeur de quel type de carte il s'agit

Question n° 13

Le canal DMA permet au processeur de se décharger d'une partie de son travail en assurant la communication directe entre la carte et la mémoire.

☑ **Vrai**

☐ Faux

Question n° 14

Quelle est la résolution maximale obtenue par une carte VGA ?

☑ **640 x 480 x 16 couleurs**

☐ 800 x 600 x 16 couleurs

☐ 640 x 480 x 256 couleurs

☐ 800 x 600 x 256 couleurs

Question n° 15

Combien de broches un connecteur d'écran VGA comporte-t-il ?

☐ 9

☑ **15**

☐ 25

☐ 28

Quiz chapitre 6

Question n° 1

Les imprimantes peuvent être de type : - Attention, plusieurs réponses possibles.

☐ Electriques

☑ **Matricielles**

☑ **Laser**

☐ Mécaniques

☑ **A jet d'encre**

Question n° 2

Quel est le rôle de la commande **print nomfich.txt ?**

☐ Imprimer le fichier en mode bitmap

☐ Déclarer une imprimante

☑ **Imprimer le fichier en mode texte uniquement**

❑ Imprimer le fichier en mode texte ou en mode Postscript

Question n° 3

Quelles procédures pourraient améliorer la qualité d'impression d'une imprimante matricielle ? Attention, plusieurs réponses possibles.

☑ **Remplacer le ruban d'impression**

❑ Changer la tête d'impression à 24 aiguilles par une tête à 9 aiguilles

☑ **Configuration de l'ouverture correcte du cylindre**

❑ Aucune de ces procédures

Question n° 4

Laquelle de ces imprimantes possède une mémoire ROM ?

❑ Matricielle

❑ Jet d'encre

❑ Laser

☑ **Toutes**

Question n° 5

Quel est le langage d'imprimante le plus couramment utilisé sur les imprimantes laser ?

❑ Postscript

☑ **PCL**

❑ Unilanguage

Question n° 6

Pour utiliser un modem, il faut connecter :

❑ Le câble du modem vers le port parallèle et le câble téléphonique vers une prise de téléphone

❑ **Le câble du modem vers un port série ou USB et le câble téléphonique vers une prise de téléphone**

❑ Le câble du modem vers le port PS/2 et le câble téléphonique vers une prise de téléphone

Question n° 7

Modem est une abréviation de :

- ☐ Mode/Demode
- ☑ **Modulation/Démodulation**
- ☐ Modem d'émission
- ☐ Modulation d'émission

Question n° 8

Parmi les éléments suivants, quels sont ceux qui interviennent lors d'une émission de données en mode asynchrone ? Attention, plusieurs réponses possibles.

- ☑ **Bit de départ et bit d'arrêt**
- ☑ **Bits de parité**
- ☑ **Port de communication série**
- ☐ Octet de synchronisation

Question n° 9

Parmi cette liste de séquences de bits, quelles sont celles correspondant à une parité PAIRE ? Attention, plusieurs réponses possibles.

- ☐ 1111111/0
- ☑ **1111111/1**
- ☑ **1011101/1**
- ☐ 1011101/0

Question n° 10

Combien de caractères par seconde peuvent être transmis par un modem fonctionnant à 19 600 bps ?

- ☐ 19 600
- ☑ **1960**
- ☐ 9600
- ☐ 96 000

Question n° 11

A quoi sert le bit de parité ?

- ☐ Permettre le transfert
- ☐ Définir le contrôle de flux
- ☑ **Détecter des erreurs d'une manière simple**

Question n° 12

L'abréviation CRC correspond à :

- ☐ Contrôle de Réception Corrompue
- ☐ Compte de Redondance Complète
- ☑ **Contrôle de Redondance Cyclique**
- ☐ Compte de Retransmission Corrompue

Question n° 13

La norme NMP 5 permet de gérer :

- ☐ La correction des erreurs
- ☐ Le contrôle de flux
- ☑ **La compression des données**
- ☐ Les trois paramètres

Question n° 14

Quels sont les éléments contrôlés lors d'un test en boucle analogique ? Attention, plusieurs réponses possibles.

- ☑ **Le câble PC à modem**
- ☑ **Les circuits analogiques du modem local**
- ☐ Les circuits analogiques du modem distant
- ☑ **Les circuits numériques du modem local**
- ☐ Unencode Asynchronous Receiver Transmitter
- ☑ **Universal Asynchronous Receiver Transmitter**

Quiz chapitre 7

Question n° 1

L'installation d'une carte réseau se fait en quatre étapes, replacez-les dans le bon ordre :

☐ Installer le pilote de la carte

☐ Insérer la carte dans un slot disponible

☐ Redémarrer l'ordinateur

☐ Raccorder le PC au réseau

Question n° 2

Parmi les logiciels suivants, lesquels fonctionnent sur un type de réseau poste à poste ? Attention, plusieurs réponses possibles.

☑ **Windows 95**

☑ **Windows NT server**

☑ **Windows NT workstation**

☑ **Personal Netware**

☐ Novell Netware

Question n° 3

Quel est l'élément qui permet d'étendre la distance maximale d'un câble réseau ?

☐ Une passerelle

☑ **Un répéteur**

☐ Un pont

☐ Un routeur

Question n° 4

Quel est l'élément qui relie les différents postes dans un réseau en étoile ?

☐ Un routeur

☐ Un pont

☑ **Un concentrateur**

☐ Un répéteur

☐ Une passerelle

Question n° 5

Parmi les connecteurs suivants, lequel est couramment utilisé pour les connexions réseau 10baseT ?

☐ BNC

☐ AUI

☑ **RJ45**

Question n° 6

Quelle topologie réseau nécessite des terminaisons ?

☑ **BUS**

☐ Anneau

☐ Etoile

Question n° 7

Un modem ne peut être utilisé que par une seule machine

☑ **Vrai**

☐ Faux

Question n° 8

Pour partager une connexion Internet, il existe deux méthodes, lesquelles ?

☐ Utiliser une double prise USB sur le modem

☑ **Utiliser un logiciel routeur**

☑ **Utiliser le partage de connexion de Windows**

☐ Utiliser deux modems

Question n° 9

Quelles versions de Windows supportent l'outil de partage de connexion ?

☐ Windows 95

☐ Windows 98

☑ **Windows 98 SE**

☑ **Windows 2000**

☑ **Windows XP**

Question n° 10

L'Internet peut se définir comme le plus grand réseau global individuel et est constitué de plusieurs millions d'utilisateurs.

☑ **Vrai**

☐ Faux

Question n° 11

TCP/IP répond à la définition suivante :

☐ Un service que le fournisseur met à disposition

☐ Une application permettant de surfer

☑ **Un protocole utilisé pour la connexion Internet**

☐ Aucune de ces trois réponses

Question n° 12

Quel est le nom du service qui fournit une adresse IP temporaire lors d'une connexion ?

☐ WINW

☑ **DHCP**

☐ FTP

☐ DNS

Question n° 13

Quel est le service qui permet de transférer des fichiers d'un PC vers une station UNIX ?

☐ GOPHER

☐ IRC

☐ HTML

☑ **FTP**

Question n° 14

Que signifie l'abréviation URL ?

☑ **Uniform Resource Locator**

☐ Universal Resource Library

Uncode Real Line

Quiz chapitre 8

Question n° 1

Quelle est la commande qui permet de gérer les partitions de disque ?

- ☐ Format
- ☐ Chkdsk
- ☑ **Fdisk**

Question n° 2

Pour formater un disque dur (le disque maître du PC), la commande est :

- ☑ **Format C: /S**
- ☐ Format C:
- ☐ Format c/ sys

Question n° 3

Le message d'erreur *erreur disque non système* annonce :

- ☐ Qu'il n'y a pas de disque dur dans le PC ou que celui-ci n'est pas correctement connecté
- ☐ **Que le lecteur de démarrage ne contient pas les fichiers nécessaires au démarrage du système d'exploitation**
- ☐ Que MS-DOS n'a pas été correctement installé

Question n° 4

La commande FORMAT crée : - Attention, plusieurs réponses possibles.

- ☑ **Un répertoire racine**
- ☑ **Des unités d'allocation**
- ☑ **Deux FAT**
- ☐ Un master Boot Record

Question n° 5

Le système d'exploitation MS-DOS est :

☑ **Monotâche et mono-utilisateur**

☐ Multitâche et multi-utilisateur

☐ Monotâche et multi-utilisateur

☐ Multitâche et mono-utilisateur

Question n° 6

Quels sont les trois fichiers MS-DOS qui représentent le noyau du système d'exploitation ?

☐ Io.sys

☐ Msdos.sys

☐ Command.com

Question n° 7

Quel est le rôle du fichier Config.sys ?

☐ Charger le système d'exploitation

☑ **Charger les pilotes de périphériques**

☐ Réaliser l'autotest

Question n° 8

Les programmes résidant en mémoire restent chargés constamment en mémoire.

☑ **Vrai**

☐ Faux

Question n° 9

Tapez les lignes de commande permettant de créer une disquette système.

☐ Format a : /s

☐ Sys a :

Question n° 10

Quelle est la séquence de démarrage d'un système d'exploitation DOS ?

☐ IO.SYS – CONFIG.SYS – AUTOEXEC.BAT – MSDOS.SYS – COMMAND.COM

☑ **IO.SYS – MSDOS.SYS – CONFIG.SYS – COMMAND.COM – AUTOEXEC.BAT**

☐ IO.SYS – COMMANDE.COM - MSDOS.SYS – CONFIG.SYS – AUTOEXEC.BAT

☐ MSDOS.SYS - IO.SYS – COMMAND.COM – CONFIG.SYS – AUTOEXEC.BAT

Quiz chapitre 9

Question n° 1

Quel est le minimum matériel nécessaire à l'installation de Windows 95 ?

☐ 24 Mo de mémoire vive et 150 Mo d'espace disque libre

☑ **16 Mo de mémoire vive et 80 Mo d'espace disque libre**

☐ 32 Mo de mémoire vive et 400 Mo d'espace disque libre

☐ 24 Mo de mémoire vive et 100 Mo d'espace disque libre

Question n° 2

Pour installer Windows 98, il est obligatoire d'installer MS-DOS 6.22.

☐ Vrai

☑ **Faux**

Question n° 3

Parmi cette liste, quelle est l'information que vous devez obligatoirement fournir lors de l'installation de Windows 98 ?

☐ Le nom de l'utilisateur

☑ **Le nom de l'ordinateur**

☐ Le nom du groupe de travail

☐ Le type de carte mère

Question n° 4

Que faire lorsque le programme d'installation se bloque lors de la procédure ?

- ☐ Appuyer sur les touches <Ctrl> + <Alt> + <Suppr>
- ☑ **Eteindre l'ordinateur et réexécuter le programme d'installation**
- ☐ Eteindre l'ordinateur et exécuter Scandisk
- ☐ Eteindre l'ordinateur et exécuter Defrag

Question n° 5

Quel est le nom du fichier permettant de visualiser les étapes d'installation franchies ?

- ☐ BOOTLOG.TXT
- ☐ SETUPLOG.BIN
- ☑ **SETUPLOG.TXT**
- ☐ DETLOG.TXT

Question n° 6

Pour installer Windows 98 avec un autre système d'exploitation, celui-ci doit être installé en premier.

- ☑ **Vrai**
- ☐ Faux

Question n° 7

Lorsqu'un problème d'impression se présente, le plus pratique reste d'envoyer un fichier au format RAW au lieu du format EMF.

- ☑ **Vrai**
- ☐ Faux

Question n° 8

Lesquelles des affirmations suivantes sont valides à propos des raccourcis ? Attention, plusieurs réponses possibles.

- ☑ **Ils peuvent être placés sur le Bureau**
- ☐ Ils correspondent à l'original d'un programme
- ☑ **Ils correspondent à un pointeur vers le programme d'origine**
- ☐ Ils ne peuvent pas être placés sur le Bureau

Question n° 9

Quelle est la combinaison de touches permettant de passer d'une application ouverte à une autre ?

- ☐ <Ctrl> + <Alt> + <Suppr>
- ☐ <Ctrl> + <Echap>
- ☐ <Ctrl> + <Tab>
- ☑ **<Alt> + <Tab>**

Question n° 10

Quels sont les éléments qui peuvent être enregistrés dans un profil utilisateur ? Attention, plusieurs réponses possibles.

- ☑ **Les programmes du menu Démarrer**
- ☑ **Les raccourcis**
- ☐ Les paramètres matériels
- ☑ **Les couleurs et les papiers peints du Bureau**
- ☐ Les partages de dossiers

Question n° 11

Quels sont les fichiers représentant la base de registres ?

- ☐ SYSTEM.DAT et SYSTEM.DA0
- ☐ USER.DAT et USER.DA0
- ☑ **SYSTEM.DAT et USER.DAT**
- ☐ Aucune de ces réponses

Question n° 12

Dans Windows 98, les extensions de fichiers n'existent plus.

- ☐ Vrai
- ☑ **Faux**

Question n° 13

Quelle est la séquence de démarrage de Windows 98 ?

- ☐ IO.SYS – CONFIG.SYS – COMMAND.COM – AUTOEXEC.BAT – WIN.COM – SYSTEM.DAT – USER.DAT

- ❑ IO.SYS – CONFIG.SYS - MSDOS.SYS – AUTOEXEC.BAT – WIN.COM – SYSTEM.DAT – USER.DAT
- ❑ IO.SYS – CONFIG.SYS – COMMAND.COM – AUTOEXEC.BAT – WIN.COM – MSDOS.SYS – USER.DAT
- ☑ **IO.SYS – MSDOS.SYS – SYSTEM.DAT –CONFIG.SYS – AUTOEXEC.BAT – WIN.COM –USER.DAT**

Question n° 14

Quelle est la touche de raccourci permettant de démarrer Windows 98 en mode sans échec ?

- ❑ <F4>
- ☑ **<F5>**
- ❑ <MAJ> <F5>

Question n° 15

Dans le fichier MSDOS.SYS, la ligne BOOTMENU=N désactive les touches de raccourci <F4>, <F5> et <F8>.

- ❑ Vrai
- ☑ **Faux**

Question n° 16

Quels sont les pilotes chargés lors du démarrage de Windows 98 en mode sans échec ? Attention, plusieurs réponses possibles.

- ☑ **Ecran standard VGA**
- ☑ **Souris**
- ❑ Lecteur de CD-Rom
- ❑ Pilote de carte son
- ❑ Pilote réseau

Question n° 17

Avec Windows 98, le pilote HIMEM.SYS n'est plus nécessaire.

- ❑ Vrai
- ☑ **Faux**

Question n° 18

Quelle est la commande DOS permettant de sauvegarder la base de registres vers un fichier texte ?

- ☐ REGEDIT /C NOMFICHIER.TXT
- ☑ **REGEDIT /E NOMFICHIER.TXT**
- ☐ REGEDIT NOMFICHIER.TXT /C
- ☐ REGEDIT NOMFICHIER.TXT /E

Question n° 19

Lorsqu'un périphérique PnP ne fonctionne pas correctement, quel est l'utilitaire Windows qui permet de modifier les paramètres ?

- ☐ MSD
- ☑ **Le gestionnaire de périphérique**
- ☐ L'assistant Ajout de matériel
- ☐ La base de registres

Question n° 20

Dans quel répertoire se trouvent les fichiers de base de registres ?

- ☐ C:\
- ☑ **C:\WINDOWS**
- ☐ C:\WINDOWS\SYSTEM
- ☐ C:\WINDOWS\REGISTRY

Question n° 21

Quel est le composant réseau qui permet le partage des fichiers et des imprimantes dans Windows 98 ?

- ☐ Le nom d'ordinateur
- ☐ Le protocole réseau
- ☐ Le client pour réseau Microsoft
- ☑ **Le partage de fichiers et d'imprimantes pour les réseaux Microsoft**

Question n° 22

Quel est l'élément qui ne fait pas partie des composants réseau ?

- ☐ Le protocole
- ☐ La carte réseau
- ☐ Le client pour les réseaux Microsoft
- ☑ **Le gestionnaire de connexion**

Question n° 23

Lorsqu'une ressource est partagée dans un Workgroup, quel paramètre de sécurité peut-on appliquer ?

- ☑ **Contrôler le partage par mot de passe**
- ☐ Sélectionner le groupe de partage
- ☐ Sélectionner les utilisateurs avec lesquels on désire partager sa ressource
- ☐ Aucun paramètre de sécurité n'est applicable

Question n° 24

Le protocole TCP/IP est nécessaire pour activer le partage des fichiers et des imprimantes.

- ☐ Vrai
- ☑ **Faux**

Quiz chapitre 10

Question n° 1

Optimiser le système consiste à :

- ☑ **Rechercher l'équilibre entre la vitesse et la mémoire ainsi que la personnalisation du système**
- ☐ Ajouter des éléments plus récents et rajouter des barrettes de mémoire
- ☐ Formater le disque dur et réinstaller toutes les applications du système

Question n° 2

Pour optimiser la gestion de la mémoire sous DOS, on dispose de trois outils de gestion de mémoire, lesquels ?

❑ Himem.sys

❑ Emm386.exe

❑ Smartdrv.exe

Question n° 3

La ligne de commande **device=c:\dos\emm386.exe ram** signifie que :

❑ emm386.exe n'émule pas de mémoire paginée

☑ **emm386.exe émule de la mémoire paginée**

❑ emm386.exe est inactif sous Windows

Question n° 4

Pour libérer de la mémoire conventionnelle, on peut – Attention plusieurs réponses possibles

☑ **Exécuter DOS en mémoire haute**

❑ Supprimer le prompt

❑ Installer vsafe dans l'autoexec.bat

☑ **Charger les drivers de périphériques du fichier Config.sys en zone de mémoire supérieure**

☑ **Limiter le nombre de TSR dans l'autoexec.bat**

☑ **Charger des programmes de l'autoexec.bat en zone de mémoire supérieure**

Question n° 5

Le smartdrv est un TSR utilisé dans l'autoexec.bat pour :

❑ Libérer de la mémoire conventionnelle

☑ **Créer une antémémoire en mémoire étendue**

❑ Activer la zone de mémoire supérieure

❑ Doubler l'espace disque

Question n° 6

Le mode DOS exécuté et les ressources mémoire d'une application DOS lancée sous Windows 98 sont paramétrés à partir de :

❑ L'invite du DOS

❑ De l'icône « Système » du Panneau de configuration

☑ **Du raccourci du programme DOS**

Question n° 7

Une application DOS se trouve dans un dossier C:\APP\Goodapp.exe. Lorsque vous fabriquez un raccourci pour l'exécuter, où se trouvera le fichier .pif et comment s'appellera-t-il ?

❏ Msdos.pif dans le dossier \Windows

❏ Appdos.pif dans le dossier \APP

❏ Goodapp.pif dans le dossier \Windows

☑ **Goodapp.pif dans le dossier \APP**

Question n° 8

Une application DOS exécutée sous Windows n'affiche pas correctement les informations à l'écran. Que pouvez-vous faire ?

☑ **Exécuter l'application en mode plein écran**

❏ Exécuter l'application sous DOS

❏ Changer les paramètres de la mémoire virtuelle

❏ Utiliser Memmaker

Question n° 9

Quel est le fichier qui contient les paramètres de Scandisk ?

☑ **Scandisk.ini**

❏ Scandisk.txt

❏ Scandisk.exe

Question n° 10

Dans le programme Scandisk de Windows 98, le bouton Avancé permet :

☑ **De régler les options de Scandisk**

❏ De lancer Scandisk au démarrage de Windows

❏ De désinstaller Scandisk

Question n° 11

Backup et restore sont des outils qui permettent :

❏ De récupérer des données accidentellement effacées

❑ De mettre de l'ordre dans les fichiers du disque dur et de réorganiser les répertoires

☑ **De faire des sauvegardes et des restaurations de fichiers**

Question n° 12

Quelle que soit la version de Windows, backup et restore sont des utilitaires qui se lancent sous DOS.

❑ Vrai

☑ **Faux**

Question n° 13

L'utilitaire backup sous Windows 98 permet de faire des sauvegardes partielles, replacez les étapes successives dans le bon ordre :

❑ Sélection du lecteur source

❑ Sélection des fichiers (sélection partielle)

❑ Sélection du lecteur cible

❑ Démarrer la sauvegarde

Question n° 14

Pour faire une sauvegarde complète du poste sous Windows 98, quel est le nom du fichier à ouvrir ?

☑ **Sauvegarde complète du système.set**

❑ Sauvegarde complète du système.qic

❑ Défaut.set

Question n° 15

La restauration d'une sauvegarde sous Windows 98 se fait à partir d'un fichier dont l'extension est :

❑ .set

☑ **.qic**

❑ .txt

Question n° 16

Pour réaliser un transfert de données, il faut que les deux PC soient :

☐ De même type

☐ Connectés à un serveur réseau

☑ **Connectés entre eux seulement**

Quiz chapitre 11

Question n° 1

Que l'on soit un utilisateur particulier ou un utilisateur de l'entreprise, Windows Me couvre tous les besoins.

☐ Vrai

☑ **Faux**

Question n° 2

Windows Millenium permet le partage :

☐ **Des fichiers**

☐ **Des imprimantes**

☐ **Des connexions Internet**

☑ **Toutes ces réponses**

Question n° 3

Quel est l'utilitaire permettant de créer ses programmations musicales personnalisées ?

☑ **Windows Media Player 7**

☐ Directx 7

☐ Gestion du réseau domestique

Question n° 4

Windows Movie Maker est un utilitaire permettant de créer des vidéos sur Internet en utilisant le contenu provenant de périphériques numériques.

☑ **Vrai**

☐ Faux

Question n° 5

Quelle est la commande en mode ligne de commande permettant de restaurer le registre Windows Me ?

- ❑   Scanreg /go
- ☑   **Scanreg /restore**
- ❑   Scanreg /Windows

Question n° 6

Windows Me prend en charge des pilotes unifiés pour Windows 9x, Windows NT.

- ❑   Vrai
- ☑   **Faux**

Question n° 7

Quelle option doit-on choisir lors de l'installation de Windows Me afin qu'il soit possible de le désinstaller par la suite ?

- ❑   Installation complète
- ☑   **Enregistrer vos fichiers système existants**
- ❑   Mise à niveau de l'ancien système

Quiz chapitre 12

Question n° 1

Pour quel type d'utilisation Windows 2000 Pro est le mieux adapté ?

- ❑   A la maison en mono poste
- ☑   **En entreprise dans un environnement réseau**
- ❑   Les deux environnements sont identiques

Question n° 2

Quels systèmes de fichiers sont supportés par Windows 2000 Pro ?

- ❑   FAT 16
- ❑   FAT 32
- ❑   NTFS

☑ **Toutes ces réponses**

Question n° 3

Quel est l'utilitaire permettant d'utiliser la console de récupération d'urgence dans le menu de démarrage de Windows 2000 Pro ?

❏ Aucun, cette option est installée par défaut

❏ Recupcons.exe

☑ **Winnt32.exe /cmdcons**

❏ Winnt32.exe

Question n° 4

Windows Média Player est un utilitaire permettant de visualiser des documents multimédia.

☑ **Vrai**

❏ Faux

Question n° 5

Où est stockée la base de données de sécurité dans un environnement de domaine ?

☑ **Sur un contrôleur de domaine**

❏ Sur chaque poste de travail

❏ Dans un répertoire partagé

Question n° 6

Qu'arrive t-il si le fichier BOOT.INI est manquant ou endommagé ?

❏ Rien, Windows 2000 Pro démarre normalement

❏ Le système démarre en mode sans échec

☑ **Le système ne démarre pas**

Question n° 7

Quel utilitaire doit-on exécuter pour créer une console personnalisée ?

❏ CONS.EXE

☑ **MMC.EXE**

❏ EDIT.COM

❏ MMC.COM

Question n° 8

Un périphérique peut-être désactivé s'il ne fonctionne pas correctement.

☑ **Vrai**

❏ Faux

Question n° 9

Sur un système utilisant un type de stockage classique, combien de partitions principales peuvent être gérées par le système au maximum ?

❏ Dix

❏ Six

☑ **Quatre**

Question n° 10

Sur un système utilisant un type de stockage dynamique, combien de volumes peuvent être gérés par le système ?

❏ Dix

❏ Vingt

☑ **Illimité**

Question n° 11

Quel type de volume Windows 2000 serveur offre une tolérance aux pannes ?

❏ Volume simple

❏ Volume réparti

☑ **Volume RAID5**

Question n° 12

Lorsque l'on chiffre des dossiers ou des fichiers, un mot de passe doit être fourni par l'utilisateur pour accéder aux données.

❏ Vrai

☑ **Faux**

Question n° 13

Quels comptes sont créés par défaut lors de l'installation de Windows 2000 Pro ?

☑ **Administrateur et invité**

☐ Administrateur et utilisateur1

☐ Administrateur, invité et default user

Question n° 14

Quelle console permet de gérer les utilisateurs et groupes sous Windows 2000 Pro ?

☐ Sécurité

☑ **Gestion de l'ordinateur**

☐ Gestion des utilisateurs

Question n° 15

Quel système de fichiers permet de gérer la sécurité des fichiers et des dossiers en local ?

☐ FAT 16

☐ FAT 32

☐ NTFS

☑ **Tous**

Question n° 16

Qui peut changer les droits sur les fichiers et les dossiers mis en place par un utilisateur ?

☐ Tout le monde

☐ Personne

☑ **Administrateur**

Question n° 17

Où peut-on visualiser les journaux d'audit ?

☑ **L'observateur d'événement**

❑ La gestion des comptes utilisateur

❑ Les propriétés du fichier

Question n° 18

Quel outil permet de créer une disquette de réparation d'urgence ?

❑ Le programme d'installation

❑ Un clic droit sur le poste de travail

☑ **L'utilitaire de sauvegarde**

Question n° 19

Il est impossible de créer une disquette de démarrage sous Windows 2000 Pro.

❑ Vrai

☑ **Faux**

Quiz chapitre 13

Question n° 1

L'architecture du système Windows XP est proche de celle de :

❑ Dos

❑ Windows 98

❑ Windows Me

☑ **Windows 2000**

Question n° 2

Les systèmes de fichiers supportés par Windows XP sont : - Attention, plusieurs réponses possibles

☑ FAT16

☑ **FAT32**

☑ **NTFS**

❑ HPFS

Question n° 3

L'installation de Windows XP se réalise obligatoirement à partir d'un disque dur vide.

❑ Vrai

☑ **Faux**

Question n° 4

Quel est le minimum nécessaire pour installer Windows XP en terme de disque dur et de mémoire RAM ?

❑ 2 Go d'espace disque et 128 Mo de RAM

☑ **1,5 Go d'espace disque et 64 Mo de RAM**

❑ 5 Go d'espace disque et 64 Mo de RAM

❑ 1,5 Go d'espace disque et 32 Mo de RAM

Question n° 5

Qu'est-ce que l'activation de la licence ?

❑ Un élément pouvant être installé à partir du CD-Rom

❑ Une étape du programme d'installation

❑ **Une tâche nécessaire à réaliser pour utiliser le système d'exploitation auprès des services Microsoft**

Question n° 6

Les comptes utilisateurs permettent de personnaliser :

❑ Le Bureau

❑ Les données utilisateurs

❑ L'organisation du menu Démarrer

☑ **Toutes les réponses**

Question n° 7

L'enregistrement des références utilisateurs est obligatoire pour utiliser Windows XP.

❑ Vrai

☑ **Faux**

Question n° 8

Lors d'un problème de démarrage, quelle touche doit-on utiliser pour afficher les options avancées ?

- ☐ <F1>
- ☐ <F5>
- ☑ **<F8>**
- ☐ <F12>

Question n° 9

Avec quel outil peut-on créer des partitions de disque ?

- ☑ **Le Panneau de configuration puis Gestion de l'ordinateur**
- ☐ Un clic sur le bouton droit de la souris sur le poste de travail puis Créer une partition
- ☐ Le CD-Rom d'installation
- ☐ On ne peut pas créer de partitions

Question n° 10

Les périphériques numériques USB sont :

- ☐ Installés de façon permanente et nécessaire au démarrage de la machine
- ☑ **Connectables/déconnectables à chaud**
- ☐ Ne sont pas supportés par Windows XP

Question n° 11

Quels sont les paramètres de sécurité communs à Windows 2000 et Windows XP sur les dossiers NTFS ?

- ☑ **Tous**
- ☐ Aucun
- ☐ Seulement le cryptage et la compression

Question n° 12

Windows XP permet l'ouverture de session pour plusieurs utilisateurs.

- ☑ **Vrai**
- ☐ Faux

Question n° 13

Quels sont les outils multimédia intégrés à Windows XP ? – Attention, plusieurs réponses possibles

☑ **Windows Media Player**

☑ **Windows Movie Maker**

❑ Winzip

Question n° 14

Pour connecter un appareil photo numérique à votre ordinateur, il est nécessaire de passer par un connecteur USB ou FireWire.

☑ **Vrai**

❑ Faux

Question n° 15

La prise en charge de la lecture d'un DVD-Rom sur une télévision nécessite :

❑ Un écran possédant une prise péritel

☑ **Une carte vidéo spécifique**

❑ Un lecteur de DVD de salon

Quiz chapitre 14

Question n° 1

Quel est l'outil le plus simple à utiliser pour réaliser un réseau domestique et un partage de connexion ?

☑ **L'assistant réseau domestique**

❑ La configuration manuelle du réseau

❑ Windows XP ne prend pas en charge la gestion du réseau

Question n° 2

Windows XP peut intégrer un groupe de travail composé de :

☑ **Tout type de PC**

❑ Machines Windows XP uniquement

❑ Machines Windows 2000 uniquement

Question n° 3

Sous Windows XP, le protocole TCP/IP est configuré par défaut en :

☑ **Adressage automatique**

☐ Adressage manuel

Question n° 4

Quels systèmes d'exploitation intègrent l'outil de partage de connexion ? – attention plusieurs réponses possibles

☐ MS-DOS

☐ Windows 95

☑ **Windows 98 Se**

☑ **Windows Me**

☑ **Wdows 2000 Pro**

☑ **Windows XP**

Question n° 5

Où trouve t-on les paramètres de connexion Internet sous Windows XP ?

☑ **Démarrer – Connexion**

☐ Démarrer – Internet Explorer

☐ Panneau de configuration – icône Système

☐ Panneau de configuration – icône Option des dossiers

Question n° 6

Le partage de connexion Internet nécessite ?

☐ Deux modems

☑ **Une connexion réseau**

☐ Deux abonnements à un fournisseur d'accès

Question n° 7

Le pare-feu pour la protection Internet peut être :

☐ Activé

☐ Désactivé

☐ Paramétré avec certaines options

☑ **Toutes ces réponses**

Question n° 8

Dans le cas d'une mise en œuvre d'un accès à l'Internet par l'intermédiaire d'un routeur, celui-ci sera vu par les ordinateurs comme :

☐ Un serveur de connexion

☐ Un proxy

☑ **Une passerelle par défaut**

Question n° 9

Lorsqu'un routeur intègre également la fonction de pare-feu, quel principal avantage en tire t-on ?

☐ Cela coûte moins cher

☑ **Le contrôle centralisé**

☐ Cela ne présente pas d'avantages

Question n° 10

Lors de l'insertion d'une carte d'accès sans fil sur un ordinateur, quels sont les deux modes de fonctionnement que l'on peut paramétrer ?

☐ Personnalisé

☑ **Ad'hoc**

☐ Monostructure

☑ **Infrastructure**

Question n° 11

Si l'on dispose d'une connexion à l'Internet par l'intermédiaire d'un modem, on ne peut pas protéger l'ordinateur avec un pare-feu ?

☐ Vrai

☑ **Faux**

Question n° 12

Le service d'assistance à distance nécessite de paramétrer les options de quel élément ?

☑ **Le pare-feu**

☐ Le modem

☐ Les options d'Internet Explorer

Glossaire

Dans cet ouvrage, nous avons utilisé et expliqué de nombreux termes et sigles informatiques. Nous vous proposons un glossaire des plus couramment rencontrés, cette liste n'est pas exhaustive, le langage informatique est riche et sans cesse renouvelé.

3D NOW ! : technologie implémentée sur les processeurs AMD et conçue pour optimiser les performances graphiques pour les applications 3D.Elle est composée d'instructions permettant de soulager le processeur de calculs complexes.

ACPI : abréviation de « Advanced Configuration and Power Interface ». Il s'agit d'un outil de gestion de l'économie d'énergie disponible à partir de Windows 98.

Active-X : outil de développement mis au point par Microsoft permettant d'intégrer des objets dans une page HTML. Ce composant fonctionne suivant un principe similaire à l'OLE.

Adresse IP : paramètre de configuration du protocole TCP/IP. Cette adresse est composée de quatre octets et est attribuée à un hôte du réseau.

ADSL : abréviation de « Asynchronous Digital Subscriber Line ». C'est une technologie fournissant une méthode d'accès à l'Internet au moyen d'une ligne téléphonique. Cette méthode fournit un haut débit de transmission.

AGP : abréviation de « Advanced Graphic Port ». Ce bus est contrôlé par un composant dédié et permet des accès à très haute vitesse à la mémoire système. En outre, il diminue le trafic sur le bus PCI, ce qui libère ce dernier pour les autres périphériques. Il se situe entre le chipset et la carte graphique (qui doit être compatible AGP).

ANSI : abréviation de « American National Standards Institute ». C'est l'Institut américain des Standards chargé de définir des normes.

API : abréviation de « Application Programming Interface ». Il s'agit d'une interface de programmation des applications comprenant une ou plusieurs bibliothèques de fonctions et primitives (programmes fournis).

ARC : Utilitaire de compression/décompression de fichiers.

ARJ : utilitaire de compression/décompression de fichiers.

ASCII : abréviation de « American Standard Code for Information Interchange ». Il s'agit d'une norme de codage numérique des caractères alphanumériques et autres. C'est actuellement la plus répandue.

ATX : abréviation de « Advanced Technology Extended ». C'est une norme établie pour améliorer la mise en place et l'installation des cartes mères. Les cartes mères ATX nécessitent l'utilisation de bloc d'alimentation ATX.

AUI : abréviation de « Attachment Unit Interface ». Il s'agit d'une interface standard IEEE 802.3 (norme de réseau Ethernet) à 15 broches utiliser pour connecter un périphérique sur un réseau Ethernet.

Backbone : ou « Epine dorsale ». Terme utilisé pour désigner la partie centrale d'un réseau sur laquelle se connectent des éléments dont les sous réseaux. Généralement câblée en fibre optique, elle est bien souvent la partie la plus performante et sécurisée du réseau de l'entreprise.

Bande passante : espace disponible pour la circulation des données sur le réseau. Plus la bande est large, plus la communication est rapide. La bande passante est déterminante pour une connexion rapide à l'Internet.

BIOS : abréviation de « Basic Input Output System ». Composant essentiel au fonctionnement de l'ordinateur qui prend en charge les fonctions entrées/sorties de base du système. Il est également responsable de l'exécution du Post et du chargement des paramètres du Setup lors du démarrage de l'ordinateur.

BNC : abréviation de « British Naval Connector ». Les connecteurs BNC sont utilisés sur les réseaux Ethernet 10base2 équipés de câble coaxial fin.

Bps : abréviation pour bits par seconde. C'est l'unité de mesure permettant de quantifier la bande passante d'un support de transmission d'un réseau.

Cache : mémoire utilisée pour stocker momentanément les dernières informations utilisées afin d'y accéder plus rapidement en cas de besoin.

CGI : abréviation de « Common Gateway Interface ». Il s'agit d'un standard utilisé pour le développement d'application client/serveur permettant notamment de relier un site Web et le serveur sur lequel il est hébergé.

Chipset : composant de la carte mère prenant en charge le fonctionnement du processeur et des divers éléments fondamentaux de la carte mère comme le bus système, les ports entrée/sortie, les bus d'extension et l'accès à la mémoire.

CMOS : puce mémoire qui stocke les paramètres contenus dans le Setup. Une pile placée près de la mémoire CMOS permet de conserver ces informations.

Commutateur (switch) : Composant matériel d'un réseau. A la différence d'un Hub, un commutateur détient un rôle actif et fonctionne plus efficacement.

Concentrateur (hub) : composant matériel d'un réseau dans une topologie en étoile. Le concentrateur permet de relier les postes de travail entre eux. Lorsqu'un ordinateur envoie des données sur le réseau, le concentrateur ne lit pas les données et sert seulement à leur circulation.

CPU : abréviation de « Central Processing Unit ». La CPU prend en charge le traitement des instructions en provenance et à destination des différents éléments de l'ordinateur. Souvent le terme de processeur est associé à celui de CPU.

DDR : abréviation de « Double Data Rate ». Il s'agit d'un nouveau type de mémoire RAM fonctionnant deux fois plus vite que la SDRAM.

DirectX : c'est un programme conçu par Microsoft pour la prise en charge des applications comprenant des graphiques, des animations 3D et des effets sonores. DirectX est inclus à partir de Windows 98 et suivants. Certains programmes fournissent une version de DirectX.

DNS : abréviation de « Domain Name System ». Il s'agit d'un système hiérarchique de bases de données distribuées sur Internet permettant de résoudre les noms d'URL en adresses IP. Ceci facilite grandement l'utilisation d'internet.

DOS : abréviation de « Disk Operating System ».C'est le premier système d'exploitation développé par Microsoft.

EDO : abréviation de « Extended Data Output ». Type de mémoire RAM rapide permettant un accès double durant un cycle de processeur au lieu d'un accès simple pour la FPM.

Ethernet ou Fast Ethernet : Il s'agit d'une norme réseau largement utilisée dans le monde de l'entreprise. Les réseaux Ethernet utilisent une méthode d'accès appelée CSMA/CD et fonctionnent sur divers types de câbles. Elle propose une bande passante allant de 10 Mb/s à 10 Gb/s.

FAI : abréviation de « fournisseur d'Accès à Internet ». Pour obtenir une connexion à l'Internet, un particulier doit s'adresser à un fournisseur d'accès.

FAQ : abréviation de « Frequently Asked Questions ». Sur de très nombreux sites Web, une base de donnée regroupant les questions les plus souvent posées ainsi que leurs réponses est mise à disposition des internautes.

FAT : abréviation de « File Allocation Table ». C'est une table où le système d'exploitation enregistre l'emplacement des différents morceaux d'un fichier sur disque ou disquette. Utilisée par MS-DOS et Windows 3.1, elle a été remplacée par VFAT (Virtual FAT) à partir de Windows 95.

FDDI : abréviation de « Fiber Distributed Data Interface ». Norme de transmission pour constituer des réseaux locaux ou des interconnexions de réseaux locaux en fibre optique. Les réseaux FDDI fonctionnent avec une méthode d'accès appelé « passage du jeton » et offre un double anneau fonctionnant à 100 Mb/s.

Firewire : nom donné à l'interface IEEE 1394. Il s'agit d'un bus série universel à haut débit utilisé pour connecter des périphériques électroniques Plug and Play.

Freeware : Logiciels ou utilitaires distribués gratuitement. On trouve actuellement beaucoup de Freeware sur les sites de téléchargement.

FTP : abréviation de « File Transfer Protocol ». Service intégré au protocole TCP/IP permettant le téléchargement et le transfert des fichiers d'un serveur distant sur son ordinateur.

Gateway ou Passerelle : c'est un convertisseur de protocole utilisé pour connecter des réseaux hétérogènes. On utilise également le terme de passerelle dans l'environnement TCP/IP pour désigner un routeur ou encore un Proxy servant à la connexion vers un réseau distant.

HTML : abréviation de « HyperText Markup Language ». C'est un langage de description de page utilisé pour concevoir des pages Web.

HTTP : abréviation de « HyperText Transfer Protocol ». Utilitaire intégré au protocole TPC/IP utilisé par un navigateur pour l'affichage des pages des sites Web vers l'ordinateur de l'utilisateur. La chaîne de caractères http :// précède les adresses URL des pages Web afin d'indiquer la nature hypertexte de leur contenu.

IAB : abréviation de « Internet Architecture Board ». Organisation qui prend des décisions sur les standards, normes et autres questions importantes concernant Internet.

IEEE : abréviation de « Institute of Electrical and Electronic Engineers ». Institut des Ingénieurs Electrique et Electronique (USA) chargé de mettre au point des normes concernant les technologies informatiques.

IMAP4 : abréviation de « Internet Message Access Protocol ». Il s'agit d'un nouveau protocole de messagerie pour relever son courrier plus perfectionné que POP3.

Intranet : réseau d'une organisation qui offre à son personnel des services semblables à Internet. La plupart des Intranets sont raccordés à Internet. L'accès à un Intranet est cependant limité aux personnes autorisées.

IRC : abréviation de « Internet Relay Chat ». C'est un réseau de serveurs sur Internet permettant de converser en direct entre les utilisateurs. Les participants communiquent directement sous forme de messages comme s'ils dialoguaient.

ISDN : abréviation de « Integrated Services Digital Network ». Cela correspond à l'appellation Anglophone du réseau Numérique Intégré de Services, plus connu en France sous son nom commercial NUMERIS.

ISO : abréviation de « International Organization for Standardization".C'st l'organisme qui établit des standards et des protocoles.

ISP : abréviation de « Internet Service Provider ». Voir FAI.

Java : langage de programmation orienté objet mis au point par Sun microsystems. Sa souplesse d'utilisation en fait un outil très utilisé pour la création de programme pour l'Internet.

JPEG : abréviation de « Joint Photographics Experts Group ». Désigne une norme de compression d'images fixes. C'est une méthode courante utilisée pour compresser des images photographiques. La plupart des explorateurs Web acceptent les images JPEG comme un format de fichiers standard pour la visualisation.

LAN : abréviation de « Local Area Network ». Désigne un réseau contenu dans un seul bâtiment et ne nécessitent pas de liaisons externes.

LINUX : système d'exploitation mis au point à partir du système Unix. Son succès est grandissant dans la mesure où le code source peut être librement modifié.

Login : ce terme anglophone fait référence à un compte utilisateur. Lorsqu'un utilisateur possède une connexion Internet par l'intermédiaire d'un fournisseur d'accès, il doit s'authentifier à l'aide d'un login et d'un mot de passe.

Mailbox : boîte aux lettres.

Mailing list ou Mail list : liste d'adresses email d'utilisateurs Internet qui se sont inscrits auprès du gestionnaire de la mailing list qui est chargé de la gérer et de divulguer des informations à l'ensemble des utilisateurs inscrits. Certaines listes sont «ouvertes » (tout abonné à la liste peut envoyer des messages), et d'autres sont «fermées » (seules certains abonnés peuvent envoyer des messages).

MIME : abréviation de « Multipurpose Internet Mail Extension ». Il s'agit d'une norme de messagerie permettant de joindre des fichiers multimédias à un Email.

MPEG : standard de compression de données numériques.

NETBIOS : abréviation de « Network Basic Input Output System ». Progiciel d'interface entre le système d'exploitation et les applications utilisées lors d'échanges de données dans un réseau. Souvent, dans l'environnement Windows, chaque ordinateur porte un nom unique sur le réseau appelé nom Netbios de l'ordinateur.

Netiquette : Ensemble de règles définissant une sorte de bonne conduite concernant l'utilisation de l'Internet.

Newsgroup : forum de discussions sur Internet regroupés autour de sujets ou de thèmes. La lecture des news se fait en général à l'aide d'un logiciel de messagerie.

Nœud : Terme générique utilisé dans un environnement réseau décrivant tout périphérique ou ordinateur faisant partie d'un réseau.

OCR : abréviation de « Optical Character Recognition ». Technologie de reconnaissance optique de caractères qui transforme, via un scanner et un logiciel dédié, les textes imprimés en un fichier texte.

Octet : unité de mesure des fichiers informatiques. Un octet représente 8 bits et tout caractère utilisé dans un fichier est codé sous forme binaire.

OEM : abréviation de « Original Equipment Manufacturer ». C'est le fabricant d'origine d'un équipement informatique ou d'un logiciel.

Overclocking : Technique qui consiste à utiliser un processeur à des fréquences supérieures à celle pour laquelle il a été vendu. L'évolution rapide des processeurs fait que cette technique est de moins en moins employée. En effet, le risque d'endommager le processeur par rapport au gain de performance que procure l'overclocking apparaît comme inutile.

Pare-feu : terme anglais dont la traduction en français est « Coupe-feu ». Il s'agit de techniques utilisant des logiciels ou du matériel informatique servant à protéger les ordinateurs contre toute intrusion via un réseau étendue.

PCI : abréviation de « Peripheral Component Interconnect ». Format de bus d'extension développé par Intel et largement répandu aujourd'hui dans l'industrie informatique.

PCL : abréviation de « Printer Command Language ».Langage de commande d'imprimante développé par Hewlett Packard et adopté par un grand nombre de constructeurs.

PCMCIA : abréviation de « Personal Computer Memory Card International Association ». Standard de périphériques au format de carte de crédit destiné aux ordinateurs portables. Les cartes PCMCIA peuvent contenir toutes sorte de périphériques ou cartes d'extension. Les cartes PCMCIA sont conçues suivant trois formats déterminés par l'épaisseur de la carte (type I, II ou III).

POP3 : Standard de messagerie Internet. Il s'agit d'un protocole de messagerie mis au point pour la réception d'Email. De nos jours, le standard IMAP4, plus perfectionné tant à remplacer POP3.

POST : abréviation de « Power on Self Test ». C'est un autotest réalisé à chaque démarrage de l'ordinateur. Un certain nombre de composants dont la mémoire, le processeur, les ports Entrée/sorties de base sont testés avant le chargement du système d'exploitation.

PPP : abréviation de « Point to Point Protocol ».Il s'agit d'un outil intégré au protocole TCP/IP qui définit une méthode de connexion.

Proxy : c'est en fait un ordinateur permettant à des utilisateurs d'un réseau d'entreprise d'accéder à l'internet. Lorsque l'utilisateur envoie une requête, celle-ci est prise en charge par le serveur proxy qui lui renvoie la page demandée.

RAID : abréviation de « Redondant Array on Inexpensive Disks ». Technologie permettant de répartir et/ou de dupliquer des données sur plusieurs disques durs de façon à augmenter les performances en lecture/écriture et/ou d'assurer l'intégrité des données. On parle aussi de système de tolérance de panne.

RAM : abréviation de « Random Access Memory ». C'est ce que l'on appelle la mémoire vive. Elle constitue le principal espace de travail du Système d'exploitation et des applications. Elle perd son contenu dès qu'elle n'est plus alimentée. Toutes les données écrites en RAM doivent donc être sauvegardées.

Répéteur : il s'agit d'un équipement réseau utilisé pour prolonger la longueur d'un segment de câble. Lorsque le signal court à travers le câble, son intensité diminue au fur et à mesure que la longueur augmente. Le répéteur capte le signal, le régénère et le transmet sur le segment de câble se situant à sa sortie.

RNIS : abréviation de « Réseau Numérique à Intégration de Services ». Réseau mettant à disposition des techniques numériques pour transporter plusieurs services, comme la voix, les données ou les images. En France, ce service est plus connu sous son appellation commerciale « Numeris ».

ROM : abréviation de « Read-Only Memory ». C'est une mémoire à laquelle on ne peut accéder qu'en lecture seulement. Les ordinateurs contiennent une mémoire de ce type qui stocke des informations concernant les entrées/sorties de base, le programme d'autotest ainsi que le Setup permettant l'amorçage du système.

Routeur : ce sont des équipements réseau assurant une liaison entre les sites distants. Ces équipements sont très utilisés dans les entreprises et permettent également l'accès à l'Internet partagé.

RVB : abréviation de « Rouge, vert, bleu ». Partie d'un signal vidéo transportant les trois couleurs de base (par opposition au modèle CMJN -cyan, magenta, jaune, noir- qui en utilise quatre). Par extension, RVB désigne le signal vidéo dans son ensemble sous sa forme analogique.

Script : ensemble de commandes écrites dans le but d'automatiser certaines tâches.

SCSI : abréviation de « Small Computer Standard Interface ». Interface parallèle évoluée servant à connecter des périphériques en chaîne. Popularisée grâce à Apple, elle est surtout utilisée pour les systèmes de stockage nécessitant un débit soutenu, comme les disques durs. Plusieurs normes SCSI existent, plus la celle-ci est récente, plus elle offre des performances intéressantes.

ULTRA SCSI & ULTRA-WIDE SCSI : une norme de disque dur qui double le débit réel de l'interface, autorisant respectivement des taux de transfert de 20Mo/s et 40Mo/s.

ULTRA 2 SCSI : une norme disque dur qui repose sur la technologie LVD (Low Voltage Differential), qui autorise des taux de transfert jusqu'à 80Mo/s et permet d'augmenter la distance globale de la chaîne SCSI jusqu'à 12m.

SDRAM : abréviation de « Synchronous Dynamic Ram ». C'est un type de barrette mémoire de 64 bits fonctionnant à la vitesse du bus du processeur. Ce type de mémoire est plus performant que la mémoire EDO. Aujourd'hui, la DDRAM apporte encore de meilleures performances.

Search engine : moteur de recherche. Dans le contexte Internet il s'agit d'un puissant outil de recherche permettant à l'utilisateur de rechercher à travers son explorateur des sites en fonctions de mots clé. Ainsi l'utilisateur peut obtenir la liste de toutes les pages Web ayant trait à son sujet de recherche.

SGML : abréviation de « Standard Generalized Markup Language ». Que l'on peut traduire par langage Majoré Généralisé Standard. Il s'agit d'un langage de programmation permettant de décrire d'autres langages structurés de description de documents. Par exemple, le langage HTML est défini à l'aide du langage SGML.

Shareware : logiciel distribué librement et dont l'utilisation gratuite, à la différence d'un freeware est limité dans le temps. Passé ce délai, il reste possible d'acheter la version complète du logiciel.

SLIP : abréviation de « serial Line Internet Protocol ». Ancien protocole pour la connexion Internet intégré au protocole TCP/IP. Le protocole PPP remplace aujourd'hui le protocole SLIP.

SMART : abréviation de « Self Monitoring Analysis and Reporting Technology ». Il s'agit d'une technologie assurant la surveillance d'un disque dur. Les Bios des ordinateurs d'aujourd'hui intègrent cette fonction. Une fois activée, tout problème détecté fera l'objet d'un message vous informant de sa nature.

SMTP : abréviation de « Simple Mail Transfer Protocol ». Protocole de transmission des messages email. Les messages sont transmis par ce protocole en format texte seulement.

SoHo : abréviation de « Small Office – Home Office ». Principe permettant la mise en œuvre d'un réseau simple dont l'architecture repose sur une connexion Internet partagée entre plusieurs ordinateurs et la mise en place d'un réseau simple. La présence d'un administrateur réseau est inutile et la mise en œuvre représente un coût réduit. Ce concept s'adapte aux particuliers, aux PME et aux personnes travaillant à domicile.

SSL : abréviation de « Secure Socket Layer ». C'est le protocole garantissant la sécurité des communications de données par cryptage et décryptage des données échangées. L'utilisation de ce protocole est très répandue dans le commerce sur Internet et garantie l'utilisateur de pouvoir payer de manière sécurisée.

SVGA : Extension de la norme d'affichage VGA.

TCP/IP : abréviation de « Transmission Control Protocol /Internet Protocol ». Protocole réseau largement répandu dans l'entreprise. Il est devenu très populaire en raison du développement considérable d'Internet. En effet, TCP/IP est le protocole utilisé pour les connexions à l'Internet et aux réseaux distants.

Telnet : outil intégré à TCP/IP permettant de se connecter directement à un système distant. Telnet est un programme réseau qui permet d'ouvrir une session et de travailler sur un ordinateur distant. En ouvrant une session sur un autre système, les utilisateurs peuvent accéder aux services Internet dont ils ne disposent pas sur leurs propres ordinateurs.

Token-ring : méthode d'accès au support réseau utilisé sur les réseaux en anneau.

UART : Il s'agit d'une puce qui contrôle les périphériques Entrées/Sorties connectés sur les ports série du PC. Différents types d'UART ont été mis au point au cours de l'évolution de la micro informatique.

UMB : abréviation de « Upper Memory Block ». Ce sont des blocs de mémoire disponibles dans la mémoire RAM dont l'adresse se trouve entre 640 et 1024 Ko.

ULTRA DMA/66 : ULTRA DMA/66 est une technologie permettant d'exploiter des disques durs aux normes ATA à 66Mo/s au lieu de 16Mo/s. Elle utilise le Bus

Mastering DMA pour transférer directement les données du disque dur vers la mémoire système.

UNIX : système d'exploitation multitâche et Multi-Utilisateur mis au point dans les années 60 dans les universités américaines. Il existe de nombreuses versions de ce système d'exploitation particulièrement adapté aux serveurs.

URL : abréviation de « Uniform Resource Locators ». Toute page Web détient une adresse unique écrite sous la forme d'une URL. Celle-ci spécifie le service TCP/IP utilisé, l'adresse du serveur WEB sur lequel elle est stockée ainsi que son nom. Exemple : http://www.tsoft.fr/accueil.htm est l'adresse URL de la page d'acceuil du site tsoft.

USENET : Groupement de newsgroups.

User : terme utilisé dans un environnement réseau désignant un utilisateur.

USB : abréviation de « Universal Serial Bus ». C'est une nouvelle génération de bus équipant les PC d'aujourd'hui. Sa particularité est d'être compatible avec la norme Plug and Play et il est possible de connecter et déconnecter des périphériques à chaud.

VGA : abréviation « Video Graphics Array ». Il s'agit d'une norme graphique définissant les capacités d'affichage d'une carte graphique. La résolution graphique maximum obtenue avec du matériel VGA est de 640 x 480 x 16 couleurs. Cette norme a connu plusieurs améliorations, comme la norme SVGA et la norme XGA.

VRML : abréviation de « Virtual Reality Modeling Language ». Langage de programmation proche du HTML permettant de manipuler des objets 3D, notamment sur le Web.

WAN : abréviation de « Wide Area Network ». Réseau comprenant des liaisons distantes. Souvent, les réseaux WAN sont constitués de plusieurs réseaux LAN connectés entre eux.

WAV : format de fichier audio. La plupart des explorateurs Web savent jouer les sons contenus dans les fichiers WAV.

WAP : abréviation de « Wireless Aplication Protocol ». Constitue un standard des liaisons sans fil.

Webmaster : Personne chargé de la maintenance d'un site Web.

Wi-Fi : abréviation de « Wireless – Fidelity ». Il s'agit de la mise en place d'un réseau répondant à la norme 802.11 reposant sur les technologies sans fil. Les équipements ainsi désignés sont le point d'accès et la carte réseau sans fil.

XGA : Extension de la norme VGA.

XML : abréviation de « eXtended Markup Language ». Langage de balisage de page plus évolué et plus puissant que HTML.

ZIF : abréviation de « Zéro Insertion Force ». Support pour processeur utilisé principalement dans le monde PC, permettant une mise en place du processeur au moyen d'un levier.

ZIP : fichiers obtenus après compression des données au moyen d'un logiciel. Le plus connu d'entre eux est Winzip.

Z-MODEM : protocole de transport de données par modem permettant de transmettre les données par blocs avec une méthode de détection des erreurs.

Index